Aprenda los lenguajes HTML5, CSS3 y JavaScript para crear su primer sitio web

4ª edición

Denis Matarazzo

ISBN: 978-2-409-05509-6
Edición original: 978-2-409-05291-0

Ediciones ENI

Pº Ferrocarriles Catalanes, 97-117, 2a pl. of. 18
08940 - Cornellà de Llobregat (Barcelona)

Tel: 934 246 401
Fax: 934 231 576

e-mail: info@ediciones-eni.com
http://www.ediciones-eni.com

Autor: Denis Matarazzo
Colección **Recursos Informáticos** dirigida por Émilie Villetorte

Para poder acceder durante un año a la versión online de este libro, envíenos su justificante de compra a

librodigital@ediciones-eni.com

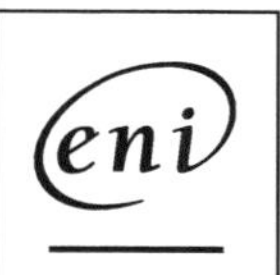

Prólogo

Este libro está dirigido a todas aquellas personas que deseen aprender los fundamentos del diseño de un sitio web. En este sentido, aborda los tres lenguajes que es imprescindible conocer para trabajar en la Web: HTML5, CSS3 y JavaScript. Tanto, si su intención es crear un blog como recurrir a un sistema CMS (*Content Management System*, sistema de gestión de contenidos) como WordPress o Joomla, le resultará mucho más sencillo obtener el resultado deseado si tiene un buen conocimiento de estos lenguajes.

HMTL5, CSS3 y JavaScript están muy bien documentados en Internet, donde puede encontrar todas las informaciones específicas para sus futuros desarrollos. Este libro le permite conocer las bases sobre las que reposan estos tres lenguajes y sus interacciones, para disponer de la experiencia necesaria para ir más allá en la creación de un sitio web. Conforme avance en su lectura, aprenderá cómo utilizar estos lenguajes gracias a métodos muy sencillos, eficaces y conformes con las especificaciones técnicas más recientes, que se ilustrarán mediante capturas de pantalla.

El primer capítulo le ofrece una visión general del desarrollo web. Se presentarán los lenguajes del lado cliente y del lado servidor, los formatos de imágenes y los navegadores para comprender los mecanismos mediante los cuales se muestra el contenido de una página en la pantalla de su dispositivo.

El segundo capítulo aborda las reglas generales a seguir para desarrollar de manera eficaz: la legibilidad del código, la organización de sus carpetas, el uso de editores de código y el posicionamiento, para conocer las buenas prácticas a aplicar.

Los tres siguientes capítulos entran de lleno en materia. En primer lugar, el tercer capítulo presenta el lenguaje HTML5. Desde el uso de las etiquetas hasta la codificación de los caracteres, pasando por la organización del código HTML, sabrá cómo estructurar una página web, cómo organizar sus elementos y cómo mostrar correctamente su contenido tal y como lo haría un software de maquetación. El cuarto capítulo aborda, de manera más detallada, el lenguaje CSS3, que permite gestionar la representación visual de su sitio: cómo crear estilos, cómo manipular colores, cómo integrar efectos visuales, cómo obtener una representación bien adaptada tanto a la pantalla de un ordenador como a la de un Smartphone... El quinto capítulo le permite aprender los lenguajes del lado cliente con JavaScript. Una vez explicado cómo se descompone un script JavaScript, descubrirá cómo este lenguaje permite al usuario realizar acciones sobre una página web y las posibilidades que ofrece esta interacción.

El resto del libro profundiza en estos lenguajes y en el desarrollo Web. De este modo, el sexto capítulo aborda una maquetación más compleja de la web mediante listas o tablas, mientras que el séptimo capítulo le enseña a crear formas y animaciones sin tener que recurrir a imágenes. En el octavo capítulo se tratan los contenidos multimedia de una página web: cómo mostrar un vídeo o cómo reproducir un archivo de audio, en qué formatos y con qué navegadores. El noveno capítulo le enseñará a crear formularios, mientras que el último capítulo se centra en la creación de menús y enlaces de hipertexto.

Una vez finalizada su lectura, comprenderá el funcionamiento de los lenguajes HTML5, CSS3 y JavaScript y será capaz de crear un sitio web funcional, disponiendo de las bases y los conocimientos necesarios para mejorar sus desarrollos y elaborar su sitio web como usted desee.

Contenido

Capítulo 3
HTML

Capítulo 4
CSS3

Capítulo 5
JavaScript

Capítulo 6
Representación HTML y CSS

Capítulo 7
Los métodos de diseño

Capítulo 8
El multimedia

Capítulo 9
Los formularios

Capítulo 10
Los enlaces y menús en HTML5

Capítulo 11
Corrección de ejercicios

Capítulo 1
La Web

1. ¿Qué es la Web?

Todos los usuarios de Internet tienen la costumbre de visitar sus sitios favoritos o bien utilizar un motor de búsqueda para acceder al contenido que les interesa.

Como usuario, cuando utiliza su navegador web (Edge, Chrome, Firefox, Safari, Opera...), está situado del lado cliente. La información, los textos y las imágenes que se muestran en el navegador provienen de un equipo situado en algún lugar del planeta: el servidor.

1.1 Lado servidor: HTTP, FTP, lenguajes, SQL

Lo que llamamos servidor es, simplemente, un ordenador sobre el que se han instalado ciertas herramientas o programas que permiten disponer de nuevas funcionalidades. Este ordenador está conectado, obligatoriamente, a Internet y permite a los demás ordenadores realizarle consultas.

El protocolo de comunicaciones utilizado para la Web es el **HTTP** (*Hypertext Transfer Protocol*, protocolo de transferencia de hipertexto).

Observación

Realizamos un pequeño paréntesis relativo al término hipertexto, pues esta palabra forma parte, también, del acrónimo HTML (Hypertext Markup Language). Cuando hablamos de hipertexto, nos referimos a cierta cantidad de información (actualmente no hablamos únicamente de texto), que se almacena en lo que llamamos un nodo. Todos los nodos están relacionados con otros nodos para recorrer la información. Veremos, más adelante, que en HTML los nodos se escriben a partir de etiquetas.

Gracias a este protocolo se establecen las reglas que permiten realizar la comunicación entre el cliente y el servidor. De ahí la presencia del término "http" al comienzo de la dirección de un sitio web.

Observación

Algunas direcciones empiezan por "https". La "s" (de Seguro) significa que el acceso a estos sitios está securizado.

El servidor utiliza, en ocasiones, lenguajes que permiten obtener páginas dinámicas y no estáticas, es decir, páginas que serán diferentes en función de aquello que se les solicite.

Tomemos el ejemplo del lenguaje **PHP** (*Hypertext Preprocessor*), que es un lenguaje de script para servidor que podemos asociar con una base de datos **MySQL**. Una base de datos es una herramienta informática que permite almacenar y gestionar gran cantidad de información y presentarla ordenada y filtrada en función de lo que se le pida a través de consultas, todo ello a una velocidad importante.

Petición y respuesta cliente/servidor

Cuando un usuario desea consultar, en un sitio web dedicado a vehículos de ocasión, una lista de modelos concretos según su precio, rellena, por ejemplo, un formulario en el que se indica la marca buscada del coche, una horquilla de precios, etc.

Una vez que el usuario rellene el formulario y valide su búsqueda, la información contenida la recupera un script PHP. Este script sabe cómo extraer el contenido del formulario y saber qué se está buscando. Este mismo script PHP va a consultar, a continuación, a la base de datos MySQL para devolver la lista de respuestas que se correspondan con los criterios de búsqueda introducidos en el formulario por el usuario.

En ese instante, PHP va a agrupar toda la información y presentarla de forma fácilmente comprensible : dicho de otro modo, va a generar una página HTML que se devolverá al lado cliente.

En este libro no abordaremos este tipo de mecanismo, que hemos descrito a título de ejemplo para comprender mejor el funcionamiento. En cualquier caso, es imprescindible tener un buen conocimiento del contenido de este libro, y por tanto de HTML, CSS y JavaScript, antes de profundizar en la programación del lado del servidor.

Un último aspecto a tener en cuenta antes de explicar con más detalle el lado cliente es la transferencia de archivos hacia el servidor, llamada **FTP** (*File Transfer Protocol*, protocolo de transferencia de archivos).

Cuando un webmaster ha terminado su trabajo de creación del sitio web en su equipo, solamente él puede verlo. Para que el resto del planeta pueda acceder a su sitio, es necesario que los archivos que definen el sitio web (código HTML, CSS, JavaScript, imágenes y demás archivos útiles) estén disponibles en un servidor. Para ello, una empresa de hosting (empresa que gestiona los servidores) creará una cuenta específica para este webmaster con un espacio de almacenamiento dedicado en el disco duro del servidor. El webmaster va a poder enviar todos los archivos útiles hacia el servidor utilizando el protocolo FTP. Para ello, el webmaster puede utilizar la aplicación FileZilla, por ejemplo, que funciona sobre todos los sistemas operativos (Windows, OS X, Linux) y es gratuita. De este modo, gracias a los identificadores de acceso (dirección del servidor, login y contraseña para que únicamente el webmaster pueda enviar los archivos), va a ser capaz de transferir estos archivos y, una vez transferidos, todo el mundo podrá acceder a su sitio web.

1.2 Lado cliente: HTML, CSS, JavaScript

En lo que denominamos el cliente, o lado cliente, es donde veremos lo que ocurre en el navegador web del usuario. Es en este navegador en el que se muestran los textos, las imágenes y los demás elementos.

Respuesta del servidor al cliente

En el funcionamiento básico es posible imaginar que el internauta escribe la dirección de un sitio web que desea consultar y desencadena todo un proceso en el que el servidor envía, en primer lugar, una página HTML. El navegador del lado cliente va a recuperar esta página y la va a analizar. En función del contenido realizará, probablemente, algunas peticiones adicionales al servidor para que le envíe los archivos necesarios para el correcto funcionamiento de la página: las imágenes, las hojas de estilo, los archivos de script, los archivos de audio, etc.

Gracias a todos estos archivos la página va a funcionar correctamente, y así es como la vemos cuando se construye, con las imágenes que llegan progresivamente, hasta que todo su contenido esté cargado. Usualmente, se dice que todo el contenido se ha recuperado en el lado del cliente.

Veamos, ahora, con más detalle los lenguajes utilizados en el lado cliente.

2. Los lenguajes y su utilidad

2.1 HTML

No vamos a entrar en los detalles de la historia y evolución del lenguaje HTML. Lo que hace falta saber sobre este lenguaje es que se escribe con etiquetas que funcionan, generalmente, por parejas, indicando respectivamente el inicio de la acción de la etiqueta y su final.

Una etiqueta está formada por una palabra, "p", "b", "table", "input", etc. Que está precedida de un signo menor que (<) y seguida de un signo mayor que (>) para identificar el contenido sobre el que actúan estas etiquetas.

Existen muchas etiquetas con un rol bien definido para cada una de ellas.

Estas palabras, "p" o "b" u otras, indican el funcionamiento de la etiqueta.

Por ejemplo, la etiqueta <b> permite poner el texto en negrita (del inglés: *bold*), mientras que la etiqueta <p> permite crear un párrafo. Funcionan todas de la misma manera, con una etiqueta de apertura que indica el inicio de la acción y una etiqueta de cierre que indica el final de la negrita o el final del párrafo. A continuación, se muestra un párrafo que contiene el texto: Vamos a la playa.

```
<p>Vamos a la playa</p>
```

La etiqueta de cierre se declara después de la etiqueta de apertura. Para un texto puesto en negrita mediante la etiqueta <b> habrá que agregar, a continuación, la etiqueta </b> para indicar el final de la negrita. De la misma manera, es necesario cerrar el párrafo mediante la etiqueta de cierre </p>. La etiqueta de cierre incluye el signo de división "/" (en inglés, *slash*) que se agrega antes del nombre de la etiqueta para diferenciarla de la etiqueta de apertura.

Tenemos, por ejemplo:

```
<p>Vamos a <b>la playa</b></p>
```

En este ejemplo, el párrafo contiene la frase completa, pero solo las dos palabras "la playa" se escriben en negrita.

Resultado: Vamos a **la playa**

Para profundizar en este ejemplo, cabe destacar la anidación de etiquetas, de manera similar a las muñecas rusas llamadas matrioskas que se alojan las unas en el interior de las otras.

Las etiquetas <p></p> engloban todo el texto, las etiquetas <b></b> están en el interior del párrafo.

Observación

No se autoriza, EN NINGÚN CASO, tener una etiqueta cuya etiqueta de apertura se encuentre en el interior de una pareja de etiquetas y su etiqueta de cierre se encuentre en el exterior del mismo par de etiquetas.

Error:

```
<p>Vamos a <b>la </p>playa</b>
```

Así, existen etiquetas que funcionan por parejas, que se anidan las unas dentro de las otras y que tienen una función particular.

Aunque no todas las etiquetas funcionan por parejas. Veamos, por ejemplo, la etiqueta `<br />` (*break*) que va a "romper la línea" o, dicho de otro modo, va a permitir realizar un salto de línea suplementario, o bien la etiqueta `<img />` que permite mostrar una imagen. En ambos casos se utiliza una única etiqueta que juega el rol de etiqueta de apertura y de etiqueta de cierre.

Los atributos

Junto con sus nombres, existe un segundo aspecto que debemos conocer en lo relativo a las etiquetas: se trata de sus **atributos**: parámetros, valores, o información que se encuentran en el interior de la propia etiqueta, entre los signos < y > para precisar el funcionamiento de dicha etiqueta.

Tomemos, por ejemplo, la etiqueta que permite mostrar una imagen: `<img />`.

Si queremos utilizar esta etiqueta será preciso indicar, como mínimo, el nombre de la imagen que queremos incorporar en nuestra página web. Tendremos que precisar que la etiqueta debe mostrar la imagen "foto.jpg".

Esto se realiza escribiendo:

```
<img src="imagenes/foto.jpg"/>
```

Aquí, el atributo `src`, también llamado fuente, indica el nombre de la carpeta que contiene las imágenes: "imagenes/". El signo "/" indica en este caso que se trata de una carpeta, en la que se encuentra la imagen que se quiere mostrar: "foto.jpg".

Es posible, también, definir las dimensiones de visualización de la imagen en la etiqueta `<img />`. Existen, para ello, los atributos `width` (ancho) y `height` (alto).

Una etiqueta image con atributos es similar a este ejemplo:

```
<img src="imagenes/foto.jpg" width="200" height="130" />
```

Los atributos no tienen un orden específico. El navegador va a leer todos los atributos de una etiqueta y, una vez los haya leído todos, se interesará por el que sea necesario en cada momento.

Los atributos deben estar separados los unos de los otros por un espacio.

Entre los atributos, existe una familia en la que profundizaremos en el capítulo de JavaScript cuando hablemos de los **eventos**.

Algunas etiquetas son capaces de reaccionar frente a ciertos eventos, como por ejemplo el paso por encima de un contenido con el ratón (`onMouseOver`) o el redimensionamiento de la ventana (`onResize`), o incluso un cambio en algún elemento de nuestro formulario (`onChange`).

Estos eventos se utilizarán, a menudo, de la siguiente manera:

```
<p onMouseOver="cambiaElColor();">Hemos vuelto de la
playa< br /> ¡y tenemos hambre! </p>
```

En este ejemplo, el hecho de pasar el ratón por encima del párrafo va a desencadenar el evento `onMouseOver`, que ejecuta un script JavaScript.

Este script es la función JavaScript `cambiaElColor();` escrita por nosotros en algún lugar dentro de una etiqueta `<script>` o en un archivo que contenga nuestros scripts.

2.2 CSS

CSS (*Cascading Style Sheet*, hoja de estilos en cascada) permite dotar de estilo a las páginas, hacerlas más legibles aplicando reglas de representación gráfica que HTML no conoce. CSS permite, también, adaptar nuestro contenido a diversos soportes (ordenadores, TV, smartphones...) o incluso crear animaciones. Existen tres puertas de entrada para CSS, tres métodos para crear el vínculo entre un estilo y el código HTML.

Primero método: el estilo de etiqueta

Esta manera de crear un estilo indicará al navegador que cada vez que tenga que mostrar cierta etiqueta deberá asignarle un estilo particular.

Por ejemplo, creemos un estilo para la etiqueta `<img>`, de manera que cada vez que se muestre una imagen, esta posea un borde de cuatro píxeles (pixel: *Picture Element*, el punto más pequeño que puede contener una imagen en la pantalla) y que este borde sea de color blanco y tenga un trazo continuo.

```
img {
    border : 4px white solid ;
}
```

Vemos el nombre de la etiqueta imagen `<img>`, pero sin los signos mayor y menor que, seguido de llaves. En el interior de las llaves encontramos el código CSS que precisa un borde de cuatro píxeles y un trazo blanco continuo. Se agrega un punto y coma para finalizar la línea de código.

Este tipo de estilo, el estilo de etiqueta, tiene la gran ventaja de que se aplica por sí solo, es decir, no debe agregarse ningún otro código en la sección HTML para que el estilo funcione. Por el contrario, en el caso de que no se quiera aplicar un borde a todas las imágenes, será necesario buscar otro método de trabajo, pues el estilo de etiqueta, aquí `img{}`, se aplicará a todas las imágenes de manera incondicional.

Esto no es grave, existen otras dos puertas que todavía no hemos abierto.

Segundo método: el estilo de clase

Este tipo de estilo es, probablemente, el más utilizado. Es fácil de manipular y puede aplicarse en casi cualquier lugar de nuestra página. Retomemos el ejemplo del borde de la imagen con un estilo de clase.

La sección CSS se escribirá así:

```
.borde4 {
    border : 4px white solid;
}
```

Se crea, de este modo, el estilo de clase `.borde4`. Es importante destacar el uso del punto ".", que se sitúa delante de la palabra "borde4". Esto es lo que caracteriza el estilo de clase. Es posible darle cualquier nombre, pero debe comenzar por un punto.

Una vez creado el estilo de clase, falta aplicar este estilo a nuestra imagen. Es preciso, para ello, agregar un nuevo atributo a la etiqueta imagen en el código HTML y asociarle el estilo de clase que hemos creado.

Este atributo es `class=""`.

El código de la imagen dentro de la parte HTML será:

```
<img class="borde4" src="imagenes/foto.jpg" width="200"
height="130" />
```

Observación

Si prestamos atención podemos ver que, si bien es necesario anteponer un punto al nombre del estilo a la hora de crearlo en CSS, este punto no se escribe cuando se indica el nombre de la clase para aplicarlo en el código HTML.

En el ejemplo anterior existe un nuevo estilo de clase podrá ser usado precisando el atributo `class="borde4"` para aquellas imágenes en las que queramos aplicar un borde, bastará con no especificar este atributo `class` en aquellas imágenes en las que no se desee tener un borde.

El interés de este estilo es, por tanto, poder utilizarlo en cualquier sitio dentro de la página, tantas veces como sea necesario, utilizando el atributo `class`. Esto será muy útil, por ejemplo, para un título de página: solo tendremos que crear una única vez el estilo de la clase y, a continuación, aplicarlo a todos los títulos que corresponda.

En el ejemplo siguiente, se muestra un estilo de clase `.titulo` con un tamaño de 18px, en negrita y con caracteres que parecen pequeñas letras mayúsculas.

```
.titulo {
    font-size : 18px ;
    font-weight : bold ;
    font-variant : small-caps ;
}
```

El estilo se aplica al siguiente párrafo:

```
<p class="titulo">Nuestras vacaciones</p>
```

Tercer método: el estilo de id

En la parte CSS, la escritura varía muy poco, pues el punto se remplaza por una almohadilla #:

```
#borde4 {
   border : 4px white solid;
}
```

En este caso, el estilo creado se aplicará a un elemento concreto.

Por ejemplo:

```
<img id="borde4" src="imagenes/foto.jpg" width="200" height="130"  />
```

Cabe destacar que a menudo, en informática, cuando hablamos de id, ¡nos referimos a un elemento único! En el caso del estilo de id, la regla no difiere. Esto quiere decir que no habrá ninguna otra etiqueta que contenga el `id="borde4"`.

Observación

Veremos que puede resultar interesante asignar un id a una etiqueta que contenga un menú, por ejemplo, y de este modo acceder a todo el menú a partir de este id. Este punto se tratará con más detalle en un ejemplo de creación de menú más adelante en este libro, en el capítulo Los enlaces y menús en HTML5.

2.3 JavaScript

Para la Web, queda un último lenguaje que debemos aprender de lado cliente: JavaScript. El punto que vamos a abordar a continuación nos permitirá conocer en qué es útil JavaScript y comprender el posicionamiento de los tres lenguajes entre sí, y determinar qué lenguaje hace qué. Esto debería permitirnos, también representar los diferentes mecanismos subyacentes. Los detalles sobre JavaScript se abordan en su propio capítulo.

JavaScript es, probablemente, uno de los lenguajes más extraordinarios del momento para comenzar en la programación del lado cliente, pues es uno de los más sencillos que existen actualmente, siendo aun así muy potente. Puede competir, en algunos aspectos, con otros lenguajes más punteros en términos de capacidades, pero no en términos de rendimiento.

¿Para qué sirve este lenguaje?

Hemos visto que el lenguaje HTML sirve para posicionar los elementos en la página, mostrar texto, imágenes... CSS, por su parte, permite mejorar el contenido de la página aplicando estilos. Pero falta un lenguaje que permita interactuar con el usuario, un lenguaje que sea capaz de tomar decisiones, de realizar elecciones, aspectos que los otros dos lenguajes son incapaces de hacer.

JavaScript va a permitir recordar información, bien se trate de valores, de nombres, de parámetros, etc. Esta información será utilizada a continuación, para mostrar un objeto en el lugar preciso, por ejemplo, o bien cargar una imagen si se cumplen ciertas condiciones. La información se almacena, principalmente, en lo que llamamos **variables**.

Existe, a continuación, una sintaxis, o una nomenclatura clara, términos propios de JavaScript y que nos van a permitir, cuando las usemos, realizar selecciones, comprobaciones en base a ciertas **condiciones**, y pedir a JavaScript que ejecute ciertas líneas de código y no otras si un valor determinado es superior a otro, por ejemplo.

Otra funcionalidad de JavaScript son los **bucles**, el hecho de poder ejecutar una misma acción varias veces y, de este modo, poder desplazar un objeto por la pantalla cada vez que se visite, por ejemplo, o incluso recorrer todas las celdas de una tabla para examinarlas.

Las variables, las condiciones y los bucles son los elementos que todo desarrollador debe manipular a menudo. En esta etapa nos encontramos con la dificultad del diseño de un programa informático. El hecho de saber conjugar correctamente las variables, las condiciones y los bucles es fundamental.

Supongamos que existe en JavaScript un término que permite hacer aparecer un menú. Y supongamos que solo basta con escribir `aparicionMenu();` para mostrar un menú. Nos damos cuenta de que utilizar esta funcionalidad no tiene nada de difícil. Cuando se ha escrito correctamente, funciona.

Existen, de este modo, una gran cantidad de palabras que podremos recordar y que ejecutan lo que se les solicita. Basta con encontrar una documentación, y para ello encontramos todo lo necesario en Internet (https://developer.mozilla.org/es/docs/Web/JavaScript). Será posible aprender más acerca de estas palabras y sus distintos parámetros.

```
aparicionMenu(0,100, "left");
```

Esta línea de código hará que nuestro menú se desplace de 0 a 100 píxeles desde la izquierda. Esto no es, para nada, difícil.

Por el contrario, habrá que indicar a JavaScript cuándo se desea hacer aparecer este menú, y llegado el caso cuándo desaparecer. En este momento intervienen variables que pueden memorizar si se muestra o no este menú, o condiciones que deben cumplirse para no ejecutar la línea de código que hacer aparecer el menú si ya se está mostrando. Puede que ciertos bucles hagan que se desplace, sucesivamente, si el usuario se mueve por la página mediante el scroll.

Esta lógica es la parte más compleja. Y la mejor solución es, simplemente, descomponer lo que debe realizar en pequeñas acciones. Cuanto más se descomponga el código, más sencilla será cada parte.

Por ejemplo, en una página HTML que contenga un formulario, se desea comprobar un código secreto que introduce el usuario y se compara con un código de referencia. Es JavaScript el encargado de realizar esta comparación.

Escribiremos, por tanto, un código JavaScript que funcionará de la siguiente manera:

```
Recuperar el código de referencia para este usuario.
Si el código de usuario es igual al código de referencia
    se carga el contenido adecuado
en caso contrario
    se muestra un mensaje de error.
```

Lo cual produce algo así:

```
var codigoRef = recuperarCodigoRef(usuario) ;
if(codigoUsuario === codigoRef) {
    cargarPagina ("codigoOK") ;
} else {
    cargarPagina("codigoKO") ;
}
```

Observación

Se escriben, efectivamente, tres signos = para comparar la información introducida por el usuario con el código de referencia.

Naturalmente, habrá que realizar esta comprobación una vez que el usuario haya informado su identificador. Hemos visto en la sección HTML que existen atributos vinculados a **eventos**. En el sitio del W3C (*World Wide Web Consortium*, el organismo dedicado a la normalización de las reglas relativas a los lenguajes de la Web), podemos ver en la página http://www.w3.org/TR/DOM-Level-3-Events/ los eventos existentes, por ejemplo `onmousedown`, `onmouseup`, `onclick`, `ondblclick`, `onselect`, `onkeydown`, `onbeforeinput`, `oninput`, `onkeyup`... Y existen muchos otros.

Por lo tanto, podríamos asegurarnos de realizar esta verificación únicamente cuando la introducción de la información correspondiente haya sido completada. En nuestro caso, lo más sencillo sería utilizar el evento `onBlur`, que propaga el evento correspondiente a la salida del cursor del campo que permite introducir el código de usuario. Dicho de otro modo, el usuario acaba de escribir su código y pasa al siguiente campo.

Esto produce:

```
...
<input type="text" name="codigo" onBlur="verificarCodigo() ;" />
...
```

Habremos escrito en otro lugar del código el detalle de lo que debe efectuar `verificarCodigo();`. Es lo que denominamos una función. Una función es, simplemente, un grupo de instrucciones que ejecutarán, siempre, las mismas instrucciones. Esto resultará práctico, ya que en lugar de tener que programar muchas líneas de código para mostrar la fecha, no tendremos más que escribir `mostrarFecha();` para mostrarla. Previamente, como es natural, tendremos que escribir el contenido de dicha función, que solicitará la fecha y hora al sistema y transformará este resultado en una fecha fácil de comprender y legible. Las funciones se detallan más adelante en el libro, en el capítulo JavaScript.

En nuestro ejemplo, la función `verificarCodigo();` podría parecerse, de manera lógica, a lo siguiente:

```
function verificarCodigo() {
    // Recuperar el código de referencia.
    // Comparar para validar o rechazar.
}
```

Observación

Observe, de paso, dos barras "//" que indican que el texto que sigue es un comentario o, dicho de otro modo, que el navegador no debe tenerlas en cuenta, y esta información servirá, principalmente, como ayuda al desarrollador.

Para concluir con esta introducción y presentación de los tres lenguajes que se estudian aquí, hemos visto que:

- El lenguaje HTML nos permite establecer la estructura de nuestra página, la disposición de los elementos.
- CSS va a ayudarnos a mejorar la apariencia de la página HTML, su compatibilidad con las distintas pantallas, e incluso la animación.
- JavaScript nos va a permitir reaccionar a lo que haga el usuario. Podrá tomar decisiones en función de nuestros criterios para representar o no ciertos elementos, o para adaptarse mejor a las demandas del usuario. Nos va a permitir, a partir de un bloque escrito en HTML, generar páginas en las que encontraremos 100 veces este bloque HTML haciendo que cada bloque tenga su propia imagen. ¡Nos va a permitir construir páginas dinámicas!

2.4 Ejemplo general con los tres lenguajes

A lo largo del libro se exponen varios ejemplos que le ayudarán a comprender el funcionamiento particular de cada uno de los tres lenguajes. A continuación, veremos una estructura de estos lenguajes, que será la base de todos los ejemplos.

Esta estructura debería simplificar la escritura de los ejemplos que se muestran a continuación, y es un buen punto de partida para realizar cualquier sitio. No entraremos en el detalle de cada línea de código, a continuación, sino que se verá más adelante, en las secciones o capítulos correspondientes. No obstante veremos el siguiente código (cuya representación se puede visualizar en el archivo **1_2_4_base3lenguajes.html**) de cara a hacerse una idea de cómo cohabitan los distintos lenguajes.

```
<!DOCTYPE html>
<html>
<head>
    <title>Primera representación</title>
    <meta http-equiv="Content-Type" content="text/html;
charset=UTF-8">
    <link href="css/global.css" type="text/css" rel="stylesheet"
media="screen"/>

    <script type="text/javascript">
```

```
        // función que se invoca cuando la estructura
        // de la página HTML está cargada en el navegador.
        function init() {
          var textoFinal = "Una primera representación";
          document.getElementById("reprJS").innerHTML = textoFinal;
    }
    </script>
</head>

<body onLoad="init()">
    <div id="reprJS"></div>
</body>
</html>
```

El código anterior que no está en negrita forma parte de lo que se debe escribir obligatoriamente en una página HTML.

Encontramos:

```
<!DOCTYPE html>
```

Esta etiqueta indica que el lenguaje utilizado a continuación es HTLM5, seguido por la etiqueta <html> que se cierra (</html>) al final de la página y que engloba toda la página.

Encontramos la primera etiqueta:

```
<head>
```

Permite indicar información de preparación al navegador, de cara a saber lo que se solicitará más adelante. Indica, por ejemplo, el juego de caracteres utilizado (acentuado o no, para los sitios anglófonos, por ejemplo):

```
<meta http-equiv="Content-Type" content="text/html;
charset=UTF-8" />
```

O incluso el idioma utilizado en el sitio, o los estilos...

```
<link rel=stylesheet type="text/css" href="css/style.css"/>
```

Tras la etiqueta <html> viene, a continuación, la etiqueta:

```
<body>
```

Contiene lo que se va a mostrar.

El navegador lee el código de arriba a abajo; nosotros haremos lo mismo. `<title>` indica al navegador el título que debe mostrar en la pestaña. A continuación, se incluye una etiqueta `<meta>` que define los juegos de caracteres que utiliza nuestra página.

A continuación, en negrita, se encuentra el vínculo que se realiza entre este archivo HTML y otro archivo que es el CSS. Contiene los estilos, y lo veremos más tarde.

La etiqueta `<script>` que sigue contiene el código JavaScript. Hay una función que se denomina `init()`. Cuando el navegador lee esta función, no la ejecuta. Descubre que existe una función `init()`, pero no la ejecutará hasta que se le indique. La veremos con detalle en el momento de su ejecución.

A continuación, el script termina con la etiqueta `</script>` y se sale del `</head>`.

La etiqueta `<body>` tiene una propiedad informada: `onLoad ="init()"`.

`onLoad` es un escuchador. Escucha (o bien observa) la carga de la etiqueta `<body>`. Cuando toda la información contenida en la etiqueta `<body>` se carga, y se alcanza la etiqueta de cierre `</body>`, pide a la función `init()` que se ejecute.

De momento, la función `init()` todavía no se ha ejecutado. Se ejecutará cuando el navegador termine de recorrer todo el contenido de la etiqueta `<body>`.

En su interior encontramos la etiqueta `<div>` que tiene como id `reprJS`. El `<div>` permite tener una zona de la pantalla en la que se podrá escribir, alojar una fotografía, o mostrar todo lo que se podría tener en una página HTML, si así lo deseamos. Tiene como identificador `reprJS`, que será el nombre que utilizaremos para comunicarnos, bien desde JavaScript o mediante CSS. No es posible tener dos elementos con el mismo id.

A continuación, si seguimos con la lectura, llegamos al cierre de la etiqueta `</body>`. Llegados a este punto, el escuchador `onLoad` pide a la función `init()` que se ejecute.

La primera cosa que se realiza en la función `init()` es la creación de una variable llamada `textoFinal`. Contiene el texto que se mostrará.

```
var textoFinal = "Una primera representación";
```

La siguiente línea hace algo bastante sencillo, pues escribe el contenido de `textoFinal` en el `<div>` llamado `reprJS`.

```
document.getElementById("reprJS").innerHTML = textoFinal;
```

En primer tenemos el término `document`. Es la manera en la que JavaScript llama a la etiqueta `<body>`. El punto "." que sigue a la palabra "document" indica que se entra en el documento. Una vez en el documento, se ejecuta una función `getElementById()` que, como su propio nombre indica, va a buscar un elemento en función de su id. Busca el id `reprJS`, que se corresponde con la etiqueta `<div>` que hemos visto antes.

A continuación, se escribe otro punto ".". Hemos accedido al `<div>` y entramos en su interior. Una vez dentro del objeto div se actualiza una de sus propiedades, `innerHTML`, que contiene el código HTML que debe mostrar por pantalla la etiqueta `<div>`.

Así, el texto "Una primera representación", que está contenido en la variable `textoFinal` se encuentra escrito en el `<div>` que tiene el id `reprJS`.

El programa se detiene llegado a este punto. El texto que se muestra quedará ahí. El navegador no tiene nada más que hacer con esta página.

Para finalizar, vamos a echar un vistazo al contenido del archivo global.css ubicado en la carpeta css.

```
html, body
{
    width: 100%;
    height: 100%;
    margin: 0;
    padding: 0;
    border: none;
}

body, td, th, table {
    font-family: Arial, sans-serif;
    font-size: 14px;
```

```
}

/* para mostrar los ejemplos JavaScript */
#reprJS{
    margin: 5px;
    padding: 3px;
    background-color: rgba(100,100,100,0.2);
    border: 1px #666 solid;
}
```

El archivo CSS contiene tres secciones.

La primera parte define el estilo para las etiquetas `<html>` y `<body>`. Se definen para que ocupen el máximo espacio posible con el ancho y el alto iguales al 100%, ningún margen exterior con `margin: 0;`, ningún margen interior con `padding: 0;`, y sin borde.

La segunda parte va a definir el estilo aportando otras características para la etiqueta `<body>`, y también para las etiquetas utilizadas para diseñar una tabla. Se define la información para el tipo de letra de los caracteres utilizados: será Arial, con un tamaño de letra fijo igual a 14 píxeles (14px).

Observación

A continuación, se escribe un comentario en el archivo CSS, escrito entre / y */. Este texto no lo lee el navegador. Se trata de información que el desarrollador deja para que sus colegas puedan orientarse mejor.*

Encontramos, por último, la palabra `reprJS`, que es el nombre de `<div>` y se utilizará en JavaScript para mostrar el texto. En este caso, está precedido por una almohadilla #. De hecho, cuando CSS quiere comunicarse con un elemento HTML que tiene un identificador concreto, lo invoca anteponiendo a su nombre una #.

Nuestra etiqueta `<div>`, gracias al estilo `#reprJS`, va a tener un margen externo (*margin*) de 5 píxeles para tener algo de espacio, y un margen interno (*padding*) de 3 píxeles, para que el texto no toque con el borde.

```
    background-color: rgba(100,100,100,0.5);
```

El color de fondo es gris, pues los tres primeros parámetros (rgb, por *red green blue*, es decir el rojo, el verde y el azul) tienen el mismo valor: 100. Es medio transparente, pues el cuarto parámetro (la "a" de rgba significa "alfa", por el canal alfa: 0=transparente, 1=opaco) vale 0.5.

Observación

La Web funciona utilizando el rojo, el verde y el azul como colores básicos. Si los tres valores valen 0, el color será negro, que es el color por defecto de una pantalla. Si el rojo, el verde y el azul tienen el valor máximo, entonces el color será el blanco. Cuando se utiliza el mismo valor para el rojo, el verde y el azul, el color será gris: gris claro con valores elevados y un gris más oscuro con valores más bajos.

El `<div>` tendrá, también, un borde.

```
border: 1px #666 solid;
```

Este borde tendrá un espaciado de un píxel, será de color gris, ligeramente oscuro, y el trazo será sólido.

Observación

Los colores pueden escribirse de diversas maneras. La notación hexadecimal (10 cifras y 6 letras posibles) es una de ellas. Se detalla en el capítulo CSS3: Los colores en hexadecimal, en RGBA o en HSLA.

3. Los formatos de imagen

Aunque es posible crear magníficos elementos visuales con HTML5 y CSS3, será conveniente poder utilizar archivos de imagen que permitan mejorar el aspecto de la página, ilustrar un texto con un esquema, por ejemplo, o simplemente incluir una fotografía.

Existen muchos formatos de imagen. Algunos formatos se utilizan, principalmente, en el mundo de la impresión, pues tienen una buena definición, aunque son muy pesados. Cuando se trata de trabajar en la Web conviene utilizar imágenes de buena calidad, pero lo más ligeras posible.

Existen dos maneras de crear una imagen en un ordenador.

3.1 Formato Bitmap

Quienes sepan inglés, habrán comprendido por el nombre que se trata de un mapa o plano (map) formado por 1 y 0 (bits).

Para ello, imaginemos una cuadrícula que representa una tabla de 100 celdas por 100 celdas, es decir, el equivalente a una imagen de 100 píxeles por 100 píxeles.

Cada celda podrá tener un valor que será igual a 0 o bien a 1. Si se remplaza el 1 por el color blanco y el 0 por el color negro, obtendremos una imagen Bitmap en blanco y negro, que equivaldría a lo que se veía en los ordenadores del siglo pasado.

Afortunadamente, no seguimos en un mundo en blanco y negro.

En lugar de utilizar un único bit por píxel, la norma ha evolucionado para aceptar un byte por píxel (un byte equivale a ocho bits). Dicho de otro modo, ya no hay un único bit por píxel, sino 8 bits.

Observación

Un byte es una unidad de memoria de un ordenador, que puede contener un valor comprendido entre 0 y 255. Se dice, en ocasiones, que ciertos cursores no nos permiten seleccionar más que un valor comprendido entre 0 y 255. En este caso, se dice que el ordenador utiliza ***un byte*** *de memoria para este parámetro.*

Con esta configuración, el archivo Bitmap contiene, como máximo, 256 colores (de 0 a 255).

Más tarde, el formato ha evolucionado para utilizar no solo un byte, sino tres bytes, y luego cuatro.

Los tres bytes se reparten entre los tres colores básicos utilizados en pantalla: rojo, verde y azul. Con esta configuración, tenemos un color que se define mediante 256 niveles de rojo diferentes, combinados con 256 niveles de verde diferentes y otros tantos de azul.

Se alcanza, de este modo, hasta 16.000.000 de colores, lo que permite reproducir bellas fotografías o diseños, con degradados muy precisos, un buen contraste y una profundidad de color apreciable.

Se utilizan, por tanto, tres bytes para gestionar los colores. Puede haber más, pero no resulta interesante para una representación en la Web.

Observación

Verá, posiblemente, imágenes con más de un byte para el rojo, el verde y el azul, posiblemente dos bytes por color. A esto se le denomina una imagen de 16 bits por capa, donde una capa es una capa de rojo, otra de verde y otra de azul. Estas imágenes tienen una cantidad de colores exagerada. Escriba un 2, a continuación 8, y a continuación escriba trece veces 0. Esto permite hacerse una idea del número de colores en 16 bits.

Existe, por el contrario, una capa que resulta útil en el desarrollo Web, la **capa alfa**. La capa alfa utiliza un byte, por lo que tiene 256 valores posibles. Estos valores permiten definir la opacidad o la transparencia de la imagen. Es decir, tendremos un píxel que tendrá cierto color en función de la cantidad de rojo, de verde y de azul, pero este píxel será más o menos opaco o transparente en función de la capa alfa. Podrá ser completamente opaco y ocultar lo que exista detrás, o bien ser transparente y dejar entrever lo que existe detrás de la imagen.

Por tanto, es posible mostrar con una imagen Bitmap, por ejemplo, la cara de una persona, borrar todo lo que no sea el rostro (dicho de otro modo, hacer esta zona transparente con el ordenador) y de este modo poder mostrar esta imagen no con un contorno rectangular, como cualquier imagen, sino con un contorno transparente que dejará ver el fondo de la página. Esto podría utilizarse para un logotipo con una forma definida, donde el exterior del logotipo sería transparente. El color del logotipo se gestionaría mediante las tres capas roja, verde y azul. Por el contrario, el hecho de que el exterior del logotipo sea visible o no dependerá de la capa alfa.

A continuación vamos a interesarnos, con más detalle, por los formatos de imagen existentes para Internet, pues no todos los formatos de imagen saben gestionar tantos colores ni esta capa alfa, ¡aunque esto no es, necesariamente, un problema!

El formato JPEG (o JPG)

El formato JPEG (*Joint Photographic Experts Group*) es el formato más habitual para las fotografías. De hecho, el JPEG se creó para la fotografía.

Permite mostrar imágenes de más de 16 millones de colores, lo cual resulta perfecto para la fotografía. El software que permite generar una imagen JPEG nos permitirá, seguramente, ajustar la calidad del archivo final, o determinar la tasa de compresión. Cuando menor sea la calidad (o más elevada la tasa de compresión), el archivo será más ligero pero la imagen estará más degradada. En efecto, la compresión de un archivo JPEG modifica el contenido de manera irreversible (esto no tiene el mismo efecto que la compresión de un archivo ZIP, y puede alterar enormemente la imagen). Hay que prestar atención y verificar el resultado de un JPEG demasiado comprimido, pues puede ser de muy mala calidad.

Preste atención, también, a que si desea permitir imprimir la página puede que la calidad de la imagen no sea suficiente para una impresión.

Existe un último punto relativo al JPEG: la transparencia. No existe transparencia o capa alfa en un archivo JPEG. Si parte de una fotografía se ha modificado y parte de sus elementos se eliminan para hacerla transparente, la transparencia se convierte en color blanco cuando se graba la imagen en formato JPEG.

Por tanto, tenemos, para el formato JPEG:

- 16 millones de colores;
- un proceso de compresión irreversible;
- sin transparencia.

El formato PNG

El formato PNG (*Portable Network Graphics*) se ha diseñado para la Web a primeros del 2000. Pero habrá que esperar hasta que Microsoft lo implemente en su navegador Internet Explorer para que los desarrolladores y/o infografistas puedan utilizarlo en la Web.

Es el formato ideal, pues permite realizar todo lo que se puede desear con una imagen en Internet. Los colores pueden gestionarse gracias a un único bit, como con el bitmap (con dos colores), o subir hasta 48 bits, lo que produce una cantidad de colores gigantesca, y un peso en consecuencia. El formato más utilizado es el de 24 bits, para una representación llamada de colores reales, o menos en el caso de un logotipo, por ejemplo.

Además de los colores, el formato PNG permite, también, gestionar la capa alfa y, por tanto, dibujar sombras, que resaltarán sobre el fondo de color de las páginas HTML.

Por tanto, tenemos, para el formato PNG:

– de 2 colores a 16 millones de colores;

– la capa alfa para la transparencia.

El formato GIF

El GIF (se pronuncia "Dgif", por su creador) es un formato que fue muy popular a finales del siglo XX, pero que más tarde se ha dejado un poco de lado durante unos diez años, para finalmente volver a primera línea para los smartphones. Permite mostrar imágenes con una cantidad de colores que varía entre 2 y 256. La evolución de la tecnología ha hecho que el formato sea, de nuevo, popular. De hecho, ha remplazado al formato Flash, pues este último no está soportado en los smartphones, y el GIF ha recuperado su capacidad de realizar pequeñas animaciones.

Por un lado, el formato GIF permite mostrar transparencia, pero no como la capa alfa que permite tener hasta 256 niveles de transparencia. El GIF tiene únicamente dos niveles de transparencia. O bien el nivel es visible, o bien es invisible, o transparente. Actualmente se da preferencia al formato PNG, que ofrece más opciones, pero hubo un momento en el que el GIF era el único que permitía no tener que trabajar con una imagen rectangular.

Por otro lado, el formato GIF permite realizar animaciones. Cuando se muestra una imagen GIF animada en un navegador, se ve como un vídeo. Aun así, la limitación a 256 colores hace que el resultado esté bastante degradado. Es posible transformar el formato GIF a blanco y negro.

La tecnología utilizada hace que un GIF animado no esté formado, realmente, por una serie de imágenes que se suceden. Esto es lo que se ve. Pero, de hecho, tendremos la primera imagen completa en el archivo, y la segunda contendrá únicamente la diferencia con la primera imagen. De este modo, si sobre la primera imagen aparece un horizonte y un pájaro en el cielo, la segunda imagen contendrá, únicamente, la nueva posición del pájaro y el pedazo de cielo que estuviera oculto en la imagen anterior.

Observación

Las animaciones se han hecho posibles en la Web a finales de los años 90 gracias a la aplicación Flash. Esta aplicación la compró Adobe en 2005. Flash permite realizar bellas animaciones, mucho más bonitas y con unas posibilidades de interacción que no permite, por ejemplo, el formato GIF, motivo por el cual desapareció el formato GIF de nuestras pantallas. Sin embargo, la Web se consume actualmente cada vez más desde smartphones y tablets, lo cual ha hecho renacer el uso de GIF.

Por tanto, tenemos, para el formato GIF:

- de 2 a 256 colores;
- uno de los colores es transparente;
- posibilidad de crear animaciones (GIF animado).

Observación

Gimp es una aplicación gratuita que permite crear o manipular imágenes Bitmap para la Web, un poco como Photoshop, que es de pago.

3.2 Formato vectorial

Las imágenes vectoriales se construyen de otro modo. Si bien el método y la manipulación de estas imágenes es algo más complicado de aprender que para las imágenes Bitmap, el resultado tendrá una precisión mucho mayor.

Una imagen vectorial se diseña mediante puntos en la pantalla y se pide al ordenador que enlace estos puntos con una línea recta o una línea curva. Se trata un método de diseño algo complicado pero que tiene la gran ventaja de crear un dibujo que no tiene, realmente, unas dimensiones concretas, puesto que se traza en base a ecuaciones matemáticas que crean las líneas, y los trazos.

Si se desea hacer zoom sobre alguna zona de la pantalla, el ordenador volverá a calcular el nuevo trazo que debe mostrar, el cual aparecerá ampliado, sin la más mínima pixelación. Para establecer una comparación, el formato Bitmap mostrará píxeles gruesos, haciendo la imagen menos nítida.

Un uso habitual del formato vectorial se aplica en los logotipos. A partir del mismo diseño, será posible imprimirlo en pequeño sobre un lápiz o, también, en grande sobre un anuncio para mostrar en la calle.

Cuando se trabaja en Internet con HTML5, existen dos formatos de diseño vectorial que es posible utilizar.

El formato canvas

He aquí la sección HTML de la página que permite mostrar una imagen en un `canvas`:

```
<!DOCTYPE html>
<html>
    <head>
        <title>Dibujemos una espiral</title>
        <meta http-equiv="Content-Type" content="text/html;
charset=UTF-8">

        <link href="css/global.css" type="text/css"
rel="stylesheet" media="screen"/>
        <script src="js/dibujoEspiralFija.js"></script>
    </head>

    <body onload="dibuja()" >
       <canvas id="espiral_id" width="600" height="600"></canvas>
    </body>
</html>
```

Observación

El código HTML `<script src="js/dibujoEspiralFija.js"></script>` permite importar el código de JavaScript escrito en un archivo aparte.

La etiqueta <canvas> es la zona en la que se puede realizar el diseño. El dibujo se realiza mediante JavaScript. Es posible ver un ejemplo de dibujo en el archivo **1_2_7_espiral.html**.

El script anterior se descompone en tres partes. En primer lugar crea una variable que permite acceder a la zona de diseño. Esta zona se denomina el contexto, y la variable `ctx` permite dibujar en esta zona. Las demás variables sirven para definir la posición y el tamaño de la espiral, el número de bucles, el ángulo y el paso de ancho.

A continuación, se escriben dos funciones. La primera, `dibuja()`, realiza todo el proceso de dibujo en tres etapas.

1) La zona de dibujo, que se marca en el código HTML, se recupera. Aquí, recuperamos la etiqueta <canvas> con id `espiral_id` y se guarda en la variable `canvas`.

2) La variable `canvas` se utiliza, a continuación, para recuperar el contexto del `canvas`, que se almacena en la variable `ctx`. El dibujo se realiza mediante `ctx`.

3) A continuación se realiza una llamada con la función `dibujaEspiral();` que se encarga de dibujar una espiral.

```
// zona de dibujo.
var ctx;

// para centrar la espiral
var decalX = 300;
var decalY = 300;

// para la forma de la espiral
```

```
var MIN_SPIR = 100;
var MAX_SPIR = 300;
var numCirculos = MIN_SPIR;
var anguloInicial = 0;
var incrementoAngulo = Math.PI / 60;

// start (body.onload)
function dibuja() {
    var canvas = document.getElementById("espiral_id");
    ctx = canvas.getContext("2d");
    dibujaEspiral();
}

function dibujaEspiral() {
    // centramos
    ctx.translate(decalX, decalY);

    // escribimos a partir del centro
    ctx.moveTo(0, 0);

    //-----------------------------------
    // init
    //
    // el paso que hace aumentar el círculo
    var imcrementoTamaño = 0.9;
    // tamaño inicial
    var tamaño = 0;

    // ángulo que evoluciona para girar en redondo
    var theta = anguloInicial;

    // número de vueltas
    var maxLoop = numCirculos * Math.PI;

    // tamaño del círculo
    var k = numCirculos / MAX_SPIR;

    // la espiral
    while (theta < maxLoop) {
        ctx.lineTo(k * tamaño * Math.cos(theta), k * tamaño *
Math.sin(theta));
        theta += incrementoAngulo;
        tamaño += imcrementoTamaño;

    }
    ctx.stroke();
}
```

El contenido de la función `dibujaEspiral()` resulta algo complicado en esta etapa del libro. Vamos a detallar un poco más la idea de este ejemplo y mostrar, también, lo que es posible dibujar con la etiqueta `<canvas>`. También es posible, y será otro ejemplo más complicado que se verá en el capítulo Los métodos de diseño (consulte el archivo **7_1_espiral.html**), animar esta espiral y hacerla girar. Pero esto implica conocer bien JavaScript.

Es posible, a partir de aplicaciones de diseño vectorial, exportar el canvas. En este caso, encontramos código que muestra una imagen estática. Pero si se desea que el diseño se mueva o que cambie en función de lo que realice el usuario, habrá que conocer bien JavaScript y tener bastante paciencia.

¿Qué hace la función `dibujaEspiral()`?

```
// centramos
ctx.translate(decalX, decalY);

// escribimos a partir del centro
ctx.moveTo(0, 0);
```

El primer comentario ya lo explica: centramos. Nos desplazamos desde el punto 0,0 que se sitúa por lo general en la esquina superior izquierda y nos posicionamos en el centro de la imagen. La imagen mide 600x600 y el desplazamiento es de 300 en el eje X y en el eje Y.

A continuación, desplazamos (`moveTo`) nuestro puntero, pero no dibujamos. Lo posicionamos en 0,0 que es el centro de la imagen. El dibujo comenzará a partir de este punto.

Las siguientes líneas de código inicializan el programa utilizando las variables que se han definido al inicio del programa.

Observación

Habría sido posible organizar el script de manera diferente, pues en este ejemplo la función `dibuja()` invoca a la función `dibujaEspiral()`, y el programa se detiene ahí. Pero, a continuación, va a borrar esta espiral, y a continuación volver a dibujarla con una ligera rotación, de nuevo a borrarla y a dibujarla otra vez, todo en unos pocos milisegundos. Esto es lo que produce el efecto de animación. En este caso, el hecho de descomponer el código en dos funciones hace que resulte más sencillo.

A continuación, se escribe la palabra clave `while`.

```
    // la espiral
    while (theta < maxLoop) {
        ctx.lineTo(k * tamaño * Math.cos(theta), k * tamaño *
Math.sin(theta));
        theta += incrementoAngulo;
        tamaño += imcrementoTamaño;

    }
```

En esta etapa se repite una acción. Esta acción consiste en dibujar una pequeña porción de un círculo, que será una pequeña línea. Es la escritura de `ctx.lineTo()` la que permite realizar esto. Traza una línea desde el punto de origen, y lo centra, hasta el punto que se calcula con las reglas de trigonometría.

A continuación, se aumenta el valor del ángulo `theta` y aumenta el tamaño del círculo, o más bien aumenta el valor de las variables.

El bucle `while`, que se detalla en el capítulo JavaScript - sección while, permite repetir lo que se indica entre las llaves mientras que el valor de `theta` sea inferior a la variable `maxLoop`.

De este modo, se crea una pequeña porción de círculo gracias a la instrucción `lineTo`, y se aumenta a continuación el valor de `theta` y el tamaño. A continuación, si se cumple que `theta` es todavía más pequeño que `maxLoop`, se repite la operación. Y así sucesivamente.

De hecho, llegados a este punto, los trazos se preparan en el ordenador pero no se dibujan en la pantalla. Esto no se produce hasta que se ejecuta la última línea de código:

```
    ctx.stroke();
```

momento en el que se dibuja en la etiqueta `<canvas>`.

Uno de los principales intereses de la etiqueta <canvas> para el diseño es el hecho de que está "vinculada" a la tarjeta gráfica del ordenador. Dicho de otro modo, los cálculos de representación que se pedían al procesador se van a procesar en la tarjeta gráfica, permitiendo así obtener un resultado de representación mucho más impresionante en la Web. Puede que no tan rápido como en una videoconsola, pero se va acercando rápidamente.

En el capítulo Los métodos de diseño se presenta una versión animada de la espiral, en la sección La etiqueta Canvas.

El formato SVG

He aquí la sección HTML de la página que permite mostrar una imagen en formato SVG (*Scalable Vector Graphics*):

```
<!DOCTYPE html>
<html>
    <head>
        <title>Una imagen en formato SVG</title>
        <meta http-equiv="Content-Type" content="text/html;
charset=UTF-8">

        <link href="css/global.css" type="text/css"
rel="stylesheet" media="screen"/>
    </head>

    <body>
        <div id="base">
            <img src="img/base.svg" width="200" height="200"
alt="" />
        </div>
    </body>
</html>
```

La página HTML contiene una etiqueta <div> con el id base, que será una zona, gris oscuro, que alojará la imagen SVG.

La imagen que se visualiza en la página es una imagen vectorial, `base.svg`. Tiene un tamaño de 200 píxeles de ancho y de alto. Consulte el archivo **1_2_7_usoSVG.html**.

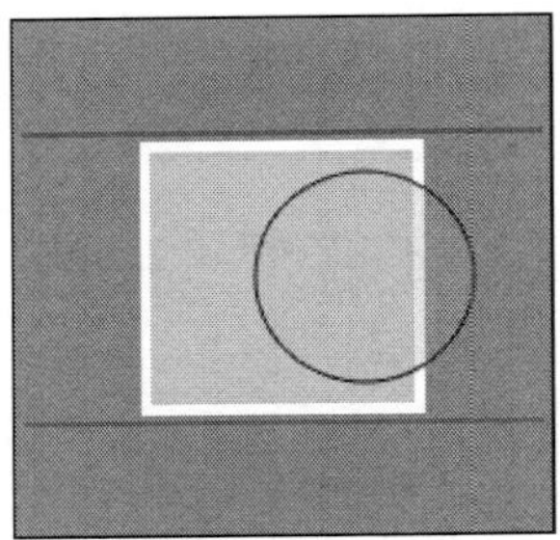

A continuación se muestra el contenido del archivo SVG:

```
<?xml version="1.0" encoding="utf-8"?>
<svg xmlns="http://www.w3.org/2000/svg" version="1.1" width="200"
height="200">
  <line x1="5" y1="45" x2="195" y2="45" stroke="#880000" />
  <line x1="5" y1="155" x2="195" y2="155" stroke="#880000" />
  <rect width="100" height="100" x="50" y="50" fill="lightgrey"
stroke="white" stroke-width="4" />
  <circle cx="130" cy="100" r="40" fill="cyan" stroke="black"
stroke-width="1" fill-opacity="0.2" />
  <text x="10" y="10">El formato SVG</text>
</svg>
```

Si echamos un rápido vistazo al archivo SVG, vemos etiquetas, como en el lenguaje HTML. De hecho, en la primera línea podemos leer que se trata de XML (*eXtensible Markup Language*).

Observación

En pocas palabras, el lenguaje XML permite almacenar información en un archivo de texto utilizando etiquetas. Con XML podemos utilizar nuestras propias etiquetas, y si tuviéramos que escribir un archivo encargado de almacenar el número de jugadores de un partido, podríamos crear la etiqueta `<jugador>`*, por ejemplo.*

En la segunda línea del archivo SVG podemos leer en la etiqueta SVG que utiliza la etiqueta `xmlns`. En este archivo, el xmlns apunta a una URL (*Uniform Resource Locator*) relativa al formato SVG. XMLNS es el espacio de nombres (*namespace*) del XML. Dicho de otro modo, si bien en XML es posible crear todas las etiquetas que deseemos, una vez se agrega un espacio de nombres, se define con precisión el nombre de las etiquetas que se prevén para este formato de archivo.

De este modo, vemos que para el SVG existe una etiqueta `<line>` que traza una línea, o una etiqueta `<rect>` o `<circle>` para dibujar, respectivamente, un rectángulo o un círculo.

Existen también nociones de estilo, con efectos que podemos agregar al diseño. Pero una vez más, en la práctica, diseñaremos utilizando JavaScript, que recupera la información (valores monetarios, por ejemplo), o bien gráficos para comprender mejor la evolución de las cuentas.

Si el diseño que queremos ver en SVG es estático, será mucho más sencillo utilizar una aplicación como InkScape, que es gratuita, o bien Illustrator, que es de pago. Ambas aplicaciones permiten dibujar mediante el ratón y generar un archivo SVG que contendrá etiquetas que representan nuestro dibujo.

En resumen, para las imágenes vectoriales que se desea mostrar en una página HTML: o bien la imagen vectorial está animada y se ejecutará código JavaScript para animar nuestro dibujo, o bien la imagen no cambia, en cuyo caso es mucho más sencillo diseñarla utilizando una herramienta de diseño vectorial.

4. Los navegadores y sus herramientas

En esta sección se aborda una herramienta que es muy importante y práctica en el desarrollo, se trata de la ventana de ayuda al desarrollo. Algunas indicaciones de esta herramienta requieren conocer un mínimo de CSS y JavaScript, en la medida en que nos van a ayudar a corregir nuestros errores y facilitar el trabajo. Incluso aunque en este punto del libro no todo será comprensible, la idea es presentar aquí la herramienta y saber que se utilizará en cualquier etapa a lo largo del libro.

En función del sistema operativo sobre el que trabajemos, podremos utilizar ciertos navegadores. Lo ideal, para un webmaster, es utilizar varios, los más comunes, y realizar pruebas en ellos para comprobar que no hay ninguna diferencia en la visualización de un navegador a otro.

Los navegadores más extendidos son Chrome, Firefox, Edge, Opera y Safari.

Actualmente, las últimas versiones de los navegadores son todas relativamente respetuosas con las reglas enunciadas por el W3C para definir la Web, si bien no se producen muchas sorpresas al pasar de un navegador a otro. Por el contrario, puede que un navegador pueda leer los archivos MP3 y otro prefiera un formato diferente de audio, como por ejemplo el formato OGG. Va a ser necesario, por tanto, si deseamos poner algo de sonido en el sitio, utilizar el navegador que lee el formato MP3, aunque habrá que prever también el navegador que lee los archivos OGG y convertir nuestro archivo de sonido al formato OGG para poder comprobar si todo funciona correctamente en cada navegador.

Una de las funcionalidades que encontramos en todos los navegadores más recientes es un acceso simplificado a la zona de código.

Una página HTML, cuando se ha terminado, se compone, por lo general, de más de cien líneas. Cuando se busca un fragmento concreto dentro de esta página, incluso aunque el código esté bien escrito, puede llevar cierto tiempo hasta encontrar la línea de código que nos interesa. Actualmente, cuando se abre una página de un sitio web, se accede a una función que permite examinar cada elemento.

Si clicamos con el botón derecho del ratón habiendo situado el cursor del ratón sobre un lugar concreto de una página HTML, en el menú contextual que aparece se mostrará la opción **Inspeccionar elemento** o **Examinar elemento** o posiblemente **Realizar la inspección del elemento**. Esto abre una ventana de **ayuda al desarrollo** situada en la parte inferior del navegador. Permite acceder a mucha información relativa a la página en curso.

Encontramos, en la parte derecha de esta ventana de ayuda al desarrollo, los estilos utilizados en la página. De un navegador a otro, o incluso de una versión a otra, puede que aparezca en la parte izquierda. Haciendo clic sobre un estilo, por ejemplo:

```
margin: 0;
```

podríamos cambiarlo y ver el resultado visual si escribimos en su lugar:

```
margin: 5px;
```

Estas modificaciones no se guardan. Permiten, únicamente, realizar pruebas para utilizar el valor final en el editor de código utilizado y modificar, así, realmente el código fuente.

Observación

*Cuando trabajamos sobre **nuestra** página HTML, que está almacenada en **nuestro** equipo, algunos navegadores más recientes sí permiten salvaguardar las modificaciones realizadas. Esto permite lo equivalente a un "guardar como" de la página, para no tener que volver a realizar los cambios en el editor de código. Incluso aunque esta idea pueda parecer atractiva, se corre el riego de que no funcione más que en la versión en local de un sitio web. Lo más seguro para no encontrarse con problemas es tener el editor siempre abierto y pasar del navegador al editor, pero no realizar modificaciones en ambos sitios.*

Otra aplicación de esta opción **Inspeccionar elemento** para un debutante o alguien curioso es saber de qué forma se ha construido la web que está visitando.

La ventana de ayuda al desarrollo nos indica, también, los errores. Ya sea un error de sintaxis, o un error JavaScript, la ventana de ayuda al desarrollo indicará en qué línea de código se encuentra el error.

Tomemos como ejemplo la página HTML que hemos visto antes (**1_2_4_base3lenguajes.html**).

Si vemos esta página en un navegador, aparece el texto "Una primera representación". Tomaremos como referencia a Chrome, el navegador de Google, pero ocurriría lo mismo con los demás navegadores.

Si situamos el ratón sobre la palabra "representación", haciendo clic con el botón derecho y seleccionando, a continuación, la opción **Inspeccionar elemento**, se abre una ventana en la parte inferior del navegador similar a la siguiente:

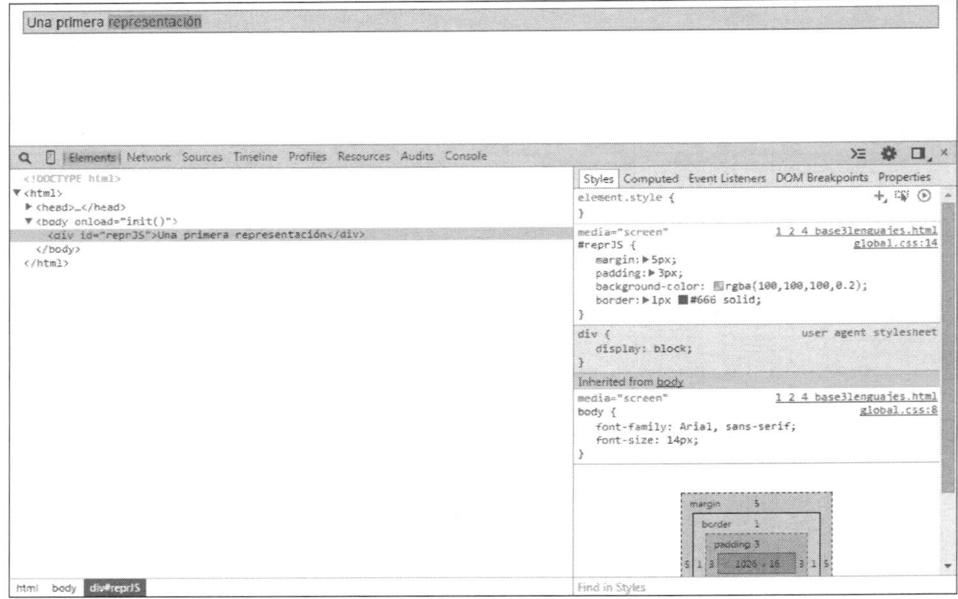

La sección superior de la captura de pantalla anterior es lo que se muestra en la página HTML: "Una primera representación" en un marco con fondo gris claro y un borde fino algo más oscuro.

A continuación, una barra de pestañas indica el inicio de la ventana de ayuda al desarrollo. La pestaña **Elements** está seleccionada, y aquí el navegador nos muestra los elementos que forman nuestra página. Para mostrar esta ventana, haremos clic con el botón derecho sobre el texto "Una primera representación". Este texto se muestra gracias a la etiqueta `<div>`. Por este motivo aparece subrayada la línea con la etiqueta `<div>`.

En la parte derecha de la pantalla, encontramos la pestaña **Styles**. Podemos ver que existe un estilo #reprJS y, a continuación, las propiedades de dicho estilo. A este nivel, si queremos ver lo que ocurriría si configuráramos un margen más pequeño o algún otro color para el fondo, es posible modificar los valores de los atributos. De este modo, si definimos el atributo `margin` igual a 10px, veríamos inmediatamente el cambio.

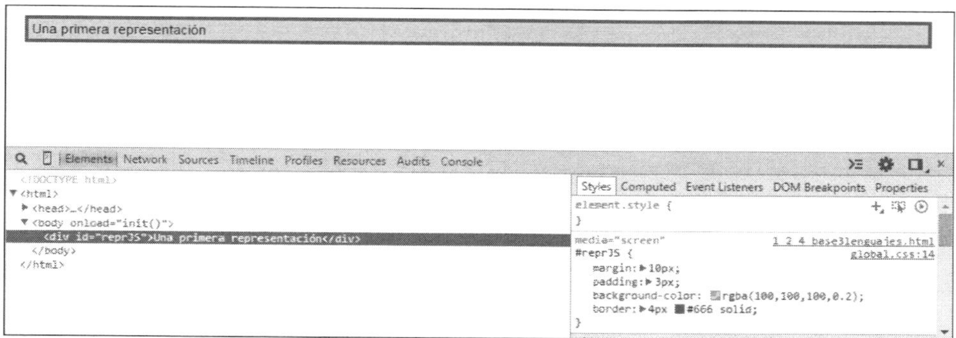

En la captura de pantalla anterior, el espaciado del borde se ha modificado: inicialmente definido a 1px, el valor del atributo `border` se ha configurado a 4px.

Es posible, cuando estamos en la pestaña **Elements**, ver cómo se ha construido la página y realizar algunas modificaciones como prueba.

La segunda pestaña de la barra de pestañas es **Network**. En esta sección encontramos todos los intercambios que se han producido entre el cliente y el servidor.

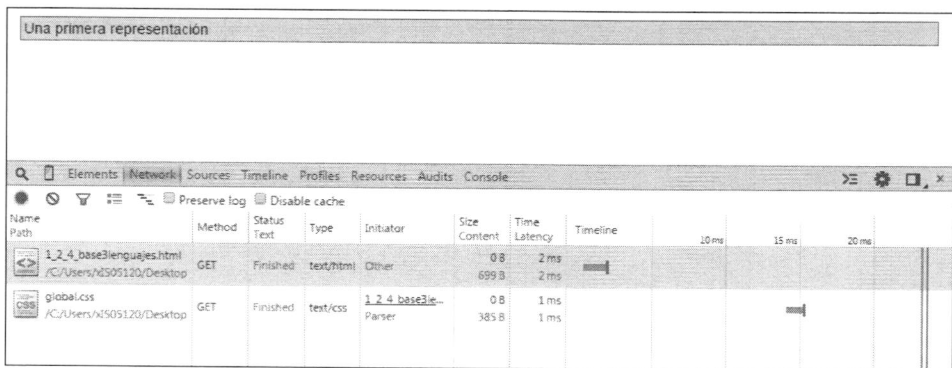

Vemos aquí que la página HTML se ha cargado en primer lugar, pues está en el primer lugar de la lista. Podemos ver información relativa a este archivo: su tamaño (699 bytes), el tiempo que ha consumido la operación de recuperación (2 ms), su contenido (text/html)... En la siguiente línea aparece el archivo CSS. Vemos que el iniciador es el archivo HTML. En efecto, en el interior del archivo HTML se ha indicado que es necesario el archivo CSS, etc.

Tenemos, aquí, la lista de todo lo que el servidor ha enviado al cliente para que la página pueda visualizarse correctamente. Si por algún motivo nos hubiéramos olvidado de alojar alguna imagen en el servidor y la página HTML fuera a buscar esta imagen inexistente, encontraremos un mensaje de error informándonos de que el archivo de imagen no se ha encontrado. Esto nos dará alguna pista para corregir el error.

Si se modifica la página HTML y se pide que se muestre una imagen, el código HTML sería algo así:

```
<body onLoad="init()">
    <div id="reprJS"></div>
    <img src="foto.jpg" alt=""/>
</body>
```

Si no alojamos la imagen foto.jpg en el servidor, se produce un error.

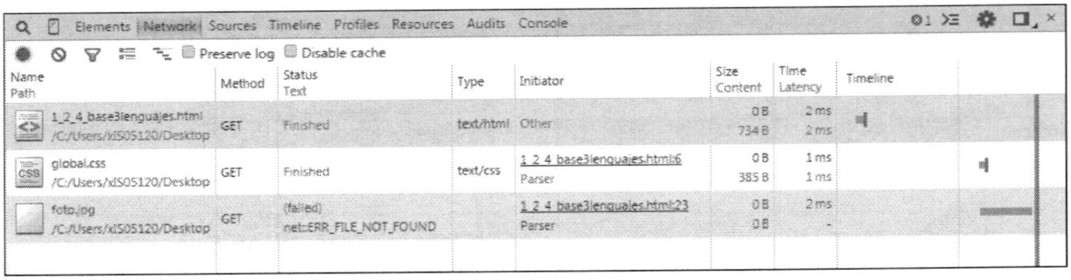

Elements | Network | Sources | Timeline | Profiles | Resources | Audits | Console

Preserve log | Disable cache

Name / Path	Method	Status / Text	Type	Initiator	Size / Content	Time / Latency	Timeline
1_2_4_base3lenguajes.html /C:/Users/xIS05120/Desktop	GET	Finished	text/html	Other	0 B / 734 B	2 ms / 2 ms	
global.css /C:/Users/xIS05120/Desktop	GET	Finished	text/css	1_2_4_base3lenguajes.html:6 Parser	0 B / 385 B	1 ms / 1 ms	
foto.jpg /C:/Users/xIS05120/Desktop	GET	(failed) net::ERR_FILE_NOT_FOUND		1_2_4_base3lenguajes.html:23 Parser	0 B / 0 B	2 ms / -	

En la captura de pantalla anterior, vemos en la parte superior derecha una cruz acompañada del número 1, que no aparecía en las pantallas anteriores. Esto significa que existe un error.

Este error se escribe en la tercera línea. Se debe al hecho de que hemos agregado en el código HTML la representación de una imagen, foto.jpg, pero esta imagen no existe. El error se muestra en rojo e indica que no se ha encontrado el archivo foto.jpg en el servidor. Podemos leer, también, en la columna **Initiator** que es la en la línea 23 donde se ha encontrado el error.

La última pestaña de la ventana de ayuda al desarrollo es **Console**. Encontramos aquí un resumen de los errores encontrados por el navegador. Una buena costumbre es recordar consultar esta ventana de ayuda y, en particular, la sección **Console**, si el script o la página no hace lo que deseamos.

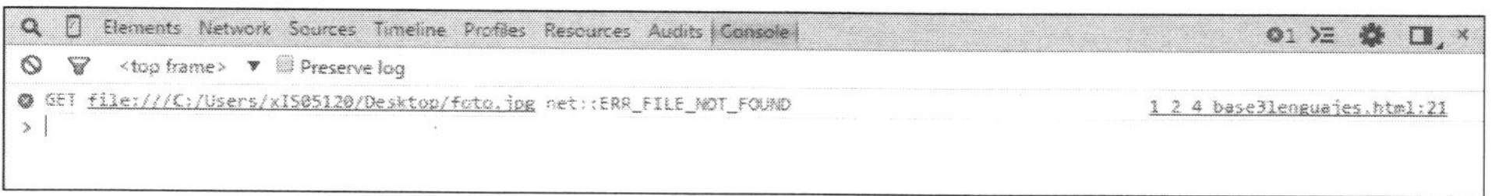

Si corregimos el error de la imagen, la consola no muestra ningún error cuando se recarga la página.

Podemos, por el contrario, querer escribir cosas en la pestaña **Console**: o bien información que nos ayude a saber que el programa ha ejecutado una u otra línea, o bien mostrar el valor de una u otra variable.

Si se modifica el código HTML de la página y, en particular, el script de la función `init()`:

```
function init() {
    console.log("-- Inicialización de la página");
    var textoFinal = "Una primera representación";

    document.getElementById("reprJS").innerHTML = textoFinal;
}
```

Podemos ver que se ha agregado una línea de código al principio de nuestra función `init()`. Se escribe:

```
    console.log("-- Inicialización de la página");
```

Cuando se consulta el resultado en el navegador:

vemos en primer lugar que la cruz con la cifra 1 ha desaparecido, pues el problema de la imagen foto.jpg se ha corregido. Y vemos que se ha escrito "Inicialización de la página", que es de hecho la línea de código que acabamos de escribir en el script que pide escribir en la consola.

Es posible ejecutar un programa línea a línea. Esto resulta muy útil para depurar un programa que no realiza lo que deseamos. El capítulo JavaScript explica cómo hacer esto, en la sección Depurar un programa. Hacen falta unos conocimientos mínimos de JavaScript para que esto resulte útil, pero una vez adquiridos los conceptos básicos se convierte en algo imprescindible.

Capítulo 2
Reglas generales

1. Preservar la legibilidad: la indentación, los comentarios

Un desarrollador escribe líneas y líneas de código. Hacen falta varios miles de líneas antes de poder considerarse un desarrollador. En cualquier caso, poco importa el lenguaje utilizado, es muy importante ser muy riguroso en lo relativo a la organización de las líneas. Algo así como ocurre con el texto de una revista que está bien presentado, conviene que el código sea legible y agradable a la vista.

Un desarrollador, prácticamente de cualquier lenguaje, pasa probablemente más tiempo releyendo su propio código que escribiéndolo, para corregir algún error o aportar alguna mejora. Es más agradable leer un código bien formado que un código en el que todo está desordenado: esto es lo que vamos a ver en esta sección.

1.1 La indentación

La indentación es el hecho de agregar espacios (o tabulaciones) delante de algunas líneas con el objetivo de desplazarlas visualmente y también agrupar las líneas de código.

Observación

Incluso aunque el siguiente código resulta algo confuso en esta etapa del libro, el objetivo es poner de relieve la implementación del texto, con indentaciones, que ofrece información sobre la organización del código.

Examinemos el siguiente código JavaScript:

```
activo = 'indefinido';
if (edad >= 18) {
adulto = 'OK';
cargaPagina("adulto") ;
} else {
adulto = 'KO';
cargaPagina("niño") ;
}
```

Este pequeño programa asigna a la variable `activo` el texto `'indefinido'` y, a continuación, comprueba si la variable `edad` tiene un valor mayor o igual a 18. Una condición es la acción de comprobar una variable. En el ejemplo, la variable `edad` se ha creado antes en el código.

Si la variable `edad` es mayor o igual a 18, entonces una tercera variable, `adulto`, se inicializa con el texto `'OK'` y se invoca una función para cargar la página, `cargaPagina()`, pasándole como información el texto `'adulto'`.

Si `edad` vale menos de 18, entonces JavaScript asigna a la variable `adulto` el texto `'KO'` y carga la página `"niño"` mediante la función de carga de página, `cargaPagina()`.

Las líneas de código presentadas aquí son muy clásicas. Es inevitable encontrar, en cualquier programa, comprobaciones de variables mediante condiciones y desencadenar unas acciones u otras en función del resultado de la condición.

Veamos, ahora, el mismo programa escrito con indentaciones:

```
activo = 'indefinido';
if (edad>=18)
{
        adulto= 'OK';
        cargaPagina ("adulto");
}
else
```

```
8 : {
9 :         adulto='KO';
10:         cargaPagina ("niño");
11: }
```

Algunas líneas de código parecen haber sido reagrupadas. Por ejemplo, las líneas 4 y 5 se han agrupado visualmente. Se escriben una debajo de la otra y tienen el mismo desplazamiento respecto al comienzo de la línea.

La tabulación (o los espacios) que se ponen delante del código permiten ver rápidamente que las líneas 4 y 5 o las líneas 9 y 10 se ejecutarán en conjunto. Es decir, que si la línea 4 se ejecuta en el equipo, entonces la línea 5 también lo hará.

Observación

Preste atención, la ejecución conjunta de las líneas 4 y 5 no es debida a la indentación. Es el código y las llaves los que permiten esto. Depende del desarrollador escribir el código de esta manera, para poder situarse más rápidamente durante la relectura del mismo.

Si las llaves permiten indicar al equipo que ciertas líneas de código forman un grupo, entonces no es indispensable que el desarrollador escriba con indentaciones. Las dos maneras de escribir el programa anterior no cambian absolutamente en nada el resultado de la ejecución del programa. Pero es fácil confirmar que el segundo método es mucho más legible para un desarrollador y que podrá encontrar rápidamente la línea de código que desee revisar. En el primer código, el desarrollador también podrá encontrar lo que desee, pero para ello tendrá que volver a leer el código completo, pues de un vistazo no es fácil encontrar lo que se busca.

Es preferible formatear correctamente el código desde el momento en que se escribe. Para un debutante, esto puede ser un poco más complicado, pero vale la pena hacer el esfuerzo al principio, pues se corre el riesgo de producir, rápidamente, un código difícilmente legible, y será necesario replantearlo todo.

Para terminar con este asunto, los editores de código actuales (Visual Studio Code o NetBeans, que son los editores más potentes) ayudan mucho al desarrollador proporcionando automáticamente un código indentado.

1.2 Los comentarios

El segundo punto, que no es menos importante, es relativo a los comentarios: pequeñas frases, escritas en el lenguaje natural del desarrollador, por tanto en español para nosotros, que facilitarán la lectura del código. Leyendo un comentario el desarrollador se podrá hacer una idea de lo que hacen las líneas de código y no tendrá que leer cada una de las líneas del código para comprenderlo.

Observación

Desde un punto de vista de la programación, los comentarios no se interpretan en el equipo. Cuando el navegador, por ejemplo, lee todas las líneas de código para ejecutar lo que está escrito, cuando llega a una línea de comentario pasa simplemente a la línea siguiente, sabiendo que esta línea de comentario no le afecta.

Existen distintas maneras de escribir un comentario en función del lenguaje utilizado.

En el lenguaje **HTML**, los comentarios se escriben de la siguiente manera:

```
<!-- aquí está el comentario -->
```

Para el lenguaje **CSS**, es posible escribir comentarios así:

```
/* un comentario aquí */
```

Y por último, **JavaScript** proporciona dos maneras para escribir un comentario.

– O bien en una única línea:

```
// aquí un comentario que no se interpretará en el equipo
```

– O bien varias líneas de comentario:

```
/* un comentario un poco más largo
que explica algunas cosas más para
entender las líneas de código */
```

Revisemos nuestro programa con algunas líneas de comentario:

```
// inicialización de variables
activo = 'indefinido';
adulto = 'indefinido';

/*
 Verificación de la edad del cliente
 y carga de la página correspondiente
*/
if (edad >= 18)
{
   adulto = 'OK';
   cargaPagina ("adulto");
}
else
{
   adulto = 'KO';
   cargaPagina ("niño");
}
```

2. Pensar en el posicionamiento

Cualquiera que quiera crear un sitio web hará lo posible para que el sitio funcione correctamente, que sea agradable a la vista, que sea legible, que la información sea fácilmente accesible, etc.

Pero también hace falta llevar visitas hacia la web para admirar este trabajo.

Recibirá las visitas que hayan visto la dirección del sitio web en la firma de un correo electrónico o en alguna tarjeta de visita. Pero lo más importante es conseguir que los motores de búsqueda y los sitios sociales "conozcan" la existencia de este sitio.

El texto contenido en un sitio es importante para el posicionamiento. Conviene escribir el texto teniendo en cuenta las palabras clave para el sitio.

El sitio http://tools.seobook.com/general/keyword-density/ permite, pasándole la URL de un sitio web, obtener un informe relativo a las palabras clave del sitio junto a numerosos consejos.

Si un vendedor de coches de ocasión tiene un sitio web, es probable que las palabras "coche" y "ocasión" se presenten con frecuencia en este sitio.

Para obtener un método sencillo, la pregunta que nos tenemos que plantear antes de desarrollar un sitio es: "¿Qué buscarán los internautas en el motor de búsqueda para llegar a mi sitio?"

El vendedor de coches podría plantearse: "Si escriben "comprar coche ocasión" o "comprar Ford ocasión", me gustaría que el motor de búsqueda les propusiera entrar en mi sitio".

En este caso, las palabras "comprar", "coche", "ocasión" y probablemente una gran cantidad de marcas de coche pueden ser introducidas en el motor de búsqueda, y será conveniente que nuestro sitio esté preparado para "reaccionar" a estas palabras clave.

Una vez hayamos reflexionado sobre las palabras clave del sitio, simplemente conviene anotar todas estas palabras clave e intentar utilizarlas como mínimo en el texto del sitio web.

Conviene, también, anotar los lugares "estratégicos", que se explicarán más adelante en este libro. Dado que en muchos casos podrán utilizarse las palabras clave, además de la representación clásica de la página, conviene preparar frases con estas palabras clave.

Por ejemplo, respetando esta regla, la frase "Haga clic aquí para acceder a nuestros nuevos productos" tendrá un impacto mucho menor para el motor de búsqueda que un enlace que diga "Lista de coches de ocasión Renault". Enlace que podrá estar seguido de otro enlace similar donde únicamente cambie la marca.

Observación

El ejemplo que mostramos aquí se hace con un enlace, en la medida en que un motor de búsqueda va a considerar el texto del enlace como algo importante, puesto que un clic en este enlace abre una nueva página. Intente incluir, siempre, palabras clave en los enlaces de su sitio web.

Para que los motores de búsqueda conozcan su sitio web una vez que esté en línea, basta con ir al motor de búsqueda y escribir: "proponer un sitio" para acceder a la página en la que los motores tales como Google, Yahoo! o Bing permiten indicar la información relativa a la URL de nuestro sitio web y el tipo de sitio. A continuación, tras unos quince días, el sitio debería estar bien referenciado.

3. Carpetas y rutas hasta los archivos

Un sitio web completo necesita la presencia de distintos tipos de archivo para manipular. Una lista no exhaustiva daría los siguientes tipos:

- HTML;
- CSS;
- JavaScript;
- imagen;
- vídeo;
- audio.

En función de la complejidad del sitio que queremos crear, será posible tener una gran cantidad de archivos. Lo más sencillo para no perderse sería crear, como mínimo, **una carpeta por tipo de archivo**. Incluso aunque en ciertos casos puede que no exista más que un único archivo CSS, será una buena idea alojarlo en una carpeta propia llamada, simplemente, "css".

Veamos cómo se comunican los archivos entre sí para comprender mejor cómo organizar las carpetas.

Si una instrucción CSS requiere una imagen para decorar el fondo de la página, debemos escribir en el archivo CSS el nombre de la imagen necesaria, por ejemplo "fondo_azul.jpg":

```
body {
    background-image:url("fondo_azul.jpg");
}
```

La instrucción CSS `background-image` utiliza una URL, es decir una cadena de caracteres, que indica dónde se encuentra el recurso necesario, en nuestro caso el archivo fondo_azul.jpg.

Si el archivo de imagen se encuentra en la misma carpeta que el archivo CSS basta, como muestra el ejemplo anterior, con escribir el nombre de la imagen. El equipo busca en la carpeta en la que se encuentra el archivo CSS si existe un archivo llamado fondo_azul.jpg. Si lo encuentra, CSS puede utilizarlo.

Si se da el caso de que el archivo CSS está en una carpeta y el archivo de imagen en otra carpeta diferente, hay que indicar al equipo la ruta para ir desde el archivo CSS (situado en la carpeta css) hasta el archivo JPEG (en la carpeta imágenes).

Para ello, existe un símbolo que debemos conocer: la barra "/" (en inglés, slash, que es la tecla con el símbolo de división en el teclado) que permite indicar el paso de una carpeta a otra. Es decir, si hay que recuperar un archivo de la carpeta de imágenes, tendremos que indicar el nombre de la carpeta, la barra, y a continuación el nombre del archivo.

Imaginemos que tenemos una arborescencia de archivos organizada de la siguiente manera:

```
www
    css
        css.css
    imagenes
        fondo_azul.jpg
```

La representación de las carpetas anterior indica que existe una carpeta principal www. En la carpeta www existen dos carpetas, css e imagenes. El archivo css.css está ubicado en la carpeta css y la imagen fondo_azul.jpg en la carpeta imágenes.

```
body {
   background-image:url("imagenes/fondo_azul.jpg");
}
```

En este caso, la instrucción CSS accederá al archivo de imagen si el archivo css.css se encuentra en la carpeta madre de la carpeta de imágenes. Dicho de otro modo, si el archivo css.css se encuentra directamente ubicado en la carpeta www.

Pero no es así, puesto que el archivo CSS está en la carpeta css.

Será preciso que la instrucción CSS indique la ruta precisa que hay que utilizar, o bien subir un nivel en la arborescencia partiendo de la carpeta css y, a continuación, entrar en la carpeta imagenes.

La instrucción que permite subir un nivel y situarse en la carpeta madre, sin importar donde nos encontremos, es: "../" (punto, punto, barra). Es lo que vamos a escribir en nuestro ejemplo.

En primer lugar debemos salir de la carpeta css con "../".

A continuación, entramos en la carpeta imagenes con "imagenes/".

Por último, indicaremos el nombre del archivo que queremos utilizar: "fondo_azul.jpg".

```
body {
    background-image:url("../imagenes/fondo_azul.jpg");
}
```

Observación

Preste atención para no dejar espacios en la URL. Incluso aunque funcione si dejamos un espacio en el nombre del archivo (por ejemplo, "fondo azul.jpg"), opte siempre por una sintaxis sin espacios, utilizando el guion (el signo "-") o bien el subrayado ("_") en lugar del espacio.

Existen, generalmente, distintos tipos de imágenes en un sitio web; no solo en función de su formato (JPEG, GIF, PNG...), sino también en función de su uso: por un lado tenemos las imágenes de decoración, las texturas de los fondos, las distintas formas utilizadas, y por otro lado las imágenes relacionadas con el propio contenido de las páginas. En función del sitio web serán, por ejemplo, fotografías de un trabajo, las etapas de fabricación de un producto, o bien la fotografía de alguna persona, de un producto.

Es conveniente, seguramente, crear por ejemplo una subcarpeta "deco" en la carpeta de imágenes, e incluso otras subcarpetas para el contenido o bien las fotografías del sitio, en función del tipo de sitio que estemos construyendo.

```
imagenes
    deco
    taller
    personal
```

Si el sitio es coherente tendrá, seguramente, muchos elementos de decoración, iconos, texturas, etc., y una buena organización supondrá tener subcarpetas dentro de la carpeta "deco".

```
imagenes
    deco
        texturas
        puntos
        smileys
        /...
```

Esto podría dar el siguiente resultado en CSS:

```
body {
    background-image:url("../imagenes/deco/bg/fondo_azul.jpg");
}
```

Uno de los principales motivos para alojar cada elemento en una carpeta reside en la escritura de la URL. Los ejemplos anteriores trabajan con lenguaje CSS y una imagen. Pero ocurrirá lo mismo cuando HTML quiera acceder a un archivo JavaScript, y tendremos que indicar la ruta entre el archivo HTML y el archivo JavaScript.

```
<script src="../js/utiles.js"></script>
```

El hecho de alojar cada tipo de archivo en una carpeta diferente hace que importe poco el archivo en el que estemos trabajando (en un archivo CSS, HTML o JavaScript), la instrucción siempre supondrá realizar las siguientes etapas:

- salir de la carpeta en la que nos encontramos: ../;
- entrar en la carpeta deseada: scripts/ o imagenes/ o bien alguna otra carpeta;
- indicar, al final, el nombre del archivo deseado;

Conviene tener una arborescencia de carpetas con el siguiente aspecto:

```
misitio
    works
        fotos_originales
        documentos_fuente
    www
        html
        css
        javascript
        imagenes
            deco
            taller
```

Existe una carpeta raíz que tendrá, por ejemplo, el nombre del sitio web. En el interior de esta carpeta raíz tendremos dos carpetas, works y www. La primera, la carpeta works, contendrá todos los elementos que sean útiles para construir el sitio, pero que no se utilicen en el sitio web. Por ejemplo, contendrá las fotografías que se incluirán en el sitio, pero los archivos originales son muy voluminosos o están en un formato que no está bien adaptado a la Web, de modo que los dejaremos a un lado. En este caso, será muy sencillo localizar los archivos originales si queremos realizar alguna modificación, y evitaremos tener que perder tiempo para encontrar el archivo original que se utilizó hace varios meses.

La segunda carpeta, www, contendrá todo lo que necesite un sitio web para poder funcionar correctamente.

Observación

El otro interés de este método de trabajo es relativo a la transferencia FTP. Cuando terminemos de construir el sitio web será necesario copiar los archivos desde el equipo local, el equipo de trabajo, para enviarlos a un servidor. Es inútil enviar al servidor los archivos que no se utilizan en el sitio web. Esto consume innecesariamente sitio en el servidor, de modo que basta con transferir mediante FTP simplemente el contenido de la carpeta www, de modo que todo el contenido del sitio web esté en línea.

4. Los editores de código

Para crear un sitio, son necesarios archivos que contengan instrucciones para implementar bloques, asignarles colores, hacerlos reaccionar al clic del ratón... Si la comprensión del texto es más o menos compleja, la escritura puede realizarse mediante el más sencillo de los editores de cualquier sistema operativo, por ejemplo Notepad en Windows o TextEdit en Mac. Existen editores, de pago o gratuitos, que nos ayudarán a escribir el código de nuestras páginas. Algunos de ellos, como Adobe Dreamweaver (de pago), tienen una presentación WYSIWYG (*What you see is what you get*: lo que se ve sobre el editor es lo que aparecerá en nuestro navegador).

Es cierto que esto puede resultar atractivo, pero en la práctica no lo es tanto. Existen dos problemas principales con estas herramientas. En primer lugar What You See Is **casi** What You Get. Efectivamente, conviene verificar siempre el trabajo dentro del navegador, pues si utilizamos algunas de las funcionalidades de CSS más recientes existe un alto riesgo de que la aplicación WYSIWYG no sepa cómo representarlas.

Otro aspecto relativo a este tipo de aplicaciones es que nos permite crear un sitio web sin prestar atención al código. Si bien es posible, con el ratón, diseñar un bloque aquí, otro allá, y hacer evolucionar el sitio, el problema es la completa pérdida del control sobre el código que se genera, sin mencionar la manera en la que evoluciona el código cuando se agrega un bloque, se elimina a continuación, se vuelve a crear, se desplaza... siempre quedan secciones de código que deben suprimirse, etiquetas vacías que resultan inútiles, estilos que se crean automáticamente con nombres como style1, style2. **De hecho, todo esto nos da la ilusión de ganar tiempo, que perderemos a continuación para volver a dejarlo todo en orden**.

Otros editores, menos atractivos a primera vista, serán mucho más eficaces para avanzar en la construcción de un sitio web. Tomemos, por ejemplo, NetBeans. Este editor estaba dedicado, inicialmente, a la programación en lenguaje Java. El lenguaje Java no tiene en común con JavaScript más que las cuatro primeras letras del nombre. Se trata de un lenguaje muy complicado, riguroso, que permite diseñar programas de millones de líneas de código que se ejecutan como un reloj. A continuación, NetBeans evolucionó para permitir programar aplicaciones PHP, un lenguaje de servidor, y más recientemente HTML, CSS y JavaScript.

NetBeans es gratuito. Puede descargarse de la siguiente dirección: https://netbeans.apache.org/front/main/download/nb20/. Implementa, por ejemplo, la coloración sintáctica. Es decir, las palabras del lenguaje que tengan cierta función se escribirán con un color determinado y aquellas que tengan alguna función diferente, de otro color. El código es, de este modo, mucho más legible y más fácil de gestionar.

Otro aspecto importante es su reactividad frente a los errores de sintaxis. Una vez escrita una línea de código, NetBeans la analiza automáticamente y nos advierte mediante un triángulo si hemos cometido algún error, o si algún elemento podría haberse escrito mejor en esta línea. Otros indicadores, como un círculo rojo, indican que existe algún error en la línea. En este caso, esto evita tener que ejecutar la página en el navegador y será posible corregir inmediatamente el error.

Esto nos va a permitir ganar mucho tiempo. Si no tuviéramos esta funcionalidad, sería preciso:

1) guardar el trabajo;

2) probarlo en el navegador;

3) darse cuenta de que no hace lo que debería hacer;

4) volverse loco con el código hasta encontrar dónde está el error.

En el código de la captura de pantalla siguiente, la etiqueta `body` contiene un error, pues hemos escrito "<bod ..." en la línea 20. NetBeans indica el problema subrayando la línea afectada y agregando una bombilla con un signo de exclamación donde se encuentra el número de la línea.

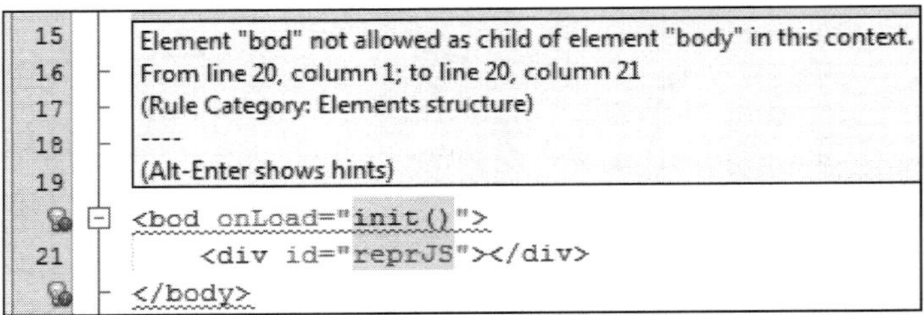

La línea 22 también marca un error, puesto que la etiqueta de cierre `</body>` no está asociada a ninguna etiqueta de apertura. Será necesario corregir el error de la etiqueta de apertura en la línea 20 para corregir ambos errores.

El rectángulo (de la línea 15 a la línea 19) en el que se escribe: "Element "bod" not..." aparece únicamente cuando situamos el ratón sobre alguna de las bombillas. Nos ofrece algo más de detalle acerca del error.

Observación

*En todos los lenguajes de programación, existen herramientas que nos van a permitir encontrar los errores. Con frecuencia se cometen errores, es normal. Pero la línea que se nos indica con error es la línea en la que se ha **detectado** el error. Esto no quiere decir, necesariamente, que se haya **creado** en este lugar. En ocasiones el desarrollador encontrará el error algunas líneas por encima del lugar indicado por el editor de código.*

Otra particularidad de NetBeans consiste en proponer el código que podría escribirse. Cuando se detecta que el desarrollador está intentando escribir un código concreto, le propone instrucciones mediante una pequeña lista que se abre en el lugar donde se está escribiendo el código.

Si una línea de código empieza por "<" en una página HTML, el editor va a darse cuenta de que se está creando una nueva etiqueta y propone, en el lugar donde está situado el cursor, una lista en la que será posible seleccionar la etiqueta o bien la expresión que queríamos escribir.

Se abre una segunda ventana, por encima, que muestra la documentación relativa a la etiqueta. En la captura de pantalla que se muestra más adelante, la primera etiqueta propuesta es la etiqueta <a>. El cursor, que no aparece en la captura de pantalla, está situado de hecho en la línea 22, que no contiene más que el signo menor que.

Para seleccionar un elemento de la lista, muchos tendrán el reflejo de utilizar el ratón. Mala idea. Si estamos escribiendo en el teclado, resulta mucho más práctico no apartar los dedos del teclado, e intentar acceder a lo que nos interesa mediante las teclas del teclado.

En el caso anterior, las flechas de dirección situadas a la derecha del teclado nos van a permitir hacer esto. Basta con presionar sobre la flecha hacia abajo y descender en la lista, a continuación, cuando hemos alcanzado el elemento que nos interesa, se presiona la techa [Enter] del teclado.

Observación

El cambio entre teclado, ratón, teclado, ratón, nos hará perder tiempo y requerirá una atención mucho mayor que permanecer únicamente en el teclado y familiarizarse con los atajos. Esto supone un pequeño esfuerzo al principio pero se hace rentable muy rápidamente.

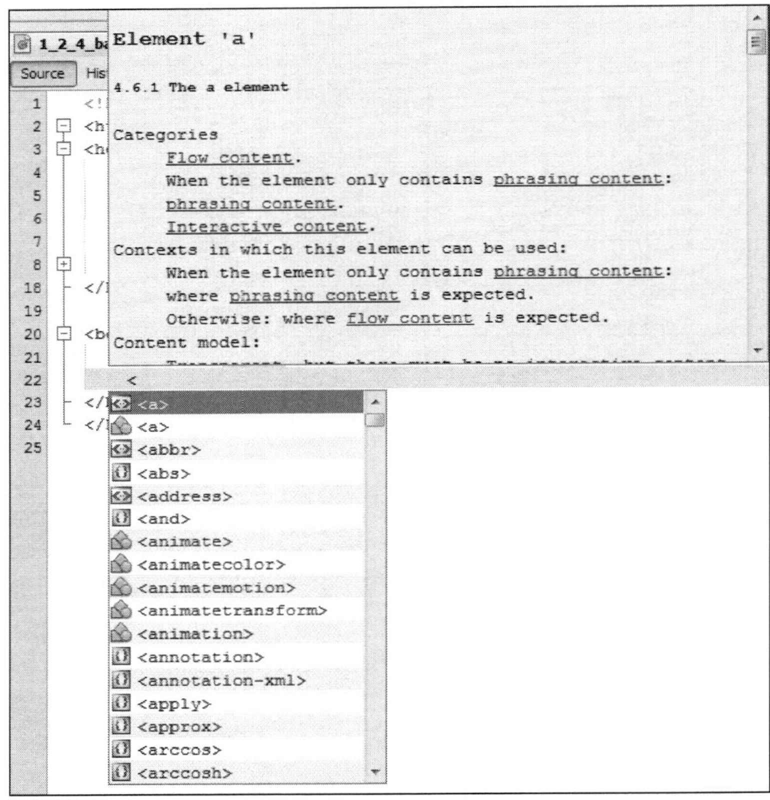

Esta lista es muy práctica para no cometer errores de sintaxis escribiendo mal alguna palabra. Puede servir, también, como recordatorio cuando no tenemos del todo clara la sintaxis en la cabeza, la palabra buscada está en algún lugar de la lista.

No debemos caer en la trampa de recorrer la lista completa para acceder al elemento que estamos buscando.

Si, por ejemplo, estamos escribiendo la siguiente línea:

```
<div id="reprJS"
```

Cuando el cursor está justo después de la segunda comilla, NetBeans entiende que la escritura del id se ha completado. El simple hecho de pulsar sobre la barra espaciadora hace aparecer la lista que ayuda a completar el código.

Si a continuación deseamos escribir el evento `onclick` que nos permita gestionar el clic sobre el elemento `<div>`, el hecho de escribir las primeras letras, "`on`", filtrará la lista, la cual proporcionará únicamente aquellos términos que empiecen por estas dos letras.

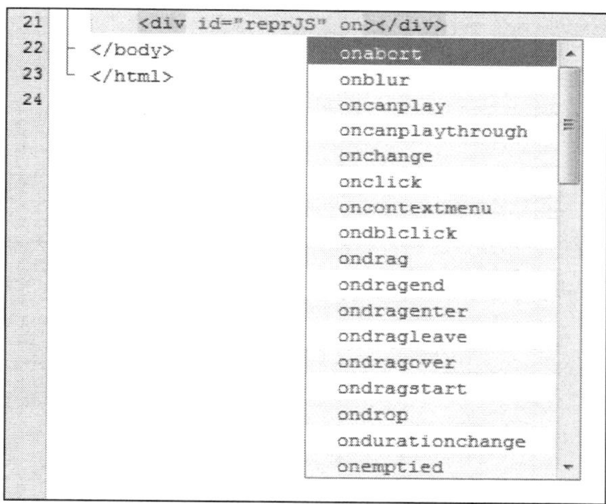

Tan solo queda descender utilizando la flecha hacia abajo y pulsar [Enter] cuando el texto seleccionado sea la palabra `onclick`. En este momento, NetBeans agrega automáticamente: `onclick=""` y sitúa el cursor entre las comillas, esperando a que se escriba el código correspondiente.

Otro editor popular en 2024 que podemos destacar es Visual Studio Code (VSC), de Microsoft. Este programa, que puede descargarse aquí (https://code.visualstudio.com/download), es mucho más reciente que NetBeans, retoma la mayor parte de las funcionalidades de este último y, sobre todo, tiene la ventaja de ser mucho más ligero y consumir menos recursos. Es decir, que con VSC disponemos de las mismas posibilidades que con NetBeans, pero sin exigirle tanto a nuestro ordenador y trabajando a más velocidad.

Cuando descubrimos un nuevo programa, suele ser una buena idea observar detenidamente todo el menú y todas las funcionalidades que nos ofrece. También es interesante descubrir los atajos de teclado, que son vitales para no perder el tiempo manipulando el ratón.

Existe un atajo muy práctico: [Ctrl] **F** (o [Cmd] **F** en Mac), que permite hacer una búsqueda en una página. Funciona en todos los programas donde hay texto. En VSC, si además pulsamos [Mayús], es decir, [Ctrl][Mayús] **F**, podemos realizar la búsqueda en todos los archivos del proyecto.

Lo ideal es tener una carpeta con subcarpetas (css, img...), que será el proyecto actual. Si abrimos la carpeta desde el programa o arrastramos la carpeta hasta el icono de VSC, el proyecto se abrirá y se podrá hacer una búsqueda por cualquier parte de él.

Por ejemplo, podríamos tener sin problemas una etiqueta `<div id='marco'>` y, por lo tanto, seguramente `#marco` en algún lugar de nuestro CSS, pero también una interacción con JavaScript que permita modificar ese marco `document.querySelector("#marco")`...

Y como toda esta información se encuentra en archivos diferentes, es muy práctico disponer de una herramienta que permite realizar una búsqueda en todo el proyecto. Es algo que hay que tener en cuenta.

Asimismo, podemos añadir extensiones a VSC para aumentar su eficacia.

Haciendo clic en el icono que está a la izquierda de la pantalla de VSC, abrimos una ventana que muestra la lista completa de todas las extensiones disponibles. A continuación, solo hay que pulsar la que nos interese para instalarla.

Por ejemplo:

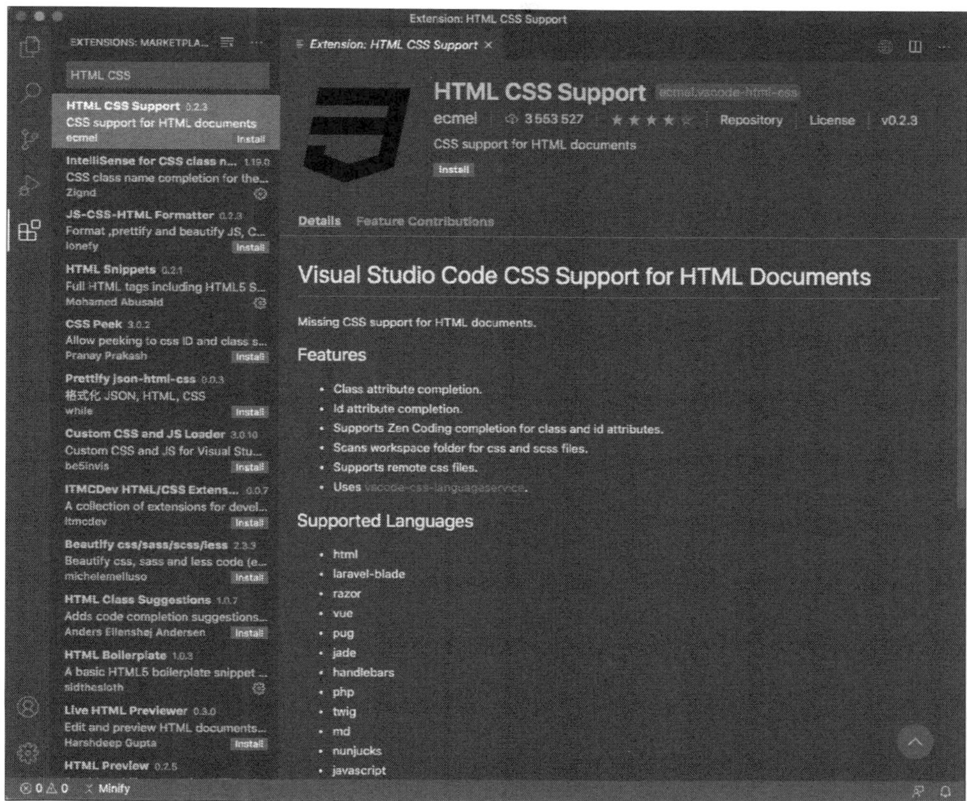

Si deseamos instalar *HTML CSS Support*, solo tenemos que escribir en la barra de búsqueda de arriba a la izquierda «HTML CSS» y aparecerá la lista de todas las extensiones que contengan HTML y CSS. Después, solo nos queda pulsar el botón **Install** para instalarla.

Algunos ejemplos de extensión:

- **HTML CSS Support**: permite que VSC comprenda mejor los lenguajes HTML, CSS y JavaScript (entre otros) y detecta automáticamente los errores o completa automáticamente algunas palabras, como las clases CSS o las funciones en JavaScript.
- **Color the tag name**: como su nombre indica, esta extensión asigna colores a las etiquetas de las páginas HTML. De este modo, se mejora considerablemente la legibilidad del código, lo que permite evitar algunos errores.

Existe un gran número de extensiones y, a medida que vayamos avanzando, instalaremos las que nos parezcan más pertinentes para aumentar nuestra eficacia.

Poco a poco

Un buen hábito que cualquier desarrollador web debería adquirir es no hacer muchos cambios en el código o escribir muchas líneas de código sin probarlas. Es decir, conviene realizar pequeñas modificaciones en el sitio, guardarlas y realizar una prueba.

Si funciona, es posible seguir avanzando. Se escriben algunas líneas de código más, se realizan algunas pocas modificaciones, y de nuevo se guardan y se prueba.

Si, por el contrario, se han escrito muchas cosas nuevas en HTML, CSS y JavaScript y el resultado no funciona porque existe algún error o una omisión, va a ser preciso revisar todo lo que se ha cambiado desde la última prueba de la página. Encontrar la línea donde se ha cometido el error o aquello que hemos olvidado en el código puede hacernos perder mucho tiempo.

5. La IA en un editor de código

He aquí varias experiencias realizadas por el autor con la inteligencia artificial, así como ejemplos de herramientas que le ayudan con el desarrollo informático.

Palabra clave: prompt

Se pidió a distintas inteligencias artificiales que escribieran un pequeño programa correspondiente a un ejercicio que se había propuesto a estudiantes de PHP (lenguaje del lado del servidor) con anterioridad. La calidad del código generado resultó especialmente alta: estaba correctamente estructurado, comentado de forma inteligente y era funcional desde la primera ejecución. Un punto esencial lo constituye la formulación del prompt, es decir, el mensaje dirigido a la IA. Es necesario dedicar tiempo a redactarlo, describiendo con precisión lo que se espera; incluso puede resultar pertinente redactar ese prompt en un archivo de texto para probarlo con varias IA.

Visual Studio Code e inteligencia artificial

Hoy en días, existen herramientas que pueden integrarse en Visual Studio Code para que una IA:

- revise el código;
- lo corrija;
- sugiera mejoras;
- lo explique.

También existen editores específicos, como Cursor (https://www.cursor.com/). Aunque Cursor está basado en Visual Studio Code y retoma su interfaz y buena parte de sus funciones, es una aplicación independiente. La inteligencia artificial viene integrada de forma nativa y puede acceder a todos los archivos de un proyecto para analizarlos y modificarlos directamente según las instrucciones indicadas en el prompt.

Las extensiones en Visual Studio Code

En la parte izquierda de VS Code, hay un icono para acceder a las extensiones; en nuestro caso, aparece **AI Toolkit for Visual Studio Code**, además de la extensión de **GitHub** para instalar.

Observación

*GitHub es una plataforma de desarrollo colaborativo basado en Git, un sistema distribuido de **control de versiones**. Permite a los desarrolladores almacenar, gestionar y compartir su código fuente en repositorios en línea.*

El control de versiones consiste en registrar los cambios realizados en los archivos (por lo general, código fuente) para poder volver a versiones anteriores, comparar modificaciones e identificar al autor y la fecha de los cambios efectuados.

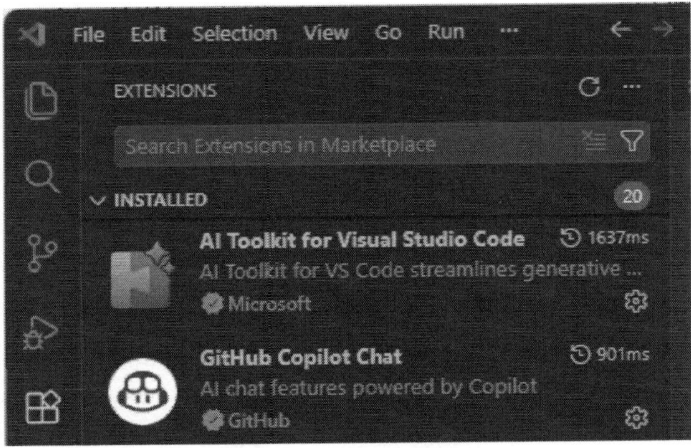

5.1 AI Toolkit for Visual Studio Code

Una vez instalada la extensión, podrá seleccionarla haciendo clic en el icono situado en la parte inferior izquierda de la pantalla. Se abrirá el panel **AI TOOLKIT**, donde tendrá acceso a los modelos de IA que vaya añadiendo.

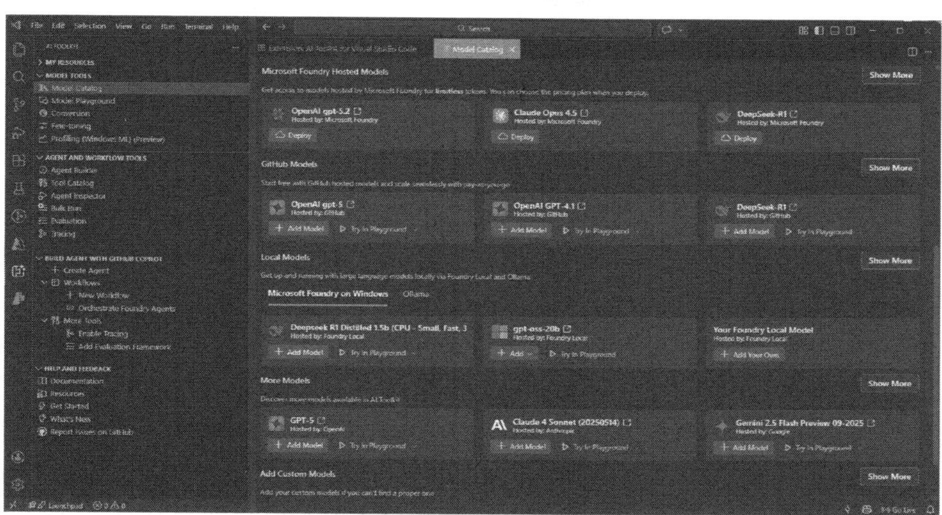
Microsoft Foundry Hosted Models
Show More
OpenAI gpt-5.2
Claude Opus 4.5
DeepSeek-R1
GitHub Models
OpenAI gpt-5
OpenAI GPT-4.1
Local Models
Microsoft Foundry on Windows
Deepseek R1 Distilled 1.5b (CPU - Small, Fast, 3
gpt-oss-20b
Your Foundry Local Model
More Models
GPT-5
Claude 4 Sonnet (20250514)
Gemini 2.5 Flash Preview 09-2025
Add Custom Models

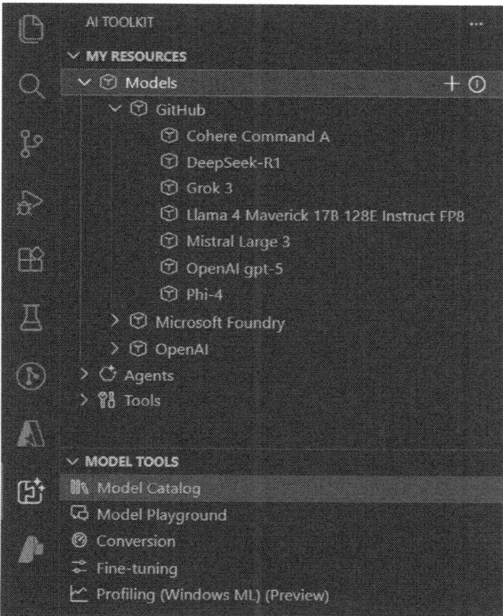
AI TOOLKIT
MY RESOURCES
Models
GitHub
Cohere Command A
DeepSeek-R1
Grok 3
Llama 4 Maverick 17B 128E Instruct FP8
Mistral Large 3
OpenAI gpt-5
Phi-4
Microsoft Foundry
OpenAI
Agents
Tools
MODEL TOOLS
Model Catalog
Model Playground
Conversion
Fine-tuning
Profiling (Windows ML) (Preview)

Los modelos Hosted by GitHub se usan a través de **GitHub Models**: basta con iniciar sesión con su cuenta de GitHub para empezar a utilizarlos con uso gratuito incluido (limitado por cuota). Si necesita más capacidad, GitHub permite pasar a pago por uso.

A continuación, al seleccionar uno de ellos, podrá enviar prompts. Todo esto ocurre dentro del editor, pero **las IA no tienen acceso a su código**. Debe enviar fragmentos de código o formular preguntas; la IA no irá a modificar su archivo. Su ayuda es incuestionable si usted se bloquea en una parte de su proyecto. Esta solución no difiere fundamentalmente de la versión en línea de la IA, pero tiene la ventaja de estar directamente integrada en el editor, lo que la hace muy práctica.

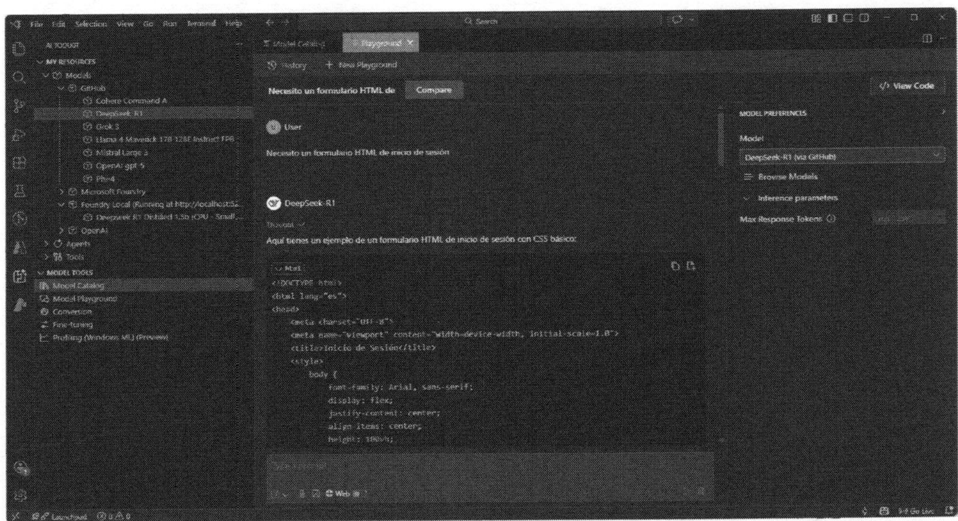

- En el modelo de GitHub, escoja uno de los modelos; por ejemplo, **DeepSeek-R1**.
- A continuación, especifique el contexto (una descripción del proyecto). Envíe, por ejemplo, el prompt « Necesito un formulario HTML de inicio de sesión ».

Se generará una página HTML correcta.

5.2 GitHub Copilot Chat

La integración de GitHub Copilot Chat en Visual Studio Code es muy práctica porque permite hacer preguntas sobre el código y recibir ayuda sin salir del editor. Por defecto, Copilot Chat toma como referencia el archivo abierto o el código seleccionado, y también es posible añadir o referenciar otros archivos cuando se requiera.

Antes de enviar una consulta, es posible añadir un contexto (editores abiertos, archivos y carpetas, problemas, símbolos, etc.) mediante **Agregar contexto...**, para que Copilot tenga la información necesaria.

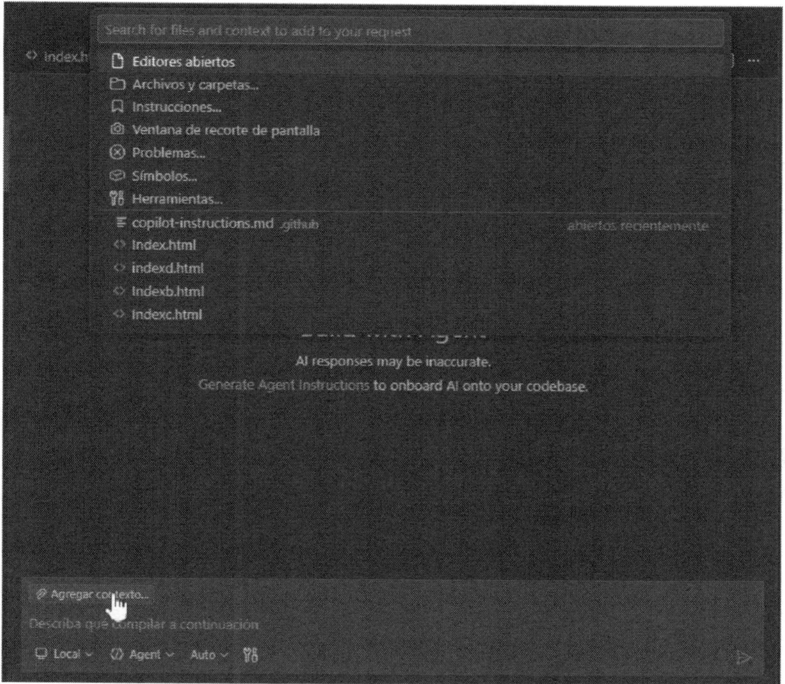

Copilot Chat se puede abrir desde el icono de Copilot en VS Code o desde la vista de chat. Una vez abierto, se le pueden pedir explicaciones, sugerencias de refactorización, generación de funciones, documentación o ayuda para resolver errores; también se puede elegir el modelo con el que se desea trabajar de entre los modelos disponibles.

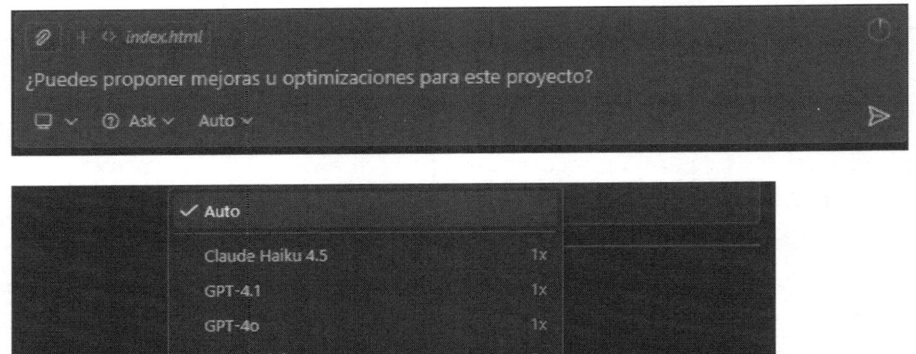

Prompt: ¿Puedes proponer mejoras u optimizaciones para este proyecto?

Resumen de la respuesta: Copilot Chat suele proponer una lista de mejoras (p. ej., estructura del código, legibilidad, buenas prácticas, posible simplificación de lógica, etc.) o señalar errores (por ejemplo, un selector incorrecto).

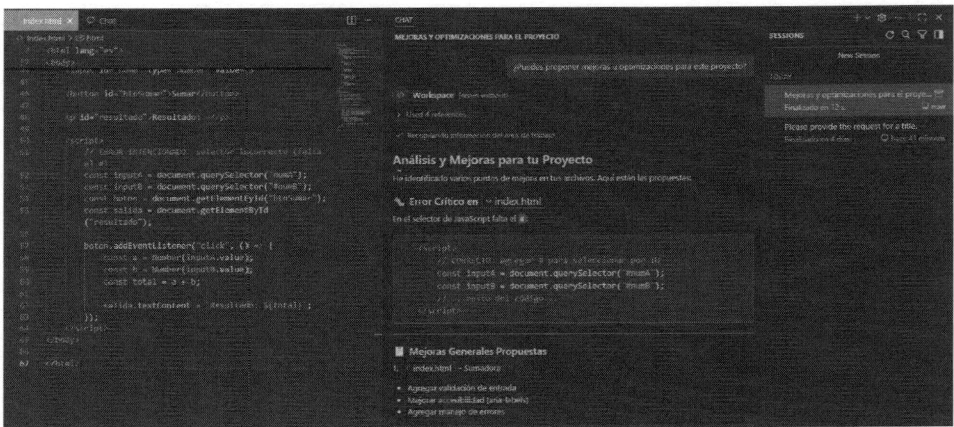

Cuando incluye una corrección en un fragmento de código, ofrece varias acciones para aprovecharla: **Aplicar en el editor** (reemplaza el código correspondiente en el archivo), Insertar en el cursor (pega el fragmento en la posición actual del cursor) o **Copiar** (copia el fragmento al portapapeles).

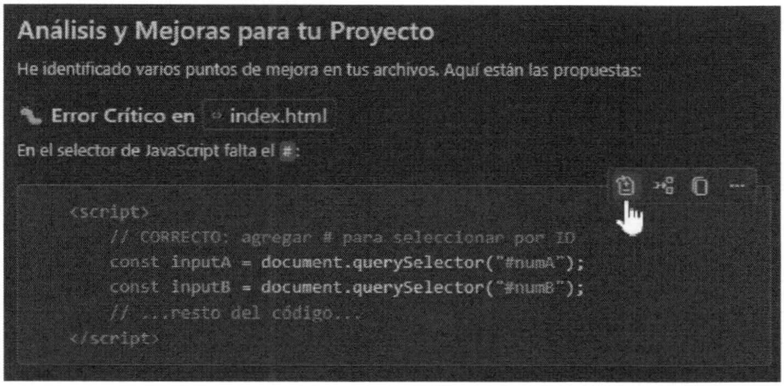

Análisis y Mejoras para tu Proyecto

He identificado varios puntos de mejora en tus archivos. Aquí están las propuestas:

Error Crítico en index.html

En el selector de JavaScript falta el #:

```
<script>
    // CORRECTO: agregar # para seleccionar por ID
    const inputA = document.querySelector("#numA");
    const inputB = document.querySelector("#numB");
    // ...resto del código...
</script>
```

Al hacer clic en el primer botón, **Aplicar en el editor**, Copilot Chat aplica en el archivo la corrección propuesta (por ejemplo, ajustando una línea de código) para resolver el error detectado.

Conviene ser prudente. Cuando una IA genera o modifica código, puede introducir cambios no previstos. Si algo deja de funcionar, indíquele a Copilot Chat el error concreto (mensaje, comportamiento, etc.) para que proponga una corrección. Aun así, es recomendable trabajar con una copia del proyecto o con control de versiones (Git), para poder revertir cambios con facilidad.

Copilot ofrece un plan gratuito y planes de pago. Según el plan, hay límites de uso y, para determinadas capacidades/modelos, pueden aplicarse « solicitudes premium ». (*premium requests*).

6. Algunos atajos prácticos

6.1 Guardar y probar una página

Para un desarrollador, el ratón no es necesario, en absoluto, para escribir el código. El ratón es, sin duda, imprescindible en ciertos casos en el equipo, y puede resultar muy práctico, ¡pero en programación no es el caso!

Para olvidarse del ratón conviene conocer los métodos que permiten realizar, mediante el teclado, la misma acción que con el ratón.

Por ejemplo, para guardar un documento, probarlo y, a continuación, volver al editor para continuar con el código no hace falta utilizar el ratón. El ratón va a servir para ejecutar las distintas aplicaciones, pero a continuación puede hacernos perder cierto tiempo.

Supongamos que queremos probar una página HTML. El editor de código está abierto, el navegador que vamos a utilizar para realizar las pruebas está también abierto. Es preciso, tras escribir las líneas de código, probar si las páginas se muestran tal y como estaba previsto.

Es preciso, para ello:

1 guardar el trabajo;

2 mostrar el navegador web;

3 refrescar la página para ver las modificaciones;

4 volver al editor para continuar con el código o corregirlo.

1) El atajo más frecuentemente utilizado para guardar un documento es [Ctrl] **S** en Windows y [Cmd] **S** o [Manzana] **S** en Mac.

Observación

No dude en dedicar diez segundos a comprobar, en el menú ***archivo*** *de su editor, donde se indicará probablemente, junto a las diversas opciones, los atajos de teclado que puede utilizar para guardar uno o varios archivos.*

2) Un atajo de teclado muy práctico permite pasar de una aplicación abierta a otra aplicación abierta. En nuestro caso, está abierto el editor de código, y el navegador web también lo está. Para poder pasar de uno a otro, debemos presionar la tecla [Alt]. Esta tecla no realiza ninguna acción por sí misma, pero cambia la función de las demás teclas. La otra tecla que nos interesa es la tecla [Tab]. Manteniendo pulsada la tecla [Alt], cada vez que pulsamos la tecla [Tab], el equipo va a cambiar a primer plano alguno de los programas abiertos.

Esto quiere decir que si pulsamos y mantenemos pulsada la tecla [Alt] y, a continuación, pulsamos una o varias veces la tecla [Tab] vamos a pasar a primer plano alguno de los programas que se encuentran en segundo plano. De este modo podremos pasar el navegador web al primer plano. Por tanto, utilizamos [Alt][Tab] para pasar de una ventana a otra.

3) Si el navegador no está cerrado, muestra la página que acabamos de probar. A continuación, para refrescar la página, es decir, para mostrar la última versión de la página HTML que acabamos de guardar, debemos pulsar sobre [Ctrl] **R** en la mayoría de navegadores y de sistemas (la tecla [F5] también funciona en Windows). Una vez realizada esta acción, las últimas modificaciones deberían aparecer. En esta etapa, puede ser necesario volver a utilizar el ratón para probar alguna de las funcionalidades del sitio.

4) Para volver al editor una vez realizada la prueba, como ocurría en la etapa 2, basta con mantener pulsada la tecla [Alt] y pulsar una vez la tecla [Tab] para pasar el editor de nuevo al primer plano.

6.2 Seleccionar texto o desplazarse más rápido sin el ratón

Para ayudar en la edición de texto y desplazar el cursor por el texto, existen cuatro teclas de dirección que podemos utilizar para subir, bajar, ir a la izquierda o a la derecha en el código. Es posible, por tanto, situar el cursor en cualquier lugar de la página y escribir o modificar el texto. Una de las primeras cosas que debemos tener en cuenta para desplazar el cursor es que SOLO se desplaza de carácter en carácter.

No es posible dar una regla general, pero intente ver cómo se desplaza el cursor cuando pulsa alguna de las flechas de dirección y, al mismo tiempo, sobre la tecla [Ctrl].

Repita la prueba desplazándose a la derecha y a la izquierda presionando esta vez sobre la tecla [Alt]. Y una vez más presionando sobre la tecla [Ctrl] o [Cmd].

Gracias a este atajo, y en función de la tecla que esté pulsada, el cursor no va a desplazarse un carácter, sino una palabra completa. Así conseguiremos desplazarnos de palabra en palabra, lo que nos permitirá ir mucho más rápido para llevar el cursor a un lugar concreto.

Existen también, en la mayoría de teclados (puede que no en todos los teclados de equipos portátiles), las teclas [Home] o [Inicio] y otra tecla debajo o al lado [End] o [Fin]. Estas teclas permiten desplazarse al inicio o al final de la línea. Combinándolas con [Ctrl] o [Alt] en función del sistema operativo de la aplicación, esto permite desplazarse al inicio o al final del documento.

De este modo, desplazarse rápidamente con el teclado ya no es un problema, ¿pero qué ocurre con la selección de código?

Para seleccionar texto, debemos presionar la tecla [Mayús], se trata de la tecla que se encuentra a la derecha y a la izquierda del teclado y que tiene como símbolo una flecha apuntando hacia arriba. Si el cursor se desplaza con las flechas de dirección y la tecla [Mayús] está pulsada, el texto se seleccionará.

Seleccionemos, de esta manera, una palabra.

En primer lugar, desplacemos el cursor de palabra en palabra, hasta el inicio o el final de la palabra que queremos seleccionar. A continuación, desplazando el cursor, basta con presionar la tecla [Mayús]. En este momento, la palabra queda seleccionada. Si la tecla [Mayús] no se suelta, al desplazar el cursor con las flechas de dirección conseguiremos que las siguientes palabras se seleccionen también.

Una vez que las palabras estén seleccionadas, si deben copiarse en otro lugar de la página, el atajo [Ctrl] **C** (o [Cmd] **C** en Mac) permite copiar el texto seleccionado en la memoria del equipo, en el portapapeles para ser más precisos, y una vez situado el cursor en el lugar del texto donde se desea copiar el texto, basta con utilizar el atajo [Ctrl] **V** (o [Cmd] **V** en Mac) para pegar el texto.

Para seleccionar una línea completa, basta con presionar sobre la tecla [Home] o [End] y, de este modo, posicionar el cursor en un extremo de la línea para, a continuación, presionar la tecla [Mayús] para activar el modo de selección y, por último, presionar la tecla [Home] si el cursor está situado al final de la línea o bien la tecla [End] si el cursor está al inicio de la línea para enviar el cursor al otro extremo de la línea. De este modo, la línea quedará seleccionada.

Un último método de selección para una línea consiste en posicionar el cursor al inicio de la línea, presionar la tecla [Mayús] y presionar sobre la flecha hacia abajo, lo que selecciona toda la línea. Cada vez que pulsemos la flecha hacia abajo, se selecciona una línea adicional.

Con el uso de estos atajos de teclado va a resultar mucho más rápido realizar el trabajo.

Capítulo 3
HTML

1. Creación de una página web

Cuando desee crear una página web o un sitio web, sería lógico pensar que es suficiente con encender el ordenador y abrir un editor de texto donde escribir el código.

Desgraciadamente, este método nunca ha resultado ser útil y, además, hace que el tiempo de creación de una página o de un sitio sea dos veces más lento.

Es preferible preparar sobre el papel, a modo de borrador, el diseño de lo que se debería obtener al final, un poco como el realizador que va a utilizar un storyboard sobre el que se reflejan y diseñan algunos de los planos que va a tener que filmar: saber exactamente qué se desea filmar, con qué ángulo, con qué claridad...

A continuación, una página web se construye con palabras propias del lenguaje HTML. Algunas de ellas son obligatorias y las vamos a estudiar en la siguiente sección. Otras son más específicas para lo que sería una visualización u otra dependiendo del borrador que hayamos realizado.

La estructura de una página web escrita en lenguaje HTML se parece a los cimientos de una casa. Sobre esta estructura reposan los estilos CSS y el código JavaScript. Resulta vital construirla bien. Al mismo tiempo, es evidente que nos olvidaremos de ciertos elementos y obtendremos avisos, y podremos revisar la estructura, cambiarla, siempre en detrimento de una cierta pérdida de tiempo y, en ocasiones, bastante esfuerzo.

Observación

Como se ha descrito, si no se realiza una preparación previa y una reflexión sobre el resultado que se desea obtener antes, incluso, de encender el ordenador, el tiempo de trabajo será el doble.

2. Código HTML obligatorio

Una página HTML debe contener, como mínimo, el siguiente código, que podrá dividirse en dos grandes secciones:

- el encabezado de la página: <head></head>;
- el cuerpo de la página: <body></body>.

```
<!DOCTYPE html>
<html>

<head>
    <title>El título de mi página</title>
    <meta http-equiv="Content-Type" content="text/html;
charset=UTF">
</head>

<body>
Estructura, texto e imágenes...
</body>

</html>
```

Examinemos con detalle este código, pues nos lo encontraremos **sistemáticamente**.

3. El doctype

La primera etiqueta que se utiliza en una página HTML es la etiqueta `<!DOCTYPE html>`.

Hasta HTML5, por tanto en HTML4 o XHTML, por ejemplo, el doctype era una etiqueta que contenía unos cien caracteres, más compleja, que se respetaba y se comprendía más o menos por parte de los desarrolladores. Actualmente, con HTML5, esta etiqueta se escribe de manera mucho más sencilla. Su contenido permite indicar al navegador que el código que sigue es HTML5.

Por tanto, `<!DOCTYPE html>` será, siempre, la primera cosa que escribiremos en el código de una página web en HTML5.

A continuación, tenemos las etiquetas `<html></html>`, dos etiquetas que contienen toda la página y que indican que a partir de esta línea, `<html>`, se utiliza lenguaje HTML.

Las etiquetas `<head></head>` o encabezado de página contienen la información relativa a la configuración que se envía al navegador **antes** de que muestre cualquier cosa, para prepararse.

Las etiquetas `<body></body>`, para el cuerpo de la página, contienen los elementos que debe mostrar el navegador en la pantalla.

La parte esencial del trabajo de un webmaster se encuentra en la etiqueta BODY, aunque si el HEAD está mal escrito o si se omiten elementos importantes, la página podrá funcionar mal o incluso no funcionar en absoluto.

4. La etiqueta <head>

Entre las etiquetas indispensables para el correcto funcionamiento de un sitio web, tenemos las etiquetas `<title></title>` que se encuentran en el encabezado `<head>`.

Ejemplo

```
<title>Lista de nuevos productos</title>
```

Esta instrucción, un título, mostrará el texto contenido entre las etiquetas `<title>` y `</title>` en algún lugar del navegador. Puede ser en la parte superior de la ventana del navegador o incluso en una pestaña.

Además de ofrecer a la persona que visita la página una idea de lo que se va a mostrar, la información de la etiqueta `<title>` se utiliza en los motores de búsqueda.

Dicho de otro modo, el contenido de la etiqueta `<title>` del ejemplo anterior informa al internauta y a los motores de búsqueda acerca del contenido de la página.

Si bien un internauta puede contentarse con la palabra "productos" y comprender que se trata de zapatos porque está navegando sobre un sitio web especializado en la venta de zapatos, los motores de búsqueda no son capaces de adivinar de qué tipo de producto se trata. Dicho de otro modo, si un internauta busca la palabra clave "zapatos" en un motor de búsqueda, el resultado de la búsqueda no mostrará, probablemente, la página que tiene como título "Lista de nuevos productos".

Afortunadamente, la palabra "zapatos" estará escrita, probablemente, en el cuerpo de la página, y el motor de búsqueda mostrará este sitio entre sus resultados, a pesar de todo. Pero si el título fuera:

```
<title>Lista de nuevos zapatos de temporada.</title>
```

o algo similar, es probable que el motor de búsqueda proporcione este sitio de manera mucho más sencilla.

Observación

Dicho de otro modo, utilizar la mayor cantidad de palabras clave en el título de nuestras páginas nos va a permitir mejorar su posicionamiento.

La siguiente etiqueta es la etiqueta `<meta></meta>`.

Esta etiqueta contiene información relativa a la página que va a ayudar al navegador, por ejemplo, a mostrar correctamente la página. Hablamos de metadatos.

Ejemplo

```
<meta http-equiv="Content-Type" content="text/html; charset=UTF-8">
```

En este caso, la etiqueta `<meta>` indica al navegador que el charset (el juego de caracteres utilizados para la visualización) es UTF-8. Dicho de otro modo, esto permite mostrar todo tipo de caracteres. Sin entrar en los detalles de UTF-8, diremos que es el formato más utilizado actualmente en los sitios web, por su simplicidad y su eficacia.

Existen muchas posibilidades a nuestra disposición para la etiqueta `<meta>`, por ejemplo:

```
<meta name='description' content='Descripción de la página
actual...'>
```

Este texto `description` se encuentra en ciertos motores de búsqueda. Esta `description` puede utilizarse o no en una página HTML. Esto no cambia en nada el funcionamiento del sitio, pero si se implementa la `description` las herramientas de análisis podrán recuperar información y esto ayudará al sitio a ser más visible sobre Internet.

```
<meta name='keywords' content='lista de palabras clave separadas
por una coma'>
```

Aquí, la etiqueta `<meta>` contiene las `keywords` (las palabras clave) e indica al motor de búsqueda los asuntos abordados en la página, permitiendo así realizar una visualización más precisa de los sitios correspondientes a los resultados de la búsqueda del internauta.

Observación

*Existe cierta polémica en lo relativo a la utilidad de `<meta name='keywords'...`, pues los motores de búsqueda no siempre las utilizan necesariamente. Por el contrario, todo el texto contenido en el sitio se tiene en cuenta siempre, por lo que **optaremos preferentemente por escribir palabras clave en los enlaces y en el texto**.*

4.1 Enlazar una hoja de estilo

Es posible indicar otros elementos, opcionales, en la etiqueta <head>.

Por ejemplo, es posible enlazar una hoja de estilo.

```
<link href="../sitio.css" type="text/css" rel="stylesheet"
media="screen"/>
```

De este modo, se indica al navegador que la página web que está intentando mostrar utiliza estilos que se describen en el archivo sitio.css y que estos estilos se definen para la visualización de la página en una pantalla (`screen`: una pantalla, como por ejemplo la del ordenador) en contraposición a estilos creados para una salida por TV o incluso para la impresión (`print`).

4.2 Enlazar un archivo JavaScript

La etiqueta <head> contiene, también, el acceso a los scripts, que estarán ubicados en un archivo dedicado a JavaScript.

Por ejemplo:

```
<script src="../js/utiles.js"></script>
```

Aquí, `src` (la fuente, en inglés *source*) nos indica que el archivo útiles.js, almacenado en la carpeta js, debe cargarse en el navegador.

Cabe destacar que cuando se crea un sitio web es preciso definir, a menudo, diversas hojas de estilo, así como varios archivos JavaScript.

Observación

Es preferible (por no decir vital) declarar en la etiqueta <head> de su página ***primero*** *los accesos a los estilos CSS y* ***a continuación*** *los scripts JavaScript. Esto permite al navegador mostrar mucho más rápidamente la página respecto a otra página en la que se describan los estilos y los scripts de manera desordenada, declarando un script, después un estilo, luego otra vez un script... El orden resulta muy importante para la eficacia del navegador, incluso aunque el funcionamiento sea correcto en ambos casos.*

Un último aspecto a tener en cuenta relativo a la inserción de CSS y JavaScript.

Es posible escribir directamente estilos en la página HTML:

```
<style type='text/css'>
body {
    font-size : 12px;
}
</style>
```

En este caso, utilizaremos la etiqueta `<style>`, que nos va a permitir fijar el tamaño del texto de nuestra página a 12 píxeles.

En el siguiente ejemplo, se incluye código JavaScript directamente en la página utilizando la etiqueta `<script>` e indicando el tipo: `"text/javascript"`.

```
<script type='text/javascript'>
    var nombre = 'Bob';
    var edad  = 72;
</script>
```

Aquí, se crean dos variables, `nombre` y `edad`, y se inicializan con un valor inicial.

El hecho de escribir código CSS o JavaScript directamente en una página funciona muy bien. Por el contrario, cuando el código se escribe directamente en la página web, cada vez que se carga la página es preciso enviar este código del servidor hasta el cliente.

El interés de almacenar los estilos en un archivo a parte y los scripts también separados es que el navegador solicita al servidor que le envíe los archivos la primera vez que los necesita, pero no los vuelve a solicitar para otra página en la que ya estén cargados, y los guarda cierto tiempo en lo que denominamos una caché (una carpeta del equipo que contiene todo lo que ha cargado el navegador). De esta manera, el navegador ya no vuelve a solicitar al servidor estos archivos lo cual implica que las páginas se muestren mucho más rápido, pues muchos de los elementos no tienen que volver a cargarse.

5. La etiqueta <body>

En el interior de `<body></body>` se utilizan todas las etiquetas que sirven para mostrar algo en la pantalla.

En líneas generales, vamos a encontrar todas las etiquetas que permiten **estructurar la página**, es decir, organizarla creando celdas, en las que será posible incluir un menú del sitio, una zona con imágenes y una leyenda debajo, o bien un bloque para un formulario.

De hecho, la estructura de los sitios se ha diseñado desde hace tiempo con tablas. Se trataba de tablas muy sencillas: bastaba con incluir dentro de cada celda el menú, la lista de artículos propuestos en el sitio, y un anuncio arriba del todo, por ejemplo, etc.

Este método que utiliza las tablas `<table></table>` (consulte el capítulo Representación HTML y CSS - sección Las tablas para obtener más detalle acerca de las tablas) es relativamente simple y puede resultar interesante para mostrar datos, como haríamos con una hoja de cálculo. El problema que encontramos actualmente es que debería mostrarse correctamente, también, en smartphones cuyas pantallas son más pequeñas que las de los ordenadores. No será posible, por tanto, mostrar el sitio de la misma manera. Dicho de otro modo, va a ser necesario organizar la representación para que funcione en cualquier pantalla. Habrá que tener en cuenta, también, el paso del modo apaisado (horizontal) al modo vertical.

Existen etiquetas que son bloques (como un rectángulo) y que pueden tener cualquier tamaño. Pueden mostrarse fácilmente en los lugares deseados dentro de la página, teniendo delante o detrás otro bloque. Estos bloques son muy fáciles de manipular y permiten realizar acciones que las tablas `<table>` no permiten.

Para indicar algunas etiquetas correspondientes a estos bloques, tenemos por ejemplo las etiquetas `<div>`, `<section>`, `<article>`, `<nav>`, `<aside>`, `<header>`, `<footer>`...

Una vez definidas todas las zonas en las que se muestra texto, imágenes, vídeos, información... es posible escribir el contenido.

Antes de construir una página web, debemos hacernos una buena idea del resultado final deseado. La etapa de creación de la estructura, de la organización de los bloques, de las dimensiones y de las posiciones es probablemente la más importante y la que va a requerir una mayor atención, pues todo el resto del sitio se va a basar en esta estructura. Si más adelante es necesario cambiar la representación o la disposición, por uno u otro motivo, en ciertos casos se podrá hacer rápidamente, pero en otros puede que suponga un gran esfuerzo, más o menos como si alguien decidiese cambiar de sitio la bodega: puede que sea posible, pero si se ha pensado desde el momento de la construcción, será mucho más sencillo y rápido de realizar.

Una vez implementada la estructura, "bastará" con completarla con las imágenes y los textos deseados. Para ello, el webmaster tiene acceso a diversas etiquetas que le permiten crear listas no numeradas `<ul></ul>` (*Unordered List*: lista no ordenada) u ordenadas `<ol></ol>` (*Ordered List*), o incluso otras etiquetas que permiten escribir un título en grande y en negrita `<h1></h1>`.

Existe, también, una etiqueta que permite crear un párrafo `<p>`, y agregaremos a todas ellas estilos para finalizar la representación. Todos estos puntos se verán con más detalle conforme avancemos en el libro.

Si ha sobrevivido a toda esta parte teórica, a continuación llega la parte práctica que le aliviará un poco con algunos ejemplos concretos de representación.

5.1 Métodos y etiquetas para estructurar una página

Una de las etiquetas que resulta interesante saber manipular es la etiqueta `<div>`. Ha sido la primera de su género para, a continuación, ser imitada por las demás etiquetas `<section>`, `<article>`, `<nav>`, `<aside>`, `<header>` y `<footer>` que funcionan como `<div>`, pero que tienen una identidad más marcada que permite saber un poco mejor la naturaleza de su contenido.

Por ejemplo, la etiqueta `<footer>`, como su propio nombre indica, contiene el pie de alguna cosa. Por pie se entiende la zona inferior. Si se trata de una página completa, el `<footer>` será la parte inferior de la página. Si se trata de un artículo, el `<footer>` será el pie del artículo, que podrá contener, por ejemplo, información relativa al autor del artículo.

Estas etiquetas permiten definir bloques, o rectángulos; zonas en las que es posible incluir cualquier tipo de elemento que deseemos mostrar o incluso incluir otros bloques.

Una vez diseñado el borrador de lo que debería ser nuestro sitio web, es posible definirlo en la página HTML mediante etiquetas `<div>`.

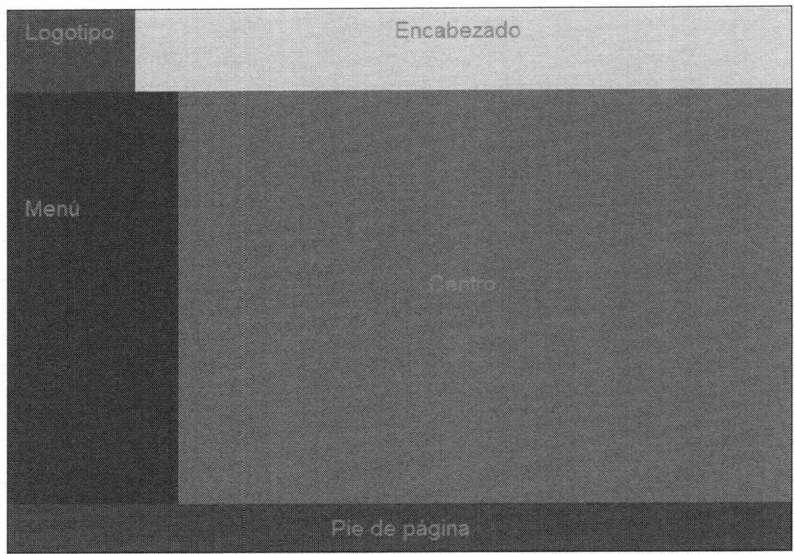

Supongamos que queremos crear una página HTML con un encabezado de página (o *header*), que estará situado en la parte superior de la página y que podrá contener una sección con un logotipo de la empresa dejando el resto del hueco para incluir una o varias frases representativas de la empresa o algún panel publicitario.

Debajo, podríamos tener en la parte de la izquierda un menú vertical y, junto a este menú, la zona principal, que ocuparía el espacio situado desde el menú hasta el extremo derecho de la página.

Quedaría el espacio de la parte inferior de la página, para incluir un `<footer>` que permita acceder a la información legal y otros enlaces de utilidad.

Veamos cómo quedaría el código de la página que acabamos de describir.

```
<!DOCTYPE html>
<html>
    <head>
        <title>Estuctura de la página</title>
        <meta http-equiv="Content-Type" content="text/html;
charset=UTF-8">
    </head>

    <body>
        <header id='topPagina'>
            <div class='logo'></div>
            <div class='panel'></div>
        </header>

        <div id='mainPagina'>
            <nav class='menuIzquierdo'></nav>
            <div class='centro'></div>
        </div>

        <footer id='piePagina'></footer>
    </body>

</html>
```

Vemos, observando el código, que tenemos tres secciones en el cuerpo de la página (en `<body>`): el `<header>` y el `<footer>` arriba y abajo, y en el centro un div con el identificador `#mainPagina`.

La estructura de nuestra página está definida y falta agregar contenido, por ejemplo una imagen en el div que tiene la clase `logo` o un menú para navegar en nuestro sitio, en la etiqueta `<nav>`.

Antes de hacer esto, va a haber que aportar información relativa a las dimensiones para indicar qué tamaño tiene nuestra página de ancho o cuál es el alto que debe ocupar el `#topPagina` para poder mostrar el logotipo.

Esto se resuelve a nivel de CSS. En primer lugar vamos a definir las dimensiones de los distintos elementos y, a su vez, para organizarse un poco mejor, **configurar algunos colores de fondo**, que podremos hacer desaparecer más adelante, pero que nos permitirán ver el bloque y verificar si está bien posicionado o no.

Hemos visto que para crear un estilo de id es necesario, en el CSS, escribir `#elNombreDelID`. Podemos empezar con el identificador `topPagina`.

Dado que está escrito en primer lugar en la sección `<body>` de nuestra página, se situará en lo alto de la página.

Observación

Es posible, con estos tipos de etiquetas de bloque, escribir la etiqueta en un lugar dentro del código, al principio por ejemplo, y posicionarla en un lugar diferente. Existen reglas de estilo tales como "position" que, acompañadas de las palabras "left" y/o "top" permiten situar el elemento donde se desee. Consulte el capítulo dedicado a CSS3 para obtener más detalles.

Para implementar el CSS, se necesita crear un archivo CSS, que podemos guardar con el nombre "3_5_1_estructura.css" y agregar, a continuación, en la etiqueta `<head>` de nuestra página un vínculo hacia la hoja de estilo.

El `<head>` tendrá este aspecto:

```
<head>
     <title>Estructura de la página</title>
     <meta http-equiv="Content-Type" content="text/html;
charset=UTF-8">
     <link href="../css/3_5_1_estructura.css" type="text/css"
rel="stylesheet" media="screen"/>
</head>
```

Tendremos, a nivel de CSS, algo parecido a esto:

```
#topPagina {
    width: 100% ;
    height: 100px ;
    background-color: #00FF00;
}
```

Hemos definido, de este modo, el estilo para el bloque que tiene como id `topPagina`.

Un id, al ser único, permite que solamente un bloque pueda tener el id `topPagina`. Este bloque tendrá un ancho del 100%. Pero... ¿el 100% de qué?

De hecho, cuando la unidad utilizada es el porcentaje, se trata del porcentaje respecto al lugar en que se encuentra el bloque. Aquí, el `<header>` que tiene como id `topPagina` está ubicado directamente en el interior de la etiqueta `<body>`. Dicho de otro modo, está situado directamente en la página y no en el interior de otro bloque como `logo`, por ejemplo. La siguiente línea:

```
width: 100%;
```

hace referencia, por tanto, al ancho del bloque. Puede ocupar todo el ancho (100 %), y tendrá el mismo ancho que la página. Si la ventana del navegador web disminuye de ancho, el bloque `<header>` se reducirá proporcionalmente al ancho de la página.

El alto del bloque, al estar definido en px (en píxeles), hace que el valor no cambie de manera dinámica como lo haría una dimensión expresada en %.

Para finalizar, la instrucción:

```
background-color: #00FF00 ;
```

define el color de fondo igual a verde (el rojo está definido a 0, así como el azul). Esto no va a dar un resultado muy atractivo pero, de momento, permitirá que el bloque `<header>` resalte bien y será más sencillo comprobar que todos los bloques están bien situados en su sitio.

El `#piePagina` será casi idéntico al `#topPagina`, salvo en la altura. Podemos tener algo parecido a:

```
#piePagina {
    width: 100%;
    height: 60px;
    background-color: #0000FF;
}
```

Tendremos un pie de página que ocupará todo el ancho de la página, con una altura fija igual a 60 píxeles, y un color de fondo azul.

Queda la parte central.

Supongamos que la parte central requiere una altura de 500 píxeles para mostrar el detalle:

```
#mainPagina {
   width: 100%;
   height: 500px;
   background-color: #FF0000;
}
```

Una vez implementadas estas etapas, es momento de interesarse por el nivel inferior, es decir, el contenido del top, del centro y del pie de página.

Esto va a funcionar de la misma manera que con las dimensiones y un color de fondo para poder organizarse bien. Un poco más adelante se explican las nociones de márgenes exteriores (`margin`) y márgenes interiores (`padding`), imprescindibles para obtener una visualización estéticamente atractiva. El CSS final podría tener el siguiente aspecto:

```
#topPagina {
    width: 100%;
    height: 10Cpx;
    background-color: #00FF00;
}
.logo {
    width: 150px;
    height: 100%;
    background-color: #006600;
}
.panel {
    width: 100%;
    height: 100%;
    background-color: #000066;
}
#mainPagina {
    width: 100%;
    height: 500px;
    background-color: #FF0000;
}
.menuIzquierdo {
    width: 200px;
    height: 100%;
    background-color: #660000;
}
.centro {
```

```
    width: 100%;
    height: 100%;
    background-color: #FF00FF;
}
#piePagina {
    width: 100%;
    height: 60px;
    background-color: #0000FF;
}
```

Cuando se muestre esta página, habrá dos elementos que no aparecerán: `.panel` y `.centro`.

Estos dos elementos se mostrarán, normalmente, a la derecha de otro elemento: el `.panel` a la derecha del `.logo` y el `.centro` a la derecha del `.menuIzquierdo`.

El problema es que en este caso un `<div>` o la etiqueta `<nav>` para el menú, incluso aunque no ocupen todo el ancho de la página, no permiten que se muestre ninguna otra cosa a su lado.

Por defecto, estas etiquetas están preparadas para utilizar todo el ancho que tienen a su disposición. El flujo del texto es tal que lo que sigue a un `<div>` se situará automáticamente en la línea siguiente al `</div>`. Por defecto, incluso aunque el `<div>` ocupe únicamente el 50 % del ancho de la página, no permite que se sitúe ningún otro elemento a su misma altura.

float

Afortunadamente, es posible decir a un `<div>`, mediante el uso de estilos, que "flote" en la página. Por flotar, entendemos que el bloque se situará sobre un lado como hace por defecto, pero permitirá a otros elementos, si existe espacio suficiente, ponerse justo a su lado.

De este modo, la propiedad `float` declarada en el estilo resolverá el problema.

```
.logo {
    width: 150px;
    height: 100%;
    background-color: #006600
    float: left;
}
```

De este modo, gracias a la propiedad `float` aplicada a la clase `.logo`, el elemento que sigue al `.logo`, en nuestro ejemplo el `.panel`, se posicionará justo al lado del logotipo.

Habrá que hacer lo mismo para el `.menuIzquierdo` de manera que el elemento que tiene como estilo de clase `.centro` se sitúe al lado del menú.

Al final, el CSS tendrá el siguiente aspecto:

```
#topPagina {
    width: 100%;
    height: 100px;
    background-color: #00FF00;
}
.logo {
    width: 150px;
    height: 100%;
    background-color: #006600;
    float :left;
}
.panel {
    width: 100%;
    height: 100%;
    background-color: #000066;
}
#mainPagina {
    width: 100%;
    height: 500px;
    background-color: #FF0000;
}
.menuIzquierdo {
    width: 200px;
    height: 100%;
    background-color: #660000;
    float: left;
}
.centro {
    width: 100%;
    height: 100%;
    background-color: #FF00FF;
}
#piePagina {
    width: 100%;
    height: 60px;
```

```
    background-color: #0000FF;
}
```

Observación

Todo esto permite poner de relieve que, al final, gran parte del trabajo de representación se realiza a nivel de CSS.

Una de las ventajas de trabajar con `<div>` (o todas las etiquetas mencionadas antes como `<header>`, `<nav>`...) es precisamente que lo esencial de su configuración se realiza mediante CSS y será posible programar CSS para que se adapte en función de la pantalla, lo que se denomina *responsive design*.

5.2 El texto en la página HTML

Una vez situados todos los bloques, es posible incluir texto en cada bloque.

La elección del tipo de letra, el tamaño y el color del texto se realiza mediante uno o varios estilos. Es posible aplicar un estilo para el título, otro para el texto e incluso otro diferente para resaltar alguna palabra importante.

Para ello, vamos a utilizar principalmente tres etiquetas.

Párrafo <p>

La etiqueta <p>, de párrafo, tiene el mismo comportamiento que <div>, en el sentido de que ocupará por defecto todo el ancho de la zona en la que se encuentre. Si se utiliza en mitad de un texto, la visualización irá directamente a la línea, tras un salto de línea.

Exactamente de la misma manera que tras pulsar la tecla [Enter] en un procesador de textos, el cursor va a la línea y crea un espacio por debajo del párrafo anterior.

A nivel de código HTML, esto podrá dar como resultado algo así:

```
...
<p class='titulo'>Las etiquetas HTML5</p>
<p>Existen muchas etiquetas nuevas que permiten
hacer ... </p>
...
```

La primera etiqueta <p> recupera el estilo de clase `titulo`, que escribe el texto más grande y en negrita. La segunda etiqueta no tiene estilo asignado, si bien tendrá el estilo por defecto de la página, dicho de otro modo el estilo aplicado a la etiqueta <body>.

<span>

Supongamos, ahora, que la palabra "nuevas" en la segunda etiqueta <p> tuviera que estar escrita en rojo para resaltarla. Para aplicarle un estilo, nos hará falta una etiqueta, como se ha hecho con el título. El problema que se nos plantea con la etiqueta <p> es que si se agrega alrededor de la palabra "nuevas", creará un nuevo párrafo y un salto de línea, mientras que lo que deseamos es, simplemente, colorear en rojo el texto, sin cambiar el tipo de letra, el tamaño o la posición.

Existe, para ello, una etiqueta que es perfecta, puesto que no modifica la visualización y no produce un salto de línea. Una palabra enmarcada por la etiqueta <span> no se modificará, salvo por el estilo del <span>.

Si nuestro CSS contiene el estilo:

```
.rojo {
    color: red;
}
```

podremos escribir:

```
...
<p class='titulo'>Las etiquetas HTML5</p>
<p>Existen muchas etiquetas <span class='rojo'>nuevas</span>
que permiten hacer ... </p>
...
```

En este caso, la palabra "nuevas" está enmarcada dentro del `span`, que utiliza el estilo `rojo`. La palabra "nuevas" se escribirá, por tanto, en rojo.

Una última etiqueta que resulta muy práctica cuando se está manipulando texto es la etiqueta `<br />` (*break*, romper la línea). Esta etiqueta permite cambiar de línea sin cambiar de párrafo y, por tanto, sin introducir un salto de línea. Es el equivalente al comando [Shift][Enter] en un procesador de textos.

Observación

Observe, de paso, que la etiqueta `<br />` funciona sola, no existen dos etiquetas `<br>` y `</br>`. Muchas etiquetas funcionan como matrioskas rusas: tienen un principio y un final y es posible incluir contenido entre las etiquetas. Pero en el caso de `<br />` es a la vez de apertura y de cierre.

5.3 Los caracteres especiales

Existe una manera de codificar ciertos caracteres para estar seguro de que se van a representar correctamente en todos los navegadores. El término utilizado para describir estos caracteres es **símbolo**.

En la dirección http://ascii.cl/es/codigos-html.htm, puede encontrar fácilmente la lista completa de símbolos existentes, aunque solo algunos son indispensables.

La escritura de un símbolo se realiza siempre comenzando con un ampersand (& o "et"), seguido del nombre de la entidad y, a continuación, un punto y coma ";" para terminar.

` ` significa *non breaking space* (espacio inseparable), es decir un espacio que se considerará como una letra y no permitirá realizar un salto de línea entre las dos palabras que separa. Si se desea escribir "Señor Del Olmo", será preferible evitar que se separe el apellido y tener "Del" al final de una línea y "Olmo" al principio de la siguiente. Para ello, se utilizará el símbolo ` ` de la siguiente manera:

```
<p> ... Señor Del Olmo ... </p>
```

La entidad así configurada impedirá que se corte el apellido del señor. De ahí su nombre, inseparable.

€

Esta entidad permite mostrar el símbolo € (euro), que es un carácter especial y puede no mostrarse correctamente.

< y >

Estos dos símbolos, `<` (*less than*, menor que) y `>` (*greater than*, mayor que) serán muy prácticos para mostrar un signo menor que "<" o un signo mayor que ">". La idea es bastante simple. Con el código HTML, ambos símbolos "<" y ">" se utilizan para escribir las etiquetas, y el problema que se plantea es que exista una confusión entre un simple signo menor que y el comienzo de una etiqueta. Para mostrar un signo menor que, es preferible utilizar el símbolo `<`.

&

Este símbolo permite mostrar el ampersand (&), para evitar una confusión con un símbolo que empieza con el símbolo &.

Caracteres acentuados

Si, por algún motivo, la página HTML no está definida con el charset UTF-8, es posible que aparezcan problemas a la hora de mostrar los acentos. En este caso, existen símbolos para representar los caracteres acentuados.

`á` muestra la letra "a" con un acento agudo: à.

`ñ` se corresponde con la letra "ñ" propia del español.

La entidad `&ecute;` muestra la letra "e" con un acento agudo, é o ``` para la è.

Y así para las demás vocales.

Otros símbolos

Para terminar, algunos pocos símbolos más que pueden resultar útiles:

`©` permite mostrar el símbolo del copyright: ©.

`"` para mostrar las comillas: ".

`œ` para mostrar la e unida a la o: œ.

5.4 La accessibilidad con ARIA

Los atributos ARIA (*Accessible Rich Internet Applications*) se utilizan para hacer que los contenidos y aplicaciones web sean más accesibles para las personas con discapacidad, especialmente cuando los elementos HTML nativos no son suficientes.

aria-labelledby sirve para definir una etiqueta personalizada para un elemento, apuntando a otro elemento mediante su id.

Ejemplo:

```
<h2 id="titulo1">Nombre completo</h2>
<input type="text" aria-labelledby="titulo1">
```

Aquí, el campo `<input>` está etiquetado por el texto del `<h2>`, aunque no se trate de una `<label>` clásica.

El atributo `aria-labelledby="titulo1"` significa que el campo de entrada `<input>` está etiquetado por el elemento cuyo id est `titulo1`, es decir, le `<h2>` que contiene el texto "Nombre completo". Los usuarios ciegos o con baja visión que navegan con un lector de pantalla oirán "Nombre completo, cuadro de texto", lo que les proporciona el contexto necesario para completar el campo `<input>`.

aria-selected se utiliza para indicar si un elemento está seleccionado o no (valores: `trueo false`).

Se usa a menudo en:

– las pestañas (`role="tab"`);

– las listas interactivas.

Ejemplo:

```
<div role="tablist">
 <button role="tab" aria-selected="true">Pestaña 1</button>
 <button role="tab" aria-selected="false">Pestaña 2</button>
</div>
```

El lector de pantalla sabrá que la **Pestaña 1** está activa.

Otros atributos ARIA frecuentes:

Atributo	Función/utilidad
`aria-label="Texto"`	Proporciona directamente una etiqueta textual.
`aria-hidden="true"`	Oculta el elemento para las tecnologías de asistencia.
`aria-expanded`	Indica si un menú/panel está abierto o cerrado.
`aria-controls`	Hace referencia a otro elemento controlado (por ejemplo, un menú desplegable).
`aria-live`	Para elementos dinámicos (*live region*).
`role="button"`	Asigna una función explícita a un elemento, útil en un `<div>`, por ejemplo.

Ejemplo de uso (para un componente de tipo "pestañas" personalizado):

HTML

```
?<div role="tablist" aria-label="Ejemplo de pestañas">
 <button role="tab" aria-selected="true"
aria-controls="panel-1" id="tab-1"> Pestaña 1 </button>
  <button role="tab" aria-selected="false"
aria-controls="panel-2" id="tab-2" tabindex="-1"> Pestaña 2
</button>
</div>
```

```
<div id="panel-1" role="tabpanel" tabindex="0"
aria-labelledby="tab-1">
  <p>Contenido de la primera pestaña.</p>
</div>
```

```
<div id="panel-2" role="tabpanel" tabindex="0"
aria-labelledby="tab-2" class="hidden">
<p>Contenido de la segunda pestaña.</p>
</div>
```

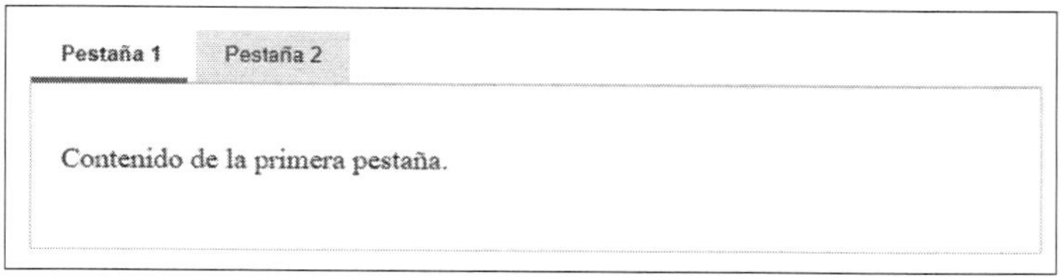

Pestaña 1	Pestaña 2
Contenido de la primera pestaña.	

El código completo está en el archivo 2025/**aria.html**.

Capítulo 4
CSS3

1. Los tres estilos básicos posibles

Llegados a este punto del libro, hemos visto que es posible crear estilos de tres maneras diferentes. Debemos recordar que, sea cual sea el método utilizado, estilo de etiqueta, de clase o de id, los parámetros que podremos modificar (color, posición, tipo de letra...) están todos accesibles.

Esto quiere decir que para cambiar el tamaño de la letra, el tipo de estilo, ya sea un estilo de etiqueta, un estilo de clase o un estilo de id no tiene ninguna importancia. Vamos a definir cuándo utilizaremos uno u otro método.

1.1 El estilo de etiqueta

Con este método, se modifica el estilo de la etiqueta HTML, sin tener que agregar nada en el código HTML. La "conexión" entre el CSS y la etiqueta HTML se realiza automáticamente. Esto resulta muy práctico.

Es muy difícil cambiar el estilo de una etiqueta. Tomemos, por ejemplo, la etiqueta <p> que permite mostrar un párrafo. Hay muchas posibilidades de que en una página un párrafo que posea cierta apariencia y, en otra página, tenga una apariencia completamente distinta. En este caso, cambiar el estilo de la etiqueta <p> no será una buena solución.

Existe, por el contrario, una etiqueta que tendrá, casi obligatoriamente, su estilo definido: la etiqueta <body>. Dado que nuestra página está contenida dentro de esta etiqueta <body>, esto significa que todo lo que se defina para esta etiqueta afectará al conjunto de la página. Es posible, por tanto, definir el estilo principal de nuestra página para definir el color, escoger el tipo de letra o el fondo.

```
body {
    font-family: Arial, sans-serif;
    font-size: 12px;
    background-color: rgb(150,150,150);
}
```

En este ejemplo, existen tres elementos que definen el estilo: los dos primeros elementos son relativos al texto, el último elemento es para el color del fondo de la página. El detalle de estas tres líneas se verá más adelante en el presente capítulo, dentro de la sección Las fuentes tipográficas y la Web. Lo que debemos tener en cuenta aquí es que como todo nuestro código está contenido en la etiqueta <body> de nuestra página, los estilos que afecten a la etiqueta <body> afectarán también a toda la página.

Es útil, a menudo, crear un estilo de etiqueta para toda la página gracias a la etiqueta <body>, que va a definir el aspecto general del sitio web.

Otro caso a estudiar con los formularios: permiten informar datos, introducir un identificador, texto, utilizando principalmente la etiqueta <input>. El capítulo Los formularios está dedicado a este tema. La etiqueta <input> tiene una propiedad `type` que puede tomar el valor `text`, `password`, `button`, `date`, `range`, `number` o bien otros. Dicho de otro modo, la creación de un estilo que va a modificar la etiqueta <input>:

```
input {
    ...
}
```

nos permitirá hacer que todos los campos <input> de nuestro formulario tengan el mismo aspecto, el mismo tipo de letra, el mismo borde...

Para terminar sobre el estilo de etiqueta, que no será el más utilizado, tenemos la etiqueta <h1> (h por *head*, el encabezado de un párrafo):

```
<h1>Un título grande</h1>
```

Esta etiqueta se utiliza para los títulos y va desde `<h1>`, que tiene el tamaño más grande, hasta `<h6>`, que tiene el más pequeño.

Escritura con la etiqueta h1

la etiqueta h3

y la h6

Si nuestro sitio requiere con frecuencia un estilo para un título grande y un estilo para un subtítulo, será posible, al nivel de HTML, tener:

```
<h1>Las aventuras de Teo</h1>
<h2>El sueño de Teo</h2>
...
<h2>Teo toma su desayuno</h2>
...
<h2>Teo va a la playa</h2>
```

Y a nivel CSS obtenemos:

```
h1 {
    color: rgb(85,97,153);
    font-size: 22px;
    margin:10px 0 5px 0;
    font-variant:small-caps;
}
h2 {
    color: rgb(65,77,130);
    font-size: 16px;
    margin:5px 0 3px 0;
}
```

El estilo para la etiqueta `<h1>` va a modificar, entre otros, el color: `rgb(85,97,153);` que se corresponde con el azul, donde el último de los tres valores es mucho más grande que los dos anteriores. La propiedad `color` afecta al color del texto, igual que la propiedad `font-size`, asigna a los caracteres un tamaño de 22 píxeles.

La propiedad `margin` es uno de los términos CSS más utilizados. Define el espacio alrededor de un elemento (en su exterior). Aquí, `margin` permite definir el espacio alrededor del título en función de los cuatro valores:
`10px 0 5px 0;`.

El primero, `10px`, se corresponde con el margen por encima del título. Habría podido escribirse también de la siguiente manera:

```
margin-top:10px;
```

La sintaxis anterior es conveniente si solo se desea definir un margen. Pero si es necesario definir los márgenes superior (`top`), derecho (`right`), inferior (`bottom`) e izquierdo (`left`), es mucho más rápido y económico (en bytes) escribirlo en una única línea. El primer valor se refiere al margen superior, a continuación, en sentido de las agujas del reloj, encontramos los valores para los márgenes siguientes, a saber, el lado derecho, el inferior, y por último el izquierdo.

Una sintaxis detallada sería la siguiente:

```
margin-top:10px;
margin-right:0;
margin-bottom:5px;
margin-left:0;
```

Observación

El hecho de escribir "0" y no "0px" no tiene ninguna importancia. Existen distintas unidades de medida en CSS, pero si el valor indicado es "0", este valor es nulo para cualquier unidad de medida. No es necesario, en este caso, precisar la unidad.

Para terminar con los estilos, el estilo h1 se compondrá de pequeñas mayúsculas gracias a la propiedad `font-variant`, adaptada para un título.

```
font-variant:small-caps;
```

h2 utiliza las mismas propiedades de estilo con valores diferentes. Los valores para el color del estilo h2, algo más débiles que los del estilo h1, harán que el color sea algo más oscuro.

No existen muchos otros casos donde el estilo de etiqueta se utilice por sí solo, salvo para la etiqueta `<a>` (de *anchor*, ancla, en inglés), que es, de hecho, la etiqueta que permite definir enlaces y que se aborda en la sección para los enlaces.

Este estilo podrá utilizarse, por el contrario, en combinación con otros estilos (consulte la sección Combinación de los tres métodos).

1.2 El estilo de clase

El estilo de clase es un poco opuesto al estilo de etiqueta, puesto que no se aplica solo y se utiliza enormemente.

En lo relativo a su uso, del lado CSS hay que definir el estilo precediendo su nombre por un punto. Aquí, el estilo de clase `.cliclic`:

```
.cliclic{
    cursor: pointer;
}
```

Su uso en el código HTML:

```
<p class='cliclic' onClick='nivel(2)'>Acceder al nivel 2</p>
```

La propiedad `class` permite asociar el nombre de la clase CSS que debe aplicarse. La clase `cliclic` cambiará el cursor del ratón y mostrará el icono que representa una mano en su lugar, que se muestra normalmente cuando el puntero del ratón está situado encima de un enlace.

Observación

Cuando se crea en CSS un estilo de clase, su nombre se precede por un punto. Cuando se utiliza en HTML, ¡el estilo se escribe sin punto!

En este ejemplo, gracias al estilo de clase `.cliclic`, se advierte al usuario que puede hacer clic sobre el texto "Acceder al nivel 2". El hecho de hacer clic desencadenará el evento `onClick`, que ejecutará la función `nivel(2);`.

El estilo de clase tiene, también, otro interés. Cuando se utiliza en el código HTML, es posible asignar varios estilos de clase a una misma etiqueta HTML.

Por ejemplo, el estilo `.bordeAzul`:

```
.bordeAzul {
    border: 1px #338 solid;
}
```

podemos aplicarlo al siguiente párrafo escribiendo:

```
<p class='cliclic bordeAzul' onClick='nivel(2)'>Acceder al
nivel 2</p>
```

Se aplican dos estilos a la etiqueta `<p>`: uno que cambia la forma del puntero del ratón y otro que agrega un borde azul.

Observación

Observe que ambos estilos están separados simplemente por un espacio en la parte HTML: `class='cliclic bordeAzul'`.

1.3 El estilo de id

El último estilo tiene como particularidad referenciar a un **elemento único**. Ésta es la principal diferencia respecto a los otros dos métodos. Se utiliza para referenciar elementos concretos. Dado que con el lenguaje HTML todo se define con etiquetas anidadas, es habitual asignar un id a la etiqueta principal. Esto puede aplicarse al bloque que contiene el menú, al pie de página, o a una zona que puede aparecer o desaparecer.

Para la parte CSS, el id está precedido por una almohadilla #.

Tomemos como ejemplo una zona que sirva para mostrar una leyenda:

```
#leyenda {
    width: 180px;
    background-color: rgba(255,255,255,0.2);
}
```

`#leyenda` se define para tener un ancho de 180 píxeles y un color blanco casi transparente, el rojo, el verde y el azul tienen valores máximos (255) y la opacidad del elemento es próxima a cero (0.2). De este modo, el bloque de la leyenda será del mismo color que el fondo de página, pero un poco más claro.

Para el código HTML:

```
<div id="leyenda"></div>
```

Es correcto imaginar que en lugar de utilizar un estilo de id con `#leyenda`, habría sido posible utilizar un estilo de clase escribiendo `.leyenda` y remplazando, naturalmente, `id='leyenda'` en el código HTML por `class='leyenda'`. Para el navegador, no existe ninguna diferencia, el funcionamiento de la página es idéntico. Éste es el motivo por el que utilizar el estilo de id es, principalmente, un hábito que debe adquirirse, bien para un elemento único o para un elemento principal.

Esto nos va a permitir crear estilos que tendrán como referencia el estilo `#leyenda`. Si `#leyenda` es el estilo de una zona, entonces esta zona contendrá código HTML y podrá ser el punto de partida de todos los estilos de los elementos contenidos en la leyenda.

Por ejemplo, imaginemos que la leyenda contiene una lista:

```
<div id="leyenda">
  <ul>
    <li>
      <img src="imagenes/iconos/house.png" />
      <div class="lbl">Habitación</div>
    </li>
    <li>
      <img src="imagenes/iconos/car.png" />
      <div class="lbl">Coche</div>
    </li>
   </ul>
</div>
```

Esta lista `<ul>` (lista no ordenada) contiene dos elementos de lista `<li>`. Cada elemento contiene una imagen `<img />` y un bloque `<div>` para escribir una etiqueta (*label*, en inglés).

He aquí el resultado:

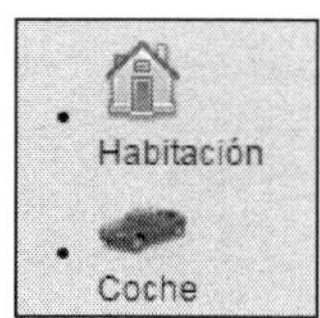

Si no se aplica ningún estilo a la pareja `<ul><li>`, la visualización por defecto es la de una lista donde cada elemento estará precedido por un pequeño círculo. Es preciso modificar el estilo de la etiqueta `<ul>`.

Normalmente, cuando se modifica el estilo de una etiqueta, la modificación se opera sistemáticamente cuando se utiliza la etiqueta en el código HTML. Pero es posible combinar estilos y abrir la puerta a una mayor simpleza y flexibilidad.

1.4 Combinación de los tres métodos

El lenguaje CSS permite combinar los tres estilos y, de este modo, acceder a ciertos elementos de distintas maneras. Es posible perderse, y el método que propone utilizar como referencia un estilo de id cobra todo su sentido.

Con el código HTML de la leyenda anterior, el CSS puede parecerse al siguiente código que permite modificar la etiqueta `<ul>`:

```
#leyenda ul {
    margin: 2px;
    padding: 0;
    list-style-type: none;
    font-size: 16px;
    width: 100%;
}
```

Este nuevo estilo, que hay que leer de derecha a izquierda, modificará todas las etiquetas `<ul>` que se encuentren en el interior del bloque que tenga como id `leyenda`.

La siguiente línea:

```
#leyenda ul { ... }
```

permite indicar que el elemento que debe modificarse, aquí la etiqueta `<ul>`, se encuentra en el interior del nodo HTML o en el interior de la etiqueta que tiene como id leyenda. Las dos palabras están separadas por un espacio. Este espacio define en CSS la arborescencia, de modo que permite seleccionar todas las etiquetas `<ul>` que se encuentran en el interior de un bloque que tiene como id `leyenda`.

El contenido de este estilo actualiza todos los márgenes exteriores a 2 píxeles. No comprende los márgenes interiores. El círculo no se mostrará, pues `list-style-type` es igual a ninguno (`none`). Se definen, también, un tamaño para los caracteres igual a 16 píxeles y un ancho lo más grande posible.

Aquí, en la etiqueta <ul> definida en el div #leyenda, el ancho de 100% de la etiqueta <ul> será de hecho el ancho de #leyenda (180px) de la que se restará el margen exterior izquierdo (2px) y el margen exterior derecho (2px). La etiqueta <ul> se mostrará, entonces, en la pantalla con un ancho igual al 176 píxeles.

Como muestra el ejemplo, una etiqueta <ul> contiene, obligatoriamente, una o varias etiquetas <li>, dos en este caso:

```
<div id="leyenda">
  <ul>
    <li>
      <img src="imagenes/iconos/house.png" />
      <div class="lbl">Habitación</div>
    </li>
    <li>
      <img src="imagenes/iconos/car.png" />
      <div class="lbl">Coche</div>
    </li>
  </ul>
</div>
```

Cada elemento de la lista (<li>) podría tener, también, su propio estilo:

```
#leyenda ul li{
    margin: 1px;
    padding: 2px;
    height: 60px;
    vertical-align:top;
    border-bottom: 1px #ccc dotted;
}
```

Es posible acceder a la etiqueta <li> de la misma manera que se hace con la etiqueta <ul>. De nuevo, se lee de derecha a izquierda en el estilo CSS: un li en una ul en una #leyenda, es decir, la palabra li que crea un estilo para todas las etiquetas <li> que se encuentran en el interior de una etiqueta <ul> que se encuentra, ella misma, en el interior de un elemento que tiene como id leyenda.

Todas las etiquetas <li> tendrán, de este modo, los mismos márgenes. Cada elemento de la lista tendrá, por tanto, un margen exterior (margin) de 1 píxel, un margen interior (padding) de 2 píxeles y una altura (height) de 60 píxeles. Todo el contenido estará alineado superiormente (el contenido es texto y una imagen). Por último, tendrá un trazo punteado (dotted) gris (#ccc) de 1 píxel por debajo de cada elemento de la leyenda.

Del mismo modo, es posible modificar la información de estilo de la imagen, utilizando el mismo método:

```
#leyenda ul li img{ ... }
```

También aquí debemos leer de derecha a izquierda: todas las imágenes <img /> dentro de una etiqueta <li> que esté en la lista <ul> que pertenezca al elemento con ID leyenda.

Queda la etiqueta <div>, que tiene como estilo la clase lbl (*label*, etiqueta).

La siguiente sintaxis es correcta:

```
.lbl { ... }
```

En este caso, se define el estilo de la clase lbl. Existe otra etiqueta en la página, que tiene la misma clase lbl, lo cual será correcto, y se modificará también. De hecho, TODOS los elementos que dependan de la clase lbl se verán modificados. Pero si la idea es modificar únicamente los de la etiqueta <div>, debemos precisarlo escribiendo:

```
div.lbl { ... }
```

En este caso, todos los textos escritos con una etiqueta <div> y que dependan de la clase lbl se verán afectados por este estilo. Lo más seguro es utilizar el identificador de la leyenda: #leyenda.

```
#leyenda div.lbl { ... }
```

En este caso, no debería haber ningún problema ni conflicto con ninguna otra etiqueta. Pero esto depende de la manera en que se estructure el documento HTML. La sintaxis correcta que causará menos sorpresas en la representación y la más segura (incluso aunque a primera vista parezca algo más larga de escribir) es:

```
#leyenda ul li div.lbl { ... }
```

Los métodos presentados aquí son clásicos y muy eficaces. Existen, con la evolución de CSS, nuevos métodos que permiten acceder al enésimo elemento de una lista o que permiten acceder a los elementos impares o incluso a la primera letra de un párrafo. Todo esto lo veremos en la sección Para los selectores, aunque nos interesaremos, por el momento, en los tipos de letra.

2. La tipografía y la Web

Una de las cosas importantes que debemos definir durante la creación de un sitio web es la o las tipografías que queremos utilizar. Existen distintas maneras de acceder a las tipografías, y conviene utilizar unos tipos de letra en lugar de otros.

De momento hemos visto:

```
body {
    font-family: Arial, sans-serif;
    font-size: 12px;
}
```

La propiedad `font-family` define la familia de tipos de letra que se utilizará. Por familia, entendemos que el navegador va a utilizar el primer tipo de letra que se propone, a saber: Arial. Pero si este tipo de letra no está instalado en el ordenador que consulta la página, entonces deberá utilizar un tipo de letra sans-serif.

Existen varias familias de tipos de letra. Los tipos sans-serif, como Arial o Verdana, son tipos de letra más sencillos desde un punto de vista tipográfico. Los tipos serif, como Times New Roman que debe ser la más conocida, tienen decoraciones. Son pequeñas formas dibujadas en los extremos de los caracteres que los dotan... de carácter. Dejando de lado toda consideración estética, la elección del tipo de letra es muy importante para la legibilidad. Un tipo de letra con formas de los caracteres muy trabajadas puede resultar muy bonita y legible una vez impresa, pero en muchas pantallas la poca resolución no sabrá recomponer estos detalles y el texto no será legible.

Por lo tanto, incluso aunque existen cada vez más pantallas con buena resolución, la elección que conviene hacer supone utilizar exclusivamente tipos de letra sans-serif, sin decoraciones que disminuyan la legibilidad en pantalla.

Observación

Es posible utilizar una tipografía serif, con decoraciones, para un título (o con caracteres muy grandes).

En la dirección http://www.w3schools.com/css/css_font.asp tenemos un ejemplo que pone de relieve la diferencia entre serif y sans-serif.

Desde CSS3, es posible utilizar tipografías que no están almacenadas en el puesto cliente, es decir, basta con indicar dónde se encuentra el tipo de letra, sobre nuestro servidor o en algún otro lado, proveer la información necesaria, para que esta nueva tipografía pueda utilizarse en nuestras páginas HTML, mientras que antes esta restricción limitaba en gran medida la elección de tipografía. Actualmente, no existe ya este problema y es posible utilizar cualquier tipografía que nos interese.

El sitio https://fonts.google.com/ nos permite realizar una selección entre un gran abanico de tipografías. Podemos integrar en nuestro sitio web aquellas que más nos gusten.

Para integrar la tipografía en nuestro sitio, Google proporciona un enlace a una hoja de estilos:

```
<link
href='http://fonts.googleapis.com/css?family=Source+Sans+Pro'
rel='stylesheet' type='text/css'>
```

Si escribimos la URL http://fonts.googleapis.com/css?family=Source+Sans+Pro en un navegador, aparece el siguiente código:

```
@font-face {
    font-family: 'Source Sans Pro';
    font-style: normal;
    font-weight: 400;
    src: local('Source Sans Pro'), local('SourceSansPro-Regular'),
url(http://themes.googleusercontent.com/static/fonts/sourcesanspro
/v5/ODelI1aHBYDBqgeIAH2zlNHq-FFgoDNV3GTKpHwuvtI.woff)
format('woff');
}
```

La primera línea, `font-family`, define el nombre de la tipografía `Source Sans Pro`, y será este nombre el que tendremos que utilizar en los estilos para mostrar este tipo de letra.

La propiedad `font-style`, que se detallará dentro de algunas líneas, se define como `normal`, para no tener letras itálicas sino un texto recto.

`font-weight` sirve para definir el grosor del texto. El valor de 400 aplica un grosor "normal". Para aplicar la negrita, tendremos que utilizar un valor mayor, 700 por ejemplo. Si se utiliza un valor más pequeño, se mostrará (en algunos navegadores) un tipo de letra más fino.

A continuación, tenemos la fuente, `url`, que indica la ruta hasta el servidor que almacena esta tipografía. Para terminar, el formato WOFF (*Web Open Font Format*), que es uno de los muchos formatos de tipografía para web.

Observación

Es todo lo que tenemos que recordar en este punto, que una tipografía puede mostrarse en un navegador incluso aunque no esté instalada en el equipo cliente. Para utilizarla, basta con escribir su nombre en la propiedad `font-family`*, como con las tipografías instaladas en el puesto cliente.*

CSS nos permite modificar distintas propiedades del texto. Las propiedades del lenguaje CSS que permiten realizar esto comienzan o bien por `font-`, como en el ejemplo anterior, o bien por `text-` para otros tipos de modificaciones. No desarrollaremos todas aquí, sino que nos interesaremos en aquellas utilizadas más habitualmente.

```
font-style:italic;
```

Con la propiedad `font-style` tenemos acceso a cuatro opciones: `normal`, `oblique`, `italic` e `inherit`.

`normal`: es la visualización por defecto en un navegador. No se cambia el tipo de letra.

`oblique` e `italic`: estas dos opciones se encuentran en muchos procesadores de texto o aplicaciones de tratamiento gráfico. Ambas opciones presentan prácticamente la misma representación gráfica. La diferencia es que un tipo de letra `italic` es un tipo de letra donde las letras están inclinadas desde el origen, mientras que un tipo de letra `oblique` es el resultado de un cálculo del navegador, que muestra el carácter inclinándolo. Esto no es una verdadera itálica, sino que se han inclinado los caracteres.

inherit: existen muchos estilos, y no solo de texto, que pueden tener el valor inherit. Esto quiere decir que el estilo que se define recupera el estilo de su padre. De este modo, un párrafo <p> con la propiedad font-style:inherit; se muestra de una u otra manera en función del estilo de su padre. Si el padre, un <article>, tiene la propiedad font-style:italic;, el párrafo recupera la itálica.

```
font-variant:small-caps;
```

Es posible asociar a la propiedad font-variant los valores normal e inherit. Existen en distintos estilos y tienen siempre el mismo significado. Pero font-variant posee, también, el valor small-caps (pequeñas mayúsculas o versales). Esto produce un carácter que tiene la forma de una letra mayúscula pero del tamaño de una letra minúscula. Además, los caracteres acentuados, incluso en mayúscula, mantienen su acento. Esto está muy bien adaptado para un título o un subtítulo.

```
font-weight: bold;
```

font-weight define si los caracteres están en negrita o no. Existen distintas opciones de negrita. La sintaxis anterior es la más segura. Por las reglas CSS es posible escribir, en lugar de bold, un valor, que puede ir desde 100 hasta 900. Este valor define el grosor. Desafortunadamente, esto no funciona en todos los navegadores, y será preferible escribir, simplemente, font-weight:bold; para poner un texto en negrita o bien font-weight:normal; para obtener un grosor normal.

El estilo font-weight:bold; equivale al resultado de las etiquetas <b> o <strong>.

Existen otras propiedades, como font-stretch, que permiten estirar o comprimir las letras de un texto. No obstante este estilo no lo reconocen todos los navegadores, de modo que nos centraremos en aquellos estilos que funcionen en la mayoría de navegadores, para no vernos obligados a tener que crear una hoja de estilo diferente por cada navegador, como ocurría hace algunos años.

Siempre pensando en la manipulación del aspecto del texto en pantalla, tenemos otros estilos que serán útiles.

```
text-align: left;
```

La propiedad `text-align` indica al navegador cómo debe alinear el texto. Por defecto, el texto se alinea a la izquierda. Pero puede resultar práctico alinearlo a la derecha, por ejemplo si la página HTML muestra números, de modo que las columnas con las decenas y las centenas estén alineadas. `text-align` permite seleccionar entre `normal` e `inherit`, como ocurre con muchas propiedades CSS, pero también `left` (izquierda), `right` (derecha), `center` (centrada) y `justify` (justificar: es decir un texto alineado a izquierda y derecha).

Por lo general, conviene evitar utilizar el texto centrado, salvo para, por ejemplo, un texto que sirva como leyenda o para el título de una página. Si un texto aparece centrado en una página, el lector no tiene ninguna referencia visual a su izquierda. El inicio de una línea puede estar completamente a la izquierda de la página o bien en el centro, en función de la longitud de la frase, y será más difícil de leer que un texto alineado a la izquierda.

El texto justificado, que está alineado a la izquierda y a la derecha, tiene un aspecto muy cuadrado, y provocará grandes espaciados en el texto. Si el equipo se las tiene que arreglar para alinear el texto a la izquierda y a la derecha, va a tener que modificar el espacio entre las letras o entre las palabras para que el final de la línea esté en el mismo lugar que el final de la línea anterior. Esto, en la Web, produce líneas que pueden tener grandes espacios entre las palabras y otras líneas con un espaciado demasiado pequeño.

Lorem ipsum dolor sit amet, consectetur adipisicing elit, sed do eiusmod tempor incididunt ut labore et dolore magna aliqua. Ut enim ad minim veniam, quis nostrud exercitation ullamco laboris nisi ut aliquip ex ea commodo consequat. Duis aute irure dolor in reprehenderit in voluptate velit esse cillum dolore eu fugiat nulla pariatur. Excepteur sint occaecat cupidatat non proident, sunt in culpa qui officia deserunt mollit anim id est laborum.

Lorem ipsum dolor sit amet, consectetur adipisicing elit, sed do eiusmod tempor incididunt ut labore et dolore magna aliqua. Ut enim ad minim veniam, quis nostrud exercitation ullamco laboris nisi ut aliquip ex ea commodo consequat. Duis aute irure dolor in reprehenderit in voluptate velit esse cillum dolore eu fugiat nulla pariatur. Excepteur sint occaecat cupidatat non proident, sunt in culpa qui officia deserunt mollit anim id est laborum.

En la captura de pantalla anterior, el mismo texto "Lorem ipsum..." se escribe en el primer bloque con alineación a la izquierda y en el segundo justificado. El segundo bloque tiene espacios entre las palabras que son algo molestos, mientras que en el texto alineado a la izquierda los espacios son idénticos. Además, el texto justificado permite obtener cierta harmonía en la longitud de las líneas, aunque puede resultar poco estético debido a la irregularidad de los espacios entre las palabras entre una línea y las demás.

Observación

"Lorem ipsum..." es un extracto de un viejo libro escrito en latín. Este texto se utiliza, habitualmente, como texto por defecto para poder visualizar la representación de una página con la aplicación de los distintos estilos (para obtener más información, consulte la siguiente dirección: http://es.lipsum.com).

Para que haya menos diferencias entre los espacios entre palabras cuando un texto está justificado, CSS pone a nuestra disposición una opción útil para los textos justificados:

```
text-justify:inter-word;
```

Esta propiedad va a permitir definir cómo debe gestionarse el espacio entre las distintas palabras. Es posible aplicar a la propiedad `text-justify` los siguientes valores: `kashida`, `inter-word`, `distribute` o `inter-ideograph`. Todos estos valores tienen reglas diferentes para gestionar los espacios, pero el resultado no es siempre el mismo. Las aplicaciones profesionales de representación permiten configurar con mucha precisión las variaciones entre los espacios en un texto justificado. Será posible, por ejemplo, configurar que el espacio cambia de ancho en más o menos un 20% de la media, lo cual supone, en sí, una diferencia notable respecto a un espacio normal. Pero tras realizar un examen detallado de la anterior captura de pantalla, es evidente que obtenemos diferencias en el espaciado muy superiores al 20% entre el espacio que se deja en un texto normal y el espaciado para un texto justificado. Habrá que esperar, probablemente, a una nueva evolución de CSS para que la justificación se aborde con más calidad, lo cual no ocurre actualmente.

CSS nos ofrece muchas posibilidades, y existen otras propiedades que nos ayudan a obtener una visualización del texto agradable para el lector. Más allá del contraste que se necesita entre el color de fondo y el del texto, el espacio entre las letras y el espacio entre las líneas también influyen.

Comparemos los cinco bloques de texto de la siguiente captura de pantalla, que pueden verse con detalle en el archivo **4_2_tiposDeLetra.html**.

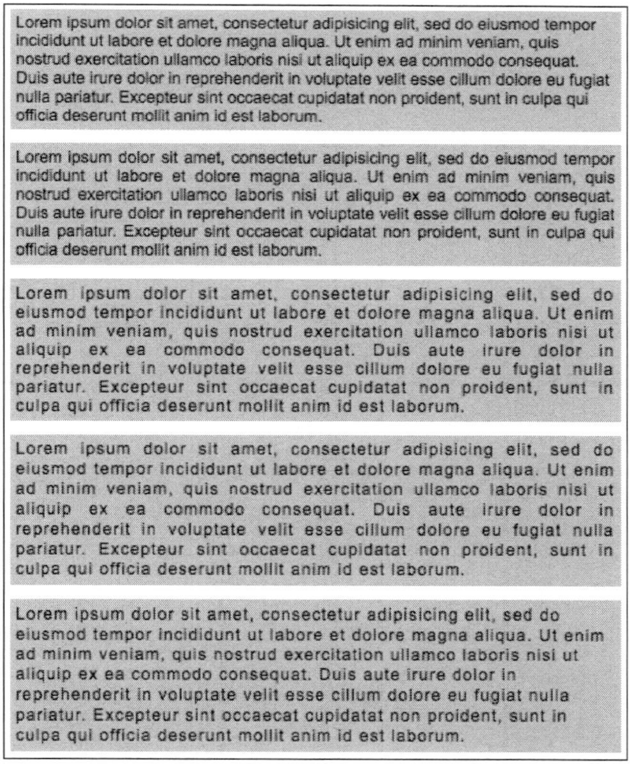

Lorem ipsum dolor sit amet, consectetur adipisicing elit, sed do eiusmod tempor incididunt ut labore et dolore magna aliqua. Ut enim ad minim veniam, quis nostrud exercitation ullamco laboris nisi ut aliquip ex ea commodo consequat. Duis aute irure dolor in reprehenderit in voluptate velit esse cillum dolore eu fugiat nulla pariatur. Excepteur sint occaecat cupidatat non proident, sunt in culpa qui officia deserunt mollit anim id est laborum.

Lorem ipsum dolor sit amet, consectetur adipisicing elit, sed do eiusmod tempor incididunt ut labore et dolore magna aliqua. Ut enim ad minim veniam, quis nostrud exercitation ullamco laboris nisi ut aliquip ex ea commodo consequat. Duis aute irure dolor in reprehenderit in voluptate velit esse cillum dolore eu fugiat nulla pariatur. Excepteur sint occaecat cupidatat non proident, sunt in culpa qui officia deserunt mollit anim id est laborum.

Lorem ipsum dolor sit amet, consectetur adipisicing elit, sed do eiusmod tempor incididunt ut labore et dolore magna aliqua. Ut enim ad minim veniam, quis nostrud exercitation ullamco laboris nisi ut aliquip ex ea commodo consequat. Duis aute irure dolor in reprehenderit in voluptate velit esse cillum dolore eu fugiat nulla pariatur. Excepteur sint occaecat cupidatat non proident, sunt in culpa qui officia deserunt mollit anim id est laborum.

Lorem ipsum dolor sit amet, consectetur adipisicing elit, sed do eiusmod tempor incididunt ut labore et dolore magna aliqua. Ut enim ad minim veniam, quis nostrud exercitation ullamco laboris nisi ut aliquip ex ea commodo consequat. Duis aute irure dolor in reprehenderit in voluptate velit esse cillum dolore eu fugiat nulla pariatur. Excepteur sint occaecat cupidatat non proident, sunt in culpa qui officia deserunt mollit anim id est laborum.

Lorem ipsum dolor sit amet, consectetur adipisicing elit, sed do eiusmod tempor incididunt ut labore et dolore magna aliqua. Ut enim ad minim veniam, quis nostrud exercitation ullamco laboris nisi ut aliquip ex ea commodo consequat. Duis aute irure dolor in reprehenderit in voluptate velit esse cillum dolore eu fugiat nulla pariatur. Excepteur sint occaecat cupidatat non proident, sunt in culpa qui officia deserunt mollit anim id est laborum.

Todos los bloques están escritos en letra Arial, con un tamaño de letra de 12 píxeles, dado que este valor se define a nivel de la etiqueta `<body>`. Nuestra vista puede engañarnos y hacernos pensar que, para ciertos bloques, el tamaño de letra es algo más grande. De hecho no ocurre así, son los espacios entre los caracteres los que son más o menos grandes.

Los bloques se definen en etiquetas <div>, como en el siguiente código:

```
<div id="zonaPrincipal">
    <div class="demo">Lorem ipsum...</div>
    <div class="demo doc">Lorem ipsum...</div>
    <div class="demo doc letterSpace">Lorem ipsum...</div>
    <div class="demo doc letterSpace lineHeight">Lorem ipsum...</div>
    <div class="demo letterSpace lineHeight">Lorem ipsum...</div>
</div>
```

Todos los bloques tienen asignado el estilo de clase demo con las siguientes propiedades:

```
.demo {
    width: 438px;
    margin: 10px;
    padding: 4px;
    background-color: #CCC;
}
```

es decir, un ancho de 438 píxeles, un margen exterior de 10 píxeles, un margen interior de 4 píxeles y un color de fondo gris.

A continuación, el segundo bloque, así como el tercero y el cuarto, tienen asignada la clase doc además de la clase demo.

```
.doc {
    text-align: justify;
    text-justify: inter-word;
}
```

La captura de pantalla muestra los tres bloques justificados. El texto está alineado a la izquierda y a la derecha, y los espacios no son regulares entre una línea y las demás.

Los tres últimos bloques tienen asignada, además de la clase demo y de la clase doc, la clase letterSpace.

```
.letterSpace {
    letter-spacing: 1px;
}
```

La propiedad letter-spacing permite aumentar el espacio entre los caracteres.

Observación

La propiedad `letter-spacing` se utiliza, a menudo, para un título o un subtítulo. Un título es una frase o varias palabras que deben destacar. En lo relativo al color y al tamaño de los caracteres, esto debe resultar visible. Para ello, es posible aumentar el tamaño de letra, pero también aumentar el espacio entre los distintos caracteres. El valor de `letter-spacing` puede fijarse a 4 píxeles o más en función del tamaño de letra, y la idea es que el título en su globalidad ocupe más espacio en la pantalla. El hecho de utilizar un tipo de letra un poco más grande que lo que se había previsto y aumentar significativamente el espacio entre los caracteres hará que el título ocupe un espacio apropiado manteniendo un tamaño de letra menor.

La última clase que veremos es la clase `lineHeight`. Permite modificar el interlineado, es decir, el espacio que existe entre dos líneas de texto.

```
.lineHeight {
    line-height: 15px;
}
```

Prestando un poco de atención a la visualización, nos percatamos de que los dos últimos bloques tienen un interlineado ligeramente superior a los otros tres bloques.

Las propiedades de estos dos últimos bloques son las mismas, salvo por la justificación del texto en el cuarto bloque.

Llegados a este punto, cada cual puede juzgar cuál es la visualización más legible. El texto del último bloque proporciona una visualización muy interesante: las letras están espaciadas, las líneas también lo están, el conjunto es perfectamente legible, y la alineación no justificada le da cierto ritmo al texto.

Observación

En el mundo de la impresión, se sabe que si se aumenta la altura de la línea y el espacio entre los caracteres, entonces se mejora también la legibilidad. Pero el problema es que esto hace aumentar, también, el número de páginas de la revista o del libro, y por tanto el coste. Conviene, por tanto, encontrar un compromiso entre la comodidad en la lectura y el número de páginas. En la Web, el número de páginas no importa en absoluto, y lo principal es tener un texto bien legible.

Para terminar con esta sección, quedan muchas propiedades por descubrir. Pueden consultarse en el sitio http://www.w3schools.com/cssref/default.asp. En la parte izquierda de este sitio, tenemos la lista de todas las propiedades existentes.

La información de referencia está en el sitio del W3C, pero el inglés. En la dirección http://html.conclase.net/w3c/css1-es.html existe una traducción oficial para CSS1, y en la página http://www.sidar.org/recur/desdi/traduc/es/css/cover.html otra para CSS2.

```
text-decoration: none;
```

Una propiedad de texto muy utilizada, también, es `text-decoration`. La decoración permite subrayar (`underline`), rayar por encima (`overline`) o tachar (`line-through`) el texto. La opción `none` elimina cualquier decoración. Esta propiedad resulta útil cuando no se desea subrayar un enlace, cuando este enlace forma parte de un menú, por ejemplo.

Queda la propiedad `text-transform`, que permite modificar la clase del texto en mayúsculas (`uppercase`) o en minúsculas (`lowercase`) o simplemente poner la primera letra en mayúsculas con `capitalize`.

```
text-transform:capitalize;
```

El texto es fundamental en un sitio web. Incluso aunque un sitio se base principalmente en el uso del sonido o de vídeo, el poco texto que esté presente deberá ser bien legible. Los elementos que acabamos de ver tendrán que utilizarse prácticamente en su totalidad. Queda, a continuación, "enmarcar" bien el texto, ponerlo dentro de una zona bien definida, donde no se vea afectado por un corte en algún lateral.

3. Los selectores

CSS permite, para seleccionar un elemento preciso, indicar más o menos la ruta hasta la etiqueta que se desea dotar de estilo.

```
#leyenda ul li img{ ... }
```

Esta sintaxis es la norma que debemos conocer para escribir una hoja de estilos. Pero la última evolución de CSS ha actualizado algunos métodos que simplifican enormemente el trabajo. Si era necesario, hasta no hace mucho tiempo, escribir algunas líneas de JavaScript, ahora es posible realizar parte del trabajo utilizando únicamente CSS, y convirtiéndose en un experto en selectores.

Los selectores son símbolos que pueden incluirse en la creación de un estilo para asignar una información más precisa para seleccionar una etiqueta y aplicarle un estilo.

Tomemos el ejemplo de una página que contiene en su zona principal tres `<div>`, tres bloques que contienen, cada uno, texto y una imagen.

Supongamos que el estilo del div se escribe:

```
#zonaPrincipal div { ... }
```

Con este selector, todos los div que están ubicados en el bloque de id `zonaPrincipal` se verán afectados por el estilo.

Si le queda alguna duda, vuelva a leer la sección dedicada a la combinación de los tres métodos.

Si el segundo div debe tener su propio estilo, habrá que darle un id propio o bien asignarle una clase diferente. Dicho de otro modo, habrá que modificar el código HTML.

Pero es posible, con CSS, seleccionar el enésimo elemento.

```
#zonaPrincipal div {
    border: 1px #800 solid;
}
```

El estilo anterior va a agregar, por ejemplo, un borde rojo de 1 píxel a cada div contenido en `#zonaPrincipal`.

Pero si el borde del segundo bloque debe tener un grosor mayor para que destaque respecto a los demás, dado que su contenido es diferente, será posible seleccionar este <div>, precisamente gracias al atributo: `nth-child(n)`.

```
#zonaPrincipal div:nth-child(2) {
    border: 3px #800 solid;
}
```

Es decir, el segundo <div> que se encuentre en `#zonaPrincipal` se selecciona. Es posible crear, a continuación, un estilo diferente para cada <div>, sin tener que modificar para ello el código HTML.

Debemos prestar atención a la sintaxis del código anterior: se escribe un carácter dos puntos ":" entre el `div` y `nth-child(2)`. Este carácter sirve de separación. En efecto, a la izquierda tenemos la selección de todos los div del bloque `#zonaPrincipal`; a la derecha, `nth-child(2)` indica que el estilo se aplica al segundo div.

En la misma familia de propiedades, tenemos `:nth-last-child(n)`, que permite seleccionar el enésimo elemento, pero empezando esta vez por el final.

Observación

La página http://www.w3.org/TR/css3-selectors/ ofrece una tabla resumen de todas las opciones del selector.

Algunos selectores merecen la pena y permiten facilitar la sintaxis en ciertos casos. Para empezar, veamos: `E[foo="bar"]`.

Esto quiere decir que una etiqueta, <E> por ejemplo, dispone de una propiedad `foo` cuyo valor es igual a `bar`. <E> es una etiqueta ficticia, no existe, y representa cualquier etiqueta. `foo` y `bar` son palabras inglesas que quieren decir "cosa" o "pepe", por lo que no tenemos nada concreto. Pero veamos un ejemplo concreto de página HTML con su CSS correspondiente.

Partiremos del código HTML utilizando antes para el texto:

```
<div id="zonaPrincipal">
    <div class="demo">Lorem ipsum...</div>
    <div class="demo doc">Lorem ipsum...</div>
    <div class="demo doc letterSpace">Lorem ipsum...</div>
    <div class="demo doc letterSpace lineHeight">Lorem ipsum...</
```

```
div>
    <div class="demo letterSpace lineHeight">Lorem ipsum...</
div>
</div>
```

El código CSS podría ser:

```
#zonaPrincipal div[class="demo"] {
    width:438px;
    margin: 10px;
    padding: 4px;
    background-color: #CCC;
}
```

Esto equivale a utilizar directamente la clase `demo`:

```
.demo { ... }
```

Esto es un poco más preciso puesto que indica que se trata de la etiqueta `<div>` que tiene un atributo `class` con el valor `demo`.

Esta sintaxis `E[foo="bar"]` no aporta grandes cambios por el momento. El método de estilo de clase tal y como se ha utilizado aquí resulta perfecto. Pero existen ciertos símbolos que permiten dar otro sentido a este selector, por ejemplo el símbolo `^`, el acento circunflejo. Si se sitúa delante del signo =, obtenemos `E[foo^="bar"]`, lo que quiere decir que todas las etiquetas `E` que tienen una propiedad `foo` **que empieza** por `bar` se seleccionarán.

A continuación tenemos un ejemplo de código HTML:

```
<div id="zonaPrincipal">
    <div class="demo">Lorem ipsum...</div>
    <div class="demoAzul">Lorem ipsum...</div>
    <div class="demoVerde">Lorem ipsum ...</div>
    <div class="demoRojo">Lorem ipsum...</div>
    <div class="demoBlanco">Lorem ipsum...</div>
    <div class="demoNegro">Lorem ipsum...</div>
</div>
```

Si el objetivo es seleccionar todas las etiquetas <div> anteriores, es posible escribir, en este caso:

```
#zonaPrincipal div[class^="demo"] { ... }
```

para seleccionar, de este modo, todas las etiquetas <div> cuya propiedad class tenga un valor que empiece por demo. En nuestro caso, las clases utilizadas en los div empiezan todas por demo (tenemos demoAzul, demoVerde, demoRojo...) y se verán, todas, afectadas por el estilo div[class^="demo"].

Del mismo modo, si se escribe div[class="demo"], significa que el elemento seleccionado tendrá la propiedad class **igual a** demo. Es preciso que sea exactamente demo.

```
<div id="zonaPrincipal">
    <div class="demo">Lorem ipsum...</div>
    <div class="demo Azul">Lorem ipsum...</div>
    <div class="demo Verde">Lorem ipsum ...</div>
    <div class="demo Rojo">Lorem ipsum...</div>
    <div class="demo Blanco">Lorem ipsum...</div>
    <div class="demo Negro">Lorem ipsum...</div>
</div>
```

En este código HTML, solo el **primer** <div> contiene **únicamente** demo en su clase. Los demás contienen demo más otra cosa.

```
#zonaPrincipal div[class="demo"] {
    border: 5px #080 solid;
}
```

Este selector modificará únicamente el primer <div>, que obtendrá un borde de color verde de 5 píxeles de grosor.

Por el contrario, si delante del signo = hubiera un acento circunflejo ^:

```
#zonaPrincipal div[class^="demo"] {
    border: 5px #080 solid;
}
```

en este caso todos los div empiezan por demo, sin importar lo que haya escrito a continuación, y tendrán un borde verde de 5 píxeles.

E[foo~="bar"]: el símbolo utilizado aquí delante del signo = es la tilde ~ (que se obtiene mediante la combinación de teclas del teclado [Alt Gr]+4+[Espacio]). En este caso, la palabra "bar" debe estar escrita en alguna parte de la propiedad foo.

Supongamos que tenemos el siguiente código HTML:

```
<div id="zonaPrincipal">
    <div class="demo">Lorem ipsum...</div>
    <div class="demo Azul">Lorem ipsum...</div>
    <div class="titulo demo Verde">Lorem ipsum ...</div>
    <div class="titulo2 demo Rojo">Lorem ipsum...</div>
    <div class="Blanco demo">Lorem ipsum...</div>
    <div class="demo Negro">Lorem ipsum...</div>
</div>
```

La clase demo se escribe unas veces en primera posición, otras veces en la mitad del atributo, o incluso al final de las clases utilizadas. Con la tilde ~ no es necesario que esté en la primera posición, importa bien poco dónde se encuentre la palabra demo siempre y cuando esté escrita en el CSS:

```
#zonaPrincipal div[class~="demo"] {
    border: 5px #080 solid;
}
```

Si bien el acento circunflejo ^ indica que la propiedad debe comenzar por una palabra concreta, el símbolo $ se refiere al final de la palabra. Dicho de otro modo, E[foo$="bar"] permite seleccionar aquellas etiquetas <E> cuya propiedad foo termine por la palabra "bar".

Un último caso en esta familia es el selector que utiliza el símbolo asterisco *. Con este selector, la búsqueda se realiza en todas las etiquetas.

Con el siguiente código HTML:

```
<div id="zonaPrincipal">
    <div class="uno_demo">Lorem ipsum...</div>
    <div class="azul_demo">Lorem ipsum...</div>
    <div class="dos_demo Verde">Lorem ipsum ...</div>
    <div class="titulo Rojo">Lorem ipsum...</div>
    <div class="blancoDemo">Lorem ipsum...</div>
    <div class="Negro">Lorem ipsum...</div>
</div>
```

En este caso, el selector CSS:

```
#zonaPrincipal div[class*="demo"] {
    border: 5px #080 solid;
}
```

aplicará un borde verde de 5 píxeles a los tres primeros <div>. En efecto, "uno_demo", "azul_demo", "dos_demo Verde" incluyen la palabra demo. Los tres últimos no tienen la palabra demo, de modo que no se verán afectados por el estilo, incluido "blancoDemo", puesto que empieza por una "D" mayúscula mientras que el CSS busca demo con una "d" minúscula.

El selector universal

El símbolo asterisco *, que es el selector universal, puede utilizarse solo. Permite seleccionar todas las etiquetas. Por ejemplo:

```
* {
    margin: 0;
    padding: 0;
}
```

Este selector CSS selecciona todas las etiquetas existentes. En el ejemplo anterior, todos los márgenes externos e internos tendrán el valor 0.

¿Para qué puede servido esto?

Muchas etiquetas HTML tienen, de por sí, su propio estilo. Por ejemplo, la etiqueta <body> tiene un margen exterior. Realice la comparación con la página HTML: **1_2_4_base3lenguajes.html**.

Agregue el CSS anterior en el archivo global.css. Observará que la representación gráfica cambia y que los elementos presentes en la página se aproximan al borde de la página. Esto es, simplemente, porque la línea de código anterior anula todos los márgenes que, por defecto, no valen cero.

Con el uso de este selector universal, las listas ordenadas o las listas no ordenadas, que normalmente están algo desplazadas a la derecha, ya no lo estarán. Habrá que dotar a cada lista del margen deseado.

Esta solución la adoptan muchos webmasters para declarar este selector al principio de su CSS y poner a cero todas las propiedades. Esto les obliga a retomar todos los estilos que tuvieran valores por defecto. Se trata de un método interesante para poder controlarlo todo.

Otra novedad interesante es el hecho de poder acceder a todas las etiquetas **pares o impares**. Esto permite, por ejemplo, alternar el color de fondo de los elementos de una lista para obtener una mejor legibilidad.

Incluso aunque actualmente las tablas HTML se utilizan mucho menos, siguen siendo un medio eficaz para mostrar datos. Recordemos que la etiqueta `<table>` gestiona la tabla en su globalidad, la etiqueta `<tr>` (*table row*: la fila de la tabla) agrega una fila, pero no es posible mostrarla directamente, sino que debe utilizarse obligatoriamente la etiqueta `<td>` (*table data*: los datos) que contendrá el texto o las imágenes que queremos mostrar en la página.

Partamos del código HTML siguiente (consulte el archivo **4_3_tablaCss.html**):

```
<table>
    <tr>
        <th>Frutas y verduras</th>
        <th>Cantidad entregada</th>
    </tr>
    <tr>
        <td>Manzanas</td>
        <td>12 toneladas</td>
    </tr>
    <tr>
        <td>Peras</td>
        <td>3 toneladas</td>
    </tr>
    <tr>
        <td>Uva</td>
        <td>10 toneladas</td>
    </tr>
    <tr>
        <td>Plátanos</td>
        <td>7 toneladas</td>
    </tr>
    <tr>
        <td>Naranjas</td>
        <td>12 toneladas</td>
    </tr>
</table>
```

Contiene una tabla con frutas y las cantidades entregadas a un almacén. Si se desea ver esta información, el hecho de alternar los colores de fondo (filas impares de la tabla en azul y filas pares en gris) ayudará a su lectura, sobre todo si la tabla es grande.

Se ha agregado una clase `<tr class='azul'>` a una etiqueta `<tr>` de cada dos para aplicar el fondo de color azul a una fila de la tabla de cada dos. Siguiendo el mismo principio, se ha agregado una clase `<tr class='gris'>` a las demás filas. Esto produce el siguiente código:

```
<table>
    <tr>
        <th>Frutas y verduras</th>
        <th>Cantidad entregada</th>
    <tr>
    <tr class='azul'>
        <td>Manzanas</td>
        <td>12 toneladas</td>
    </tr>
    <tr class='gris'>
        <td>Peras</td>
        <td>3 toneladas</td>
    </tr>
    <tr class='azul'>
        <td>Uva</td>
        <td>10 toneladas</td>
    </tr>
    <tr class='gris'>
        <td>Plátanos</td>
        <td>7 toneladas</td>
    </tr>
    <tr class='azul'>
        <td>Naranjas</td>
        <td>12 toneladas</td>
    </tr>
</table>
```

Este método funciona bien, y las clases CSS que definen los colores de fondo son algo así:

```
.azul {
    background-color: #CCF ;
}
.gris {
    background-color: #CCC ;
}
```

Podríamos realizar la misma operación de manera mucho más sencilla y sin tener que modificar el código HTML. Si volvemos al código HTML inicial (sin las propiedades `class` en las etiquetas `<tr>`) y en el código CSS utilizamos `nth-child(odd)` y `nth-child(even)`:

```
tr:nth-child(odd) {
    background-color: #dfdbfe;
}
tr:nth-child(even) {
    background-color: #aaa;
}
```

El CSS cuenta las `<tr>`, y aquellas que están en una posición impar (`odd`) tendrán un color de fondo azul, mientras que las `<tr>` en posición par (`even`) tendrán un color de fondo gris. Una vez más, este tipo de sintaxis modificará todas las tablas si hay más en la página. Será conveniente escribir:

```
<table id='frutasVerduras'>
    ...
</table>
```

Y, una vez que el elemento principal dispone de un identificador, el CSS se volverá más restrictivo y no modificará más que las filas de esta tabla:

```
#frutasVerduras tr:nth-child(odd) {
    background-color: #dfdbfe;
}
#frutasVerduras tr:nth-child(even) {
    background-color: #aaa;
}
td + td {
    color: #800;
```

El estilo `td + td` afectará a un td que siga a otro td, dicho de otro modo, el `td` de la derecha, que se mostrará de color rojo.

En cualquier caso, el resultado será algo similar a:

Frutas y verduras	Cantidad entregada
Manzanas	12 toneladas
Peras	3 toneladas
Uva	10 toneladas
Plátanos	7 toneladas
Naranjas	12 toneladas

Quedan todavía algunos selectores por estudiar. Algunos forman parte de lo que se denominan **pseudoclases**. Los veremos con más detalle en la sección siguiente. Pero quedan al menos dos símbolos que podemos utilizar para afectar a los estilos.

Tenemos, por un lado, el símbolo mayor que **>**. Con el código CSS siguiente:

```
#foto img {
    border 1px;
}
```

Todas las imágenes que estén dentro de un elemento cuyo identificador sea `foto` tendrán un borde igual a 1 píxel: estén situadas en un párrafo o en una tabla dentro de `#foto`, todas tendrán un borde. Es posible precisar que solamente aquellas imágenes situadas directamente en el elemento con identificador `foto` se vean afectadas por el estilo, escribiendo:

```
#foto > img {
    border: 1px;
}
```

En este caso, solamente aquellas imágenes directamente situadas en `#foto` se verán afectadas por este estilo. Tomemos el siguiente código HTML:

```
<div id="foto">
    <p>Mis fotos de las vacaciones:
<img src='imagenes/enLaPlaya.jpg' /></p>
    <img src='../img/laPlayaDeArenaFina.jpg' />
    <p>El viaje de vuelta: <img src='../img/coche.jpg' /></p>
    <img src='../img/parkingEnAutopista.jpg' />
</div>
```

Aquí, las dos `<img />` escritas en negrita tendrán un borde de 1 píxel, como se define en el CSS. Por el contrario, las dos imágenes que están, cada una, en un párrafo `<p>` pero no directamente en `#foto` no se verán afectadas por el estilo.

Un último símbolo para este capítulo es el símbolo +. Nos va a permitir seleccionar un elemento que esté directamente precedido por otro elemento.

```
td + td {
    color: #800;
}
```

Supongamos que la columna de la tabla que contiene las cantidades de frutas y verduras entregadas debe tener un color de texto rojo : la sintaxis `td + td` permite seleccionar todos los `<td>` que están directamente precedidos por otro `<td>`. El `<td>` que contiene la cantidad está situado después del `<td>` que contiene el nombre de la fruta o de la verdura, el `<td>` de la cantidad está, por tanto, directamente precedido por otro `<td>`. El selector seleccionará, por tanto, el segundo `<td>`.

Anidación del CSS (nesting en inglés)

La anidación permite organizar reglas de estilo unas dentro de otras. Este método mejora la legibilidad.

Ejemplo de uso:

Sin anidación

```
.tarjeta {
  background-color: white;
  border-radius: 8px;
}
 tarjeta h2 {
  font-size: 1.5em;
  color: #333;
}
.tarjeta p {
  font-size: 1em;
  color: #666;
}
.tarjeta:hover {
```

```
  box-shadow: 0 4px 8px rgba(0,0,0,0.1);
}
```

En el ejemplo anterior, el CSS modificará todas las etiquetas `h2` o `p` que estén dentro del elemento cuya clase es: `tarjeta`.

El ejemplo siguiente tendrá exactamente el mismo efecto, pero la forma de escribirlo es diferente.

Con anidación

```
.tarjeta {
  background-color: white;
  border-radius: 8px;

  &:hover { /* El '&' hace referencia al selector padre (.tarjeta) */
    box-shadow: 0 4px 8px rgba(0,0,0,0.1);
  }

  h2 {
    font-size: 1.5em;
    color: #333;
  }

  p {
    font-size: 1em;
    color: #666;
  }
} /* cierre del estilo para la clase tarjeta.*/
```

En este caso, se define el estilo para la clase `.tarjeta`, pero no se cierra inmediatamente con una llave. De este modo, los estilos `h2` y `p` quedan anidados dentro del estilo de la clase `tarjeta`. La llave de cierre `tarjeta` aparece al final del ejemplo; por eso el ejemplo termina con dos llaves de cierre: la primera cierra el estilo de `p` y la última cierra el estilo de la clase `tarjeta`.

3.1 Para los enlaces

La etiqueta `<a>` (el enlace) es un poco particular por distintos motivos. Es posible hacer clic directamente sobre el enlace, y está previsto que interactúe con el ratón. El enlace tiene distintos estados que se almacenan en el historial del navegador.

La pseudoclase `link` nos permite modificar el aspecto del enlace:

```
a:link {
    color: black;
    text-decoration: none;
}
```

Este enlace no estará subrayado. Es posible configurar las pseudoclases, que son de hecho estados incluidos dentro de la etiqueta `<a>`.

Si ya se ha hecho clic sobre un enlace, aparece de color violeta en la pantalla. Para el navegador, el valor booleano `visited` de este enlace vale verdadero.

El siguiente código:

```
a:visited {
    color: black;
}
```

hace que cualquier enlace que ya hayamos visitado aparezca de color negro. Dado que el estilo por defecto del enlace `a{...}` también fuerza el color negro, este enlace siempre será de color negro y no será posible distinguir un enlace sobre el que ya se ha hecho clic de otro que jamás se ha visitado.

Cuando el puntero del ratón pasa sobre un enlace, existe otra pseudoclase que puede resultar práctica, se trata de `hover`.

```
a:hover {
    color: yellow;
    text-decoration: underline;
}
```

En el caso anterior, cuando el ratón pasa por encima de un enlace, el color del texto cambia a amarillo y el texto se subraya. Esto hace que se desencadene una pequeña animación sobre el texto automáticamente.

Se suele utilizar `hover` en las «cajas», unas zonas delimitadas por `<div>` o `<article>` que pueden contener texto o imágenes. De esta forma, se puede cambiar el aspecto, el color de fondo, etc., de estas zonas pasando el ratón por encima para indicar una acción que gestionará JavaScript.

La última pseudoclase para los enlaces es `active`.

Se activa cuando se hace clic sobre un enlace. En muchos casos, el hecho de hacer clic sobre un enlace carga una nueva página, si bien el enlace ya no está activo cuando se carga la página. Por el contrario, si el clic sobre el enlace está programado para realizar alguna otra acción distinta a cargar una página, se aplica el estilo al enlace mediante la pseudoclase `active`.

```
a:active {
    color: white;
    text-decoration: underline;
}
```

En la práctica, es habitual asociar ciertas pseudoclases. Por ejemplo:

```
a:link, a:visited {
    color: black;
    text-decoration: none;
}
```

Las dos pseudoclases anteriores tienen el mismo estilo; es algo habitual en un menú, donde los enlaces sobre los que ya hemos hecho clic no deben diferenciarse de los enlaces que jamás se han seleccionado.

Se pueden agrupar varias pseudoclases en una sola línea con el comando `matches()`, que activa el estilo si se cumple uno de los casos entre paréntesis.

```
a:matches(:link, :hover, :visited, :focus) {
    color: #0F0;
}
```

3.2 Para el texto

Las pseudoclases permiten acceder a los elementos particulares del texto. De este modo, el estilo:

```
.resume::first-line {
    font-weigth: bold ;
}
```

pone en negrita la primera línea de texto de todos los elementos que tengan la clase `resume`.

Otro caso práctico es `::first-letter` (observe que este selector está prefijado por dos caracteres `:`).

```
.letraflorida {
    font-size: 12px;
    color: #888;
}
.letraflorida::first-letter {
    font-size: 1.2em;
    color: #800;
}
```

Aquí, el estilo de clase `letraflorida` crea una especie de letra florida. De hecho, la primera letra del texto que tenga el estilo `letraflorida` aparece un poco más gruesa, de color rojo. En un párrafo obtendríamos:

```
<p class='letraflorida'>Un ejemplo de letraflorida</p>
```

Un ejemplo de letra florida

La unidad de medida utilizada aquí no es el píxel, sino `em`, que es un multiplicador del valor por defecto. Si el texto se muestra sin precisión de tamaño, tendrá un tamaño por defecto. Este tamaño, sea el que sea, será equivalente a 1em. Para duplicar el tamaño del texto, es posible escribir `2em`. Por tanto, si el tamaño por defecto del texto, a menudo indicado en el estilo de la etiqueta `<body>`, es de 12px, un tamaño igual a 0.5em en un párrafo mostrará el texto con un tamaño de 6 píxeles.

3.3 Para los selectores

Las pseudoclases `::before` y `::after` permiten mostrar un texto antes (*before*) o después (*after*) de otro texto. Esto puede resultar útil para indicar una unidad monetaria, por ejemplo.

```
.precio {
    color: #8F8;
}
.precio::after {
    content: "€" ;
    margin-left: 4px ;
}
```

Con este estilo de clase, los precios estarán seguidos del símbolo euro sin tener que escribirlo en el código HTML.

:has()

Para terminar, debemos hablar del selector `:has()`, que permite seleccionar un elemento padre o un elemento anterior en función de sus descendientes o de los elementos siguientes. Se usa `:has()` para aplicar estilos a elementos según su contenido o el estado de sus elementos hijos.

Ejemplo:

Aplica un estilo a una section solo si contiene una imagen.

```
section:has(img) {
  background-color: aliceblue;
  border: 1px solid cornflowerblue;
}
```

Aplica un estilo a un label si el input asociado no es válido.

```
label:has(+ input:invalid) {
  color: red;
}
```

Aplica un estilo a un article que contiene un `h2`.

```
article:has(h2) {
  padding-top: 20px;
}
```

Ejercicio sobre los selectores CSS

Debe escribir los estilos y los selectores CSS para el código HTML que se encuentra a continuación. ¡No hace falta modificar el código HTML! En los comentarios se indica lo que se requiere a nivel de CSS.

Observación

No dude en consultar la tabla que se encuentra en la parte superior de esta página (https://www.w3.org/TR/2001/WD-css3-selectors-20010126) que define la totalidad de las reglas de los selectores CSS.

```
<!DOCTYPE html>
<html lang="es">

<head>
   <meta charset="UTF-8">
   <title>Selector CSS</title>
</head>

<!--  Aplicar una fuente sin serifa a la página -->
<body>

   <!--  Posicionar la imagen y el menú uno al lado del otro
estableciendo el header en display: flex -->
   <header class="topPage">
       <!-- añadir un borde a esta imagen -->
       <img src="images/vacio.png" alt="" />
       <nav>
           <ul>
               <!-- Poner todos los li en display:inline-block y
list-style-type:none -->
                <!-- modificar text-decoration, ponerlo en none
en todas las etiquetas a -->
                <!-- y cambiar el color de los enlaces:
color: #99F; -->
                <li><a href="#"
title="Selector CSS 1">enlace 1</a></li>
                <li><a href="#"
title="Selector CSS 2">enlace 2</a></li>
                <li><a href="#"
title="Selector CSS 3">enlace 3</a></li>
                <li><a href="#"
title="Selector CSS 4">enlace 4</a></li>
                <li><a href="#"
title="Selector CSS 5">enlace 5</a></li>
           </ul>
        </nav>
    </header>

    <section>
        <header>
            <!-- al pasar el ratón sobre el header,
subrayar el título h1 -->
            <h1>Título</h1>
            <h4>Entradilla</h4>
        </header>
        <!-- seleccionar cada artículo y aplicar un color de fondo,
agregar margen para separar la etiqueta article de los otros
artículos -->
```

```
        <article>
            <!-- poner un fondo gris al header de todos
los artículos y un padding -->
            <header>
                <span>Escrito el 14/12/2023</span>
            </header>
            <!-- poner el texto de este h3 en azul -->
            <!-- poner la primera letra de cada h3 en un artículo,
en mayúscula -->
            <!-- modificar line-height: 0; de cada h3,
para optimizar el espacio -->
            <!-- poner un padding de 10px a todos los h3 de un artículo -->
            <h3>subtítulo</h3>
            <!-- poner un padding de 10px a todos los p de un artículo -->
            <p>Lorem ipsum dolor sit amet consectetur adipisicing
elit. Id nam explicabo adipisci, quidem vero debitis nisi, omnis
sint repellendus consequuntur dicta voluptate recusandae? Aliquid
modi ratione et veniam eius dicta.</p>
            <!-- poner un fondo gris al footer (como el header)
de todos los artículos y un padding -->
            <footer>
                <span>Autor: Bobby</span>
            </footer>
        </article>
        <article>
            <header>
                <span>Escrito el 18/12/2023</span>
            </header>
            <!-- poner el texto de este h3 en rojo -->
            <!-- poner la primera letra de cada h3 en un artículo,
en mayúscula -->
            <h3>subtítulo 2</h3>
            <p>Lorem ipsum dolor sit amet consectetur adipisicing
elit. Id nam explicabo adipisci, quidem vero debitis nisi, omnis
sint repellendus consequuntur dicta voluptate recusandae? Aliquid
modi ratione et veniam eius dicta.</p>
            <!-- poner este estilo: display: inline-block; width:
50px; height: 50px; margin: 10px; padding: 10px; a todos los div
cuya clase comience por box_ con un color de fondo a elección -->
            <div class="box_1">1</div>
            <div class="box_2">2</div>
            <div class="box_3">3</div>
            <!-- idem para todos los div cuya clase comience por
megaBox_ pero con dimensiones de 80px de lado. Y siempre un color
de fondo a elección. -->
            <div class="megaBox_1">1</div><div
class="megaBox_2">2</div><div class="megaBox_3">3</div>
            <footer>
```

```
                <span>Autor: Bob</span>
            </footer>
        </article>
    </section>
    <footer>
        <!-- aplicar a esta etiqueta nav el estilo text-align: center; -->
        <nav>
            <!-- aplicar a la etiqueta ul el estilo padding:
0 (para eliminar el padding que una etiqueta ul tiene por defecto) -->
            <ul>
                <!-- poner todos los li en display: inline-block
y list-style-type: none -->
                <!-- modificar text-decoration, ponerlo en none
en todas las etiquetas a -->
                <!-- y cambiar el color de los enlaces:
color: #999; -->
                <li><a href="#"
title="Selector CSS 6">enlace 6</a></li>
                <li><a href="#"
title="Selector CSS 7">enlace 7</a></li>
                <li><a href="#"
title="Selector CSS 8">enlace 8</a></li>
            </ul>
        </nav>
    </footer>
</body>
</html>
```

4. Los colores en hexadecimal, en RGBA o en HSLA

Existen distintos métodos para acceder a un color. Sea cual sea el método utilizado, estarán accesibles los mismos colores.

La sintaxis de un color para una página HTML se realiza mediante un valor hexadecimal: hexa significa 6 y decimal 10. Dicho de otro modo, existen 16 símbolos que permiten representar un valor hexadecimal. Los diez primeros son las diez cifras, 0, 1, 2, 3, 4, 5, 6, 7, 8 y 9. Los seis siguientes son letras, A, B, C, D, E y F, en mayúsculas o en minúsculas, no importa. Es posible, por tanto, encontrar un color descrito de la siguiente manera: #12fd3c.

La # significa que el valor está escrito en hexadecimal (abreviado "hexa"). Pero, ¿qué vale este valor y qué significa?

Para comprender lo que vale el valor hexadecimal, hay que empezar conociendo el funcionamiento del sistema binario. Cuando una persona utiliza el sistema decimal, o la base 10, utiliza 10 símbolos, 10 cifras. El sistema binario está, de hecho, en base 2, y conoce únicamente 2 cifras, que son el 0 y el 1. El sistema binario es la base de la informática, dado que un microprocesador está construido por interruptores electrónicos, o transistores, que no tienen más que dos posiciones: o bien dejan pasar la corriente, o bien impiden su paso. Ésta es la base del sistema binario.

Para contar en el sistema decimal, empezamos por el 0, a continuación el 1... hasta 9. Para seguir contando, las decenas que valían 0 paran a valer 1, y las unidades, que habían alcanzado la cifra más grande (9), pasan a valer 0. De este modo aparece el número 10. Esto funciona de la misma manera con el sistema binario, pero en lugar de tener 10 símbolos, del 0 al 9, solamente existen 2: el 0 y el 1.

Un término utilizado con frecuencia en informática es el byte. Un byte contiene 8 bits, u 8 interruptores electrónicos u 8 veces el símbolo 0 o 1.

Tomemos un ejemplo con, simplemente, 4 bits. El valor más pequeño es el 0000. A continuación tenemos el 0001. Aquí, las unidades han alcanzado el valor máximo en binario, de modo que las "decenas" que valían 0 pasan a valer 1, y las unidades, que valían 1, pasan a valer 0. Por tanto, el número siguiente es el: 0010. A continuación 0011, luego 0100, 0101, 0110, 0111, 1000, 1001, 1010, 1011, 1100, 1101, 1110 y 1111. Esto nos da un total de 16 valores diferentes, como los 16 símbolos del hexadecimal.

Veamos la siguiente tabla para visualizar la correspondencia entre el sistema binario, el sistema decimal y el sistema hexadecimal.

Binario	Decimal	Hexadecimal
0000	0	0
0001	1	1
0010	2	2
0011	3	3
0100	4	4
0101	5	5
0110	6	6
0111	7	7
1000	8	8
1001	9	9
1010	10	A
1011	11	B
1100	12	C
1101	13	D
1110	14	E
1111	15	F

La tabla pone de relieve las 16 posiciones del sistema binario cuando existen 4 bits, y permite comprender el sistema hexadecimal.

Lo que debemos recordar de esta tabla es que, en el sistema hexadecimal, el valor F es más grande que 9. Además, la tabla utiliza únicamente 4 bits, pero el ordenador trabaja con un byte, es decir 8 bits. Esto da como correspondencia:

Binario	Decimal	Hexadecimal
0000 0000	0	00
1111 1111	255	FF

El sistema binario se ha explicado aquí solamente porque es el punto de partida de todo lo demás, pero no es útil recordarlo para crear un color.

Lo que debemos recordar es que, para un byte, el valor más grande en el sistema decimal es el 255, y el valor más grande en el sistema hexadecimal es el FF.

Para crear un color en la pantalla, el modo de colorimetría utilizado es el RVA, de rojo, verde y azul (en inglés RGB: red, green, blue). Se utiliza un byte de memoria del ordenador para el rojo, otro byte para el verde y otro para el azul. Esto significa que la cantidad de rojo puede variar de 0, es decir, nada de rojo, hasta 255 o FF, el valor máximo de rojo. En total, este sistema ofrece más de 16 millones de posibilidades.

Si se escribe `#FF00FF`, se creará un color basado en el sistema hexadecimal. Sea cual sea el color, podrá escribirse también mediante la sintaxis `rgb(255,0,255)`. En ambos casos, el rojo y el azul tienen el valor máximo (255 o FF) y no existe verde.

Los colores que conviene recordar de memoria son el negro y el blanco. En una pantalla, si no se hace nada para mostrar algo, se tiene una pantalla negra. Esto se corresponde, por tanto, con el color `#000000` o `rgb(0,0,0)`.

Para obtener el blanco, hay que poner todos los valores de luminosidad al máximo. El blanco se escribe, en el sistema hexadecimal, `#FFFFFF`, el rojo, el verde y el azul tienen los valores máximos. Otra sintaxis posible es `rgb(255,255,255)`.

Sean cuales sean los valores para el rojo, el verde y el azul, si tienen todos el mismo valor, el resultado será gris. Existen varios ejemplos en el libro donde el color es `#CCCCCC`, es decir gris. "C" está a mitad de camino del valor máximo "F", se trata de un gris claro. Por el contrario, `#666666` define un gris más oscuro.

Existe una opción muy práctica que permite gestionar, además del color, la transparencia o el canal alfa. Es posible escribir `rgba(255,255,255,.5);` para crear un color blanco medio transparente, el último valor define la transparencia y puede variar de 0 (invisible) a 1 (opaco).

De la misma manera que existe `rgba();`, tenemos también el sistema `hsl();` o `hsla();` (**h**ue, **s**aturation, **l**ightness, **a**lpha, es decir, tono, saturación, luminosidad, alfa en español). Ambas sintaxis permiten obtener los mismos colores, RGB está más extendida, aunque HSL no es menos interesante.

Tomemos el siguiente ejemplo:

```
color: hsl(60, 100%, 50%) ;
```

El primer valor se corresponde con un ángulo, pues `hsl()` utiliza el círculo cromático sobre el que se definen los colores mediante un ángulo: 0° o 360° para el rojo, 60° para el amarillo, 120° para el verde, 180° para el azul cian, 240° para el azul, y 300° para el magenta.

El siguiente valor se corresponde con la saturación e indica que el 100% del color será vivo. Cuanto menor sea el porcentaje, menos destacará el color, un poco como un pincel que se moja en agua. Con el 0% de saturación, solo interviene la luz, y obtenemos niveles de gris.

`hsl();` es práctico para mezclar colores. Es habitual querer utilizar un color varias veces, en tonos claros a oscuros. Con `hsl();` basta con mantener el mismo ángulo, de ahí que el primer valor se corresponda con el color, haciendo variar la luminosidad, el tercer valor. Si el valor de luminosidad es elevado, el color será más claro (incluso blanco si se alcanza el 100 %), y si el valor es más reducido se obtendrá un color más oscuro (hasta alcanzar el negro con el 0 %).

Tres cosas a tener en cuenta sobre los colores:

1) A principios de siglo, los ordenadores no tenían más de 255 colores a su disposición. El problema principal era el riesgo de utilizar un color que el ordenador no fuera capaz de mostrar: en este caso el ordenador mostraba un color similar al solicitado, pero que podía dar resultados algo incómodos. Para resolver este problema, se tenían ciertos colores seguros, es decir, colores que se mostraban bien obligatoriamente. Estos colores no utilizaban más que los valores hexa 0, 3, 6, 9, C y F. Esto permitía tener los colores #CC33FF o #339933. A continuación, de esta sintaxis nació otra sintaxis más ligera, donde los símbolos duplicados no se repetían, de modo que #CC33FF podía escribirse como #C3F.

2) Otro punto importante sobre los colores es la posibilidad de indicar como valor el nombre del color. Las siguientes sintaxis muestran todas el mismo color:

```
color: #000;
color: #000000;
color: rgb(0,0,0);
color: black;
```

Basta con escribir el nombre del color en inglés.

3) El último punto relativo a los colores no tiene ningún interés directo en los sitios web, pero es interesante. Seguramente se habrá percatado de que la mezcla de dos colores RGB, por ejemplo el color #FF0, que mezcla el rojo y el verde, no produce el mismo color que la mezcla de estos colores en una paleta, sobre un lienzo por ejemplo. En la pantalla, el rojo y el verde producen el color amarillo. Sorprendente, ¿verdad? Esto se debe a que una pantalla emite la luz que proviene de los valores correspondientes a los colores que agregan más y más luminosidad. Un lienzo o una hoja de papel no emiten luz, es la luz ambiental la que nos permite ver lo que hay dibujado en la superficie de dibujo. En resumen, tenemos por un lado la pantalla, que utiliza la síntesis aditiva y agrega los colores sucesivamente, y por otro lado el papel, que por defecto es blanco. Newton demostró gracias a un prisma que todos los colores están presentes en el blanco, de modo que si al principio la hoja es de color blanco, una vez impresa, habrá perdido información de color. Esto es lo que se denomina síntesis sustractiva. Las impresoras no utilizan cartuchos rojo, verde y azul, sino cian, magenta, amarillo y negro (CMAN).

Comprobamos que la mezcla de dos colores RGB da un color CMAN: verde + azul = cian; rojo + azul = magenta; rojo + verde = amarillo. Los modos RGB y CMAN son opuestos. Estos dos modos no pueden mostrar, exactamente, los mismos colores y por este motivo ciertos colores muy vivos, casi fluorescentes en la pantalla, resultan algo apagados tras la impresión. Son colores que existen únicamente en la síntesis aditiva.

El sitio https://color.adobe.com/es/create/color-wheel pone a nuestra disposición una herramienta que permite seleccionar un color, que será el color de referencia, a partir del cual se propondrán otros colores que funcionan bien en conjunto.

5. Las imágenes y los bordes

A mucha gente le gusta el diseño, se inician en la creación y realizan trabajos muy bonitos. Pero poca gente piensa en el encuadre. Si bien una obra puede resultar magnífica, podría serlo todavía más gracias a un buen marco.

Con las imágenes en una página HTML ocurre algo parecido. Si una imagen se muestra simplemente en la pantalla, tendrá cierto impacto. Por el contrario, si esta imagen tiene un borde, incluso algo de espaciado, podrá recordarnos a una fotografía en papel y producir un efecto mucho mayor.

Una buena idea bastante sencilla consiste en incluir un borde en las imágenes que deben resaltar dentro de un sitio web, dejando a un lado las imágenes que sirven únicamente de decoración.

Esto se escribe en HTML:

```
<img class='borde5' src='../img/foto.jpg' alt='Volvemos de
la playa' />
```

Y en CSS:

```
.borde5 {
    border: 5px #FFF solid;
}
```

La clase `borde5` muestra un borde blanco (`#FFF`) de 5 píxeles con un trazo sólido (`solid`).

Observación

En la sección HTML, la propiedad `alt` es muy importante. Permite realizar varias cosas. En primer lugar, el texto: `Volvemos de la playa` se mostrará dentro de un tooltip (un pequeño rectángulo que aparece cuando se pasa por encima con el ratón). Esto permite dar alguna indicación al internauta. Pero, sobre todo, el contenido de la propiedad `alt` se examina en los motores de búsqueda y resulta muy interesante para el posicionamiento del sitio. Se recomienda, por tanto, que TODAS las imágenes del sitio contengan un valor en su propiedad `alt` con frases que contengan palabras clave.

6. Botones con imágenes o tipografías especiales

Es muy agradable, en un sitio web, tener algunas imágenes o iconos que mejoren un poco el texto. Por otro lado, una imagen, por su naturaleza visual, hace que su comprensión sea más inmediata que solo un texto, que exigirá más atención. El ejemplo más evidente es el icono de la disquetera 3"1/2, soporte que ya no se utiliza desde hace algunos años, y que seguramente los más jóvenes ni hayan visto jamás. No obstante, es el icono utilizado para guardar los datos. Por tanto, si es posible, incluyamos la máxima cantidad de imágenes y de iconos para "vestir" al texto.

La idea que primará aquí es almacenar en un único archivo todos los iconos que queremos mostrar en la pantalla. Como, por ejemplo, la siguiente imagen:

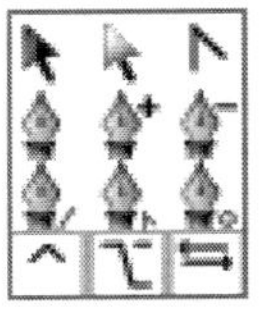

Esta imagen incluye 12 símbolos, que podremos insertar fácilmente en medio de una frase. Se creará un estilo que nos permitirá buscar el símbolo correspondiente y mostrarlo.

Cada símbolo de la imagen está incluido en un rectángulo de 17 píxeles por 15 píxeles. El estilo que se creará será, por tanto, un rectángulo de estas dimensiones, con la imagen completa de fondo.

En el archivo **4_7_icono_bg.html** se presenta un ejemplo. Con este método, el código HTML puede escribirse así:

```
<div>Una pluma <span class="pluma pPluma"></span> para el diseño
vectorial exclusivamente.</div>
```

produciendo el siguiente resultado:

Una pluma para el diseño vectorial exclusivamente.

Antes de revisar con detalle el CSS, veamos el código HTML. La pluma se muestra gracias a la etiqueta `<span>`. Utiliza dos estilos de clase, `pluma` y `pPluma`. Ambos estilos se complementan, el primero permite utilizar la imagen completa con todos los iconos y el segundo estilo posiciona la imagen de fondo para mostrar, únicamente, el icono que nos interesa.

Veamos el código CSS:

```
.pluma {
    display:inline-block;
    width: 17px;
    height: 15px;
    background: url(../imagenes/menu/plumas.png) no-repeat;
}
```

El estilo de clase `pluma` tiene como primera propiedad `display`, que permite indicar cómo debe mostrarse el estilo. El valor es `inline-block`. Esto quiere decir que este estilo será un bloque, es decir, que tendrá una anchura y una altura concretas, en consonancia con las dimensiones de la imagen. `inline` indica que este bloque no forzará el salto de línea como un bloque clásico, sino que permitirá que se muestre contenido a continuación, si bien los elementos que seguirán podrán posicionarse en la misma línea. Una vez definidas la altura y la anchura, se utiliza como `background` la imagen con todos los iconos.

La altura y la anchura, al coincidir con las dimensiones del primer icono, hacen que el bloque sea un pequeño rectángulo que no mostrará más que una zona de 17x15 píxeles, dicho de otro modo, un icono. Y dado que la imagen de fondo no se ha desplazado, se muestra la esquina superior izquierda.

Si el estilo se terminara aquí, tendría el tamaño adecuado pero no mostraría más que un único icono, siempre el mismo, a saber la primera flecha de color negro en la parte superior izquierda de la imagen.

Vamos a tener que crear otros estilos, uno por icono, y configurarlos para posicionar la imagen de fondo sobre el icono deseado.

Tomemos como ejemplo la flecha blanca, que es el segundo icono de la imagen. De momento, por defecto, la imagen que se muestra es la flecha negra. Para poder ver la flecha blanca vamos a tener que desplazar el fondo hacia la izquierda, de modo que la flecha blanca se encuentre en la posición 0. La flecha blanca está desplazada 17 píxeles desde el borde izquierdo de la imagen. Esto se corresponde con el ancho de cada icono.

```
.pluma.flechaB { background-position: -17px 0; }
```

Si se crea un nuevo estilo, que reposicione el fondo desplazándolo hacia la izquierda, conseguimos que aparezca la flecha blanca en la zona que permite mostrar el fondo. Basta, entonces, con definir la posición X a -17 para desplazar la imagen a la izquierda, dejando la posición Y sin alteración.

Observación

La sintaxis `.pluma.flechaB` obliga al webmaster a tener en mente que los estilos de clase `pluma` y `flechaB` funcionan en conjunto. Habría sido posible crear únicamente el estilo `flechaB` sin anteponer `.pluma`, lo importante es que ambos estilos estén declarados en el código HTML. Pero para estar seguros de que los invocamos de manera conjunta, es conveniente mantener esta sintaxis que vincula ambos estilos.

El estilo para todos los iconos se escribirá de la siguiente manera:

```
.pluma.flechaN { background-position: 0 0; }
.pluma.flechaB { background-position: -17px 0; }
.pluma.tangente { background-position: -34px 0; }
.pluma.pPluma { background-position: 0 -15px; }
.pluma.pMas { background-position: -17px -15px; }
.pluma.pMenos { background-position: -34px -15px; }
.pluma.pPegar { background-position: 0 -30px; }
.pluma.pAddTg { background-position: -17px -30px; }
.pluma.pBucle { background-position: -34px -30px; }
.pluma.btnCtrl { background-position: 0 -45px; }
.pluma.btnAlt { background-position: -17px -45px; }
.pluma.btnTab { background-position: -34px -45px; }
```

Los valores en la X son 0, 17, o 34 píxeles: tres valores puesto que tenemos tres columnas de iconos. Los valores en la Y son 0, 15, 30, o 45 que permiten acceder a cada una de las cuatro filas.

Este sistema es muy práctico para tener todas las imágenes de un mismo tipo en un único archivo de imágenes. Puede utilizarse para un menú, donde cada texto del menú puede estar acompañado por un icono. Para los infografistas, esto va a permitir realizar un procesamiento sobre todos los iconos al mismo tiempo de una única vez, en lugar de tener que modificar cada archivo de icono uno a uno. Además, la red de internet está construida de manera que es más rápido cargar una única imagen con 12 iconos en lugar de 12 veces un icono.

Tipografía

Es posible hacer algo parecido mediante el uso de tipografías. Algunas tipografías no contienen letras, como las demás, sino pictogramas: pequeñas imágenes, iconos, que se muestran como texto pero que, en lugar de mostrar una letra A por ejemplo, mostrarán un pequeño dibujo.

La propiedad `@font-face` permite cambiar el tipo de letra en el navegador del cliente. Será preciso indicar dónde se encuentra la nueva tipografía: en su servidor o en algún otro lugar de Internet.

```
@font-face {
    font-family: 'ModernPictogramsNormal';
    src: url('../font/modernpics-webfont.eot');
    src: url('../font/modernpics-webfont.eot?#iefix')
format('embedded-opentype'),
        url('../font/modernpics-webfont.woff') format('woff'),
        url('../font/modernpics-webfont.ttf') format('truetype'),
        url('../font/modernpics-
webfont.svg#ModernPictogramsNormal') format('svg');
    font-style: normal;
    font-weight: normal;
}
```

Las líneas de código anteriores son un caso extremo, pues invocan a todos los formatos posibles, para estar seguro que no ocurrirá ningún problema de visualización en el navegador.

La mayoría de casos de uso de @font-face serán mucho más sencillos y suficientes, como el que hemos visto en la sección La tipografía y la Web.

El siguiente ejemplo se utilizará en el capítulo dedicado a JavaScript, en la sección Mostrar el sitio HTML en pantalla completa. Permite, simplemente, mostrar un icono sobre el que se puede hacer clic, que ejecutará la función de pantalla completa.

Este icono se muestra gracias al tipo de letra ModernPictogramsNormal.

```
.fs-button:after{
    display: inline-block;
    width: 100%;
    height: 100%;
    font-size: 40px;
    font-family: 'ModernPictogramsNormal';
    line-height: 30px;
    color: #fff;
    cursor: pointer;
    content:"v";
    -webkit-transition: color 1s ease-in-out;
    -moz-transition: color 1s ease-in-out;
    -o-transition: color 1s ease-in-out;
    -ms-transition: color 1s ease-in-out;
    transition: color 1s ease-in-out;
}
```

El pictograma seleccionado contiene la propiedad content con el valor v. El carácter v representa una imagen que es adecuada para el concepto de pantalla completa, pues representa cuatro flechas en dirección de las cuatro esquinas.

```
.fs-button:hover:after{
    color: rgb(0,0,0);
}
```

Este segundo estilo enriquece la visualización del icono animando el cursor cuando se pasa el ratón por encima, pues incluye una transición sobre la columna indicada en el estilo de la clase fs-button:after gracias al uso de la pseudoclase :hover.

7. Los fondos y fondos múltiples

Es posible situar una imagen en mitad de un texto o en un bloque cualquiera de una página. Pero también es posible definir esta imagen como fondo. El interés de utilizar una imagen de fondo es, a menudo, poder repetir esta imagen en X y/o en Y, lo que nos va a permitir que una imagen de 10x10 píxeles ocupe todo el fondo de la página, puesto que se repetirá. Con este método, el navegador carga una pequeña imagen de algunos pocos bytes, por tanto ligera, y la muestra sobre toda la página repitiéndola.

Para mostrar una imagen de fondo, la propiedad que debemos utilizar es `background-image`. Basta con indicar la ruta hasta la imagen que queremos mostrar.

```
background-image : url(../imagenes/fondoAzul.gif);
```

Es habitual utilizar como imagen de fondo una imagen de 1 píxel de ancho y 3000 píxeles de alto. Esta imagen puede ser un degradado, blanco en la parte superior y más oscura en la parte inferior. Utilizando esta imagen de fondo, vamos a poder repetirla a lo largo de todo el eje X, de modo que la imagen se mostrará en toda la altura de la página y se repetirá horizontalmente para ocupar, al final, toda la página. Esto va a producir el mismo efecto visual que si hubiéramos utilizado una imagen de 2000x3000 píxeles, que sería 2000 veces más pesada. Para definir esta repetición, utilizamos la propiedad `background-repeat`. Esta propiedad toma los valores `repeat` (que repite la imagen en X y en Y), `repeat-x` (para repetirla en el eje de las X), `repeat-y` (para repetirla en el eje de las Y) y `no-repeat` (sin repetición, la imagen aparece una única vez).

En ocasiones, esta técnica se utiliza para mostrar un ribete repitiendo la imagen sobre un eje. En este caso, será preciso, seguramente, posicionar la imagen repetida. Existe la propiedad `background-position` que permite posicionarla en X y en Y. Será posible escribir:

```
background-position: 150px 20px ;
```

Con este código, la imagen repetida estará desplazada 150 píxeles del borde izquierdo, y 20 píxeles hacia abajo.

Ejercicio: posición del personaje

A partir de un sprite sheet (que representa un personaje en distintas posiciones), crear el CSS que permita recuperar todas las posiciones del personaje una a una.

El CSS se dividirá en dos partes: la imagen de fondo y las distintas posiciones.

Un estilo permitirá recuperar la imagen del personaje como fondo y con las dimensiones necesarias para mostrar una sola posición del personaje y no toda la imagen, como una máscara.

Luego, varios estilos permitirán posicionar la imagen de fondo en las siguientes posiciones del personaje.

Puede consultar la sección anterior "Botones con imágenes o tipografías especiales", que sigue la misma lógica.

Basta con buscar sprite sheet en un buscador y seleccionar la categoría de imágenes para elegir otra distinta a la del libro.

Es posible, también, hacer coexistir varias imágenes de fondo mediante una única propiedad `background` que permite escribir la URL, la repetición y la posición en una única línea.

```
.esquinas {
background:url(../imagenes/supizq.gif) no-repeat left top,
url(../imagenes/supder.gif) no-repeat right top,
url(../imagenes/infizq.gif) no-repeat left bottom,
url(../imagenes/infder.gif) no-repeat right bottom;
}
```

En este ejemplo, las imágenes supizq.gif, supder.gif, infizq.gif e infder.gif se sitúan en las cuatro esquinas.

En lugar de indicar en píxeles el desplazamiento en X y en Y, es posible escribir la posición como se indica en el ejemplo anterior, con las palabras `left`, `top`, `right` y `bottom`. En este caso, la imagen se posiciona respecto a los bordes de su contenedor. De este modo, `left` significa que la imagen debe estar situada a la izquierda, y respectivamente para los otros tres, superior, a la derecha e inferior.

8. El posicionamiento

Las etiquetas como `div` pueden posicionarse en cualquier lugar de la página. Existen, en CSS, las propiedades `left`, `top`, `right` y `bottom` que permiten indicar la distancia que existe entre el `div` y el lado izquierdo, por ejemplo.

Es posible, por tanto, escribir en CSS:

```
left: 200px;
```

lo que significa que el bloque que tiene este estilo estará 200 píxeles a la izquierda. Pero, ¿a la izquierda de qué? Debemos combinar las propiedades `top`, `right`, `bottom` y `left` con la propiedad `position` que debe, **siempre**, indicarse **antes** del lado `top`, `right`, etc.

La propiedad `position` permite indicar precisamente respecto a qué se van a calcular las distancias. Los posibles valores son `static`, `relative`, `absolute` y `fixed`.

Por defecto, el valor de `position` es `static`. Con este valor, el bloque no puede posicionarse libremente. Sigue, simplemente, el flujo y se muestra en función de los elementos que le preceden.

El valor `relative` permite situarse respecto a la posición actual del bloque, es decir, que los 200 píxeles a la izquierda serán 200 píxeles respecto al bloque que contenga el bloque que tiene este estilo.

Tenemos, a continuación, el valor `absolute`. Aquí, la referencia para el posicionamiento del bloque es la página. El código CSS tendrá el siguiente aspecto:

```
position: absolute;
left: 200px;
```

En este caso, el desplazamiento (`left : 200px;`) se realiza respecto a la esquina superior izquierda de la página, y no se está sometido al flujo que hace que los elementos se posicionen los unos tras los otros. Esto puede resultar algo complicado de gestionar, pero ofrece muchas posibilidades.

Antes de hablar de la última opción, `fixed`, veamos una propiedad interesante que es `z-index`. El eje z es, de hecho, una representación espacial que corresponde con la profundidad de un elemento respecto a los demás.

En efecto, el posicionamiento puede realizarse en función de los tres ejes x, y y z.

x: eje de abscisas. Es posible mostrar un elemento a izquierda o derecha mediante las propiedades `left` y `right`.

y: eje de ordenadas. Las propiedades `top` y `bottom` permiten posicionar el elemento arriba o abajo.

z: la profundidad se configura asignando un valor a la propiedad `z-index`. Por defecto, todos los elementos están al mismo nivel de profundidad. Para poner uno delante de otro, basta con utilizar esta propiedad:

```
z-index: 100;
```

Cuanto mayor sea el valor, más adelante estará el elemento. Para aquellos que estén acostumbrados a trabajar con programas de diseño gráfico, equivale al concepto de capas que pueden situarse por delante o por detrás de otras capas. Esto es, exactamente, lo que permite realizar la propiedad `z-index`.

Observación

`z-index` solo puede utilizarse si la propiedad `position` es `relative`, `absolute` o `fixed`.

La última opción de `position` es `fixed`. Como su propio nombre indica, el bloque estará fijo en un lugar de la página. Esto puede resultar práctico, por ejemplo, para poner en primer plano el encabezado de la página con `z-index` y desplazar el resto de la página por detrás. De este modo, incluso aunque se descienda a la parte inferior de la página, el encabezado seguirá visible en la pantalla en la zona superior de la página. Este valor es muy útil para cualquier zona que no deba moverse en la pantalla. Conviene gestionar adecuadamente el resto de zonas para que todo sea accesible para el usuario.

Centrar un elemento

Es posible utilizar la regla de estilo `align-content` para centrar un contenido. A menudo, cuando se centra un elemento, la instrucción se aplica al elemento padre, que es el que centra a sus hijos. En el caso de `align-content`, el CSS se aplica directamente al hijo para que quede centrado.

```
.contenido-centrado {
   align-content: center;
   block-size: 100%;
}
```

Todos los elementos que tengan al clase `.contenido-centrado`, quedarán centrados con respecto a su elemento padre.

flex

Existen distintos métodos para elegir la disposición de los elementos en la pantalla y uno de ellos es la utilización del comando:

```
ul.flexLista {
  display: flex;
}
```

Al indicar esto, haremos que todos los hijos (las etiquetas que haya dentro de la etiqueta `ul` con la clase `flexListe`) sean elementos de tipo flex-ítem.

Esto permitirá posicionarlos o repartirlos automáticamente por el espacio que pueden ocupar. Por defecto, los elementos hijos se mostrarán en línea.

Pueden indicarse varios parámetros para gestionar el posicionamiento. Si los elementos deben colocarse en columna y no en fila, entonces la sintaxis del CSS será:

```
ul.flexLista {
  display: flex;
  flex-direction: column;
}
```

En este caso, los elementos hijos de la etiqueta `ul` serán colocados unos debajo de otros. Veremos un caso práctico con la utilización del menú Hamburguesa al final de este capítulo. Las notaciones posibles sont `row` (en fila), `row-reverse` (en fila, mostrando en primer lugar el último elemento), y lo mismo para las columnas con `column` y `column-reverse`.

Otra propiedad de `flex` es la posibilidad de indicar si los elementos hijos estarán en una sola fila o en una sola columna, o si pueden pasar a la fila siguiente.

El comando que permite esto último es `flex-wrap`, que puede tener tres valores:

- `wrap`: permite que los elementos pasen a la fila siguiente.
- `nowrap`: los elementos permanecerán en la misma fila. Es el valor por defecto si no se precisa el comando `flex-wrap`.
- `wrap-reverse`: hace que los elementos pasen a la fila siguiente, mostrándolos en orden inverso.

Entonces, se podrá tener la instrucción:

```
ul.flexLista {
  display: flex;
  flex-direction: column;
  flex-wrap: wrap;
}
```

Es posible simplificar la escritura con el comando `flex-flow`. Por ejemplo:

```
flex-flow: column wrap;
```

Este comando surte el mismo efecto que si se escribe en dos líneas con `flex-direction` y `flex-wrap`.

Podemos dar indicaciones para los elementos flexibles, es decir, sometidos al comando `flex`, de forma que se redimensionen automáticamente.

Para ello, utilizaremos los comandos `flex-grow`, `flex-shrink` y `flex-basis`.

- `flex-grow`: dota a un elemento de la capacidad de **expandirse** en el espacio restante.
- `flex-shrink`: dota a un elemento de la capacidad de **contraerse**.
- `flex-basis`: tamaño inicial de un elemento.

Los valores por defecto de estas propiedades son:
`flex-grow: 0`, `flex-shrink: 1` y `flex-basis: auto`.

Si un elemento tiene la propiedad `flex-grow: 1`, ocupará el espacio restante de su contenedor. Si otro elemento tiene la propiedad `flex-grow: 2`, ocupará dos veces más que el elemento con valor `1`.

Sin embargo, si el comando es `flex-grow: 0`, el elemento no cambiará de dimensiones.

Por último, el comando `justify-content` permite organizar los elementos horizontalmente alineándolos a la izquierda del contenedor con `flex-start` o a la derecha con `flex-end`. Pueden centrarse con `center`.

Hay dos opciones más que pueden ser prácticas: `space-between,` que distribuye los elementos dejando el mismo espacio entre cada uno de ellos, y `space-around`, con el que el espacio entre el borde del contenedor y el primer elemento y el espacio entre el último elemento y borde del contenedor equivalen a la mitad del espacio entre dos elementos.

Para terminar con `flex`, una página web permite ejercitarse, desplazando una rana sobre un nenúfar empleando las reglas de CSS:
http://flexboxfroggy.com/#es

9. Maquetación con grid

Al igual que con flex, en CSS existe `display:grid`. Esta funcionalidad permite crear maquetaciones en dos dimensiones: filas y columnas.

Una vez definido el modo grid con `display:grid`, es posible indicar el número de filas y de columnas deseadas mediante las propiedades `grid-template-rows` y `grid-template-columns`.

Veamos un ejemplo con el código siguiente.

HTML

```
<!DOCTYPE html>
<html lang="es">
<head>
 <meta charset="UTF-8" />
 <meta name="viewport" content="width=device-width,
initial-scale=1.0" />
 <title>Ejemplo CSS Grid</title>
 <link rel="stylesheet" href="style.css" />
</head>
<body>
 <h1>Ejemplo de cuadrícula CSS</h1>
 <div class="grid-container">
   <div class="item">1</div>
   <div class="item">2</div>
   <div class="item">3</div>
   <div class="item">4</div>
   <div class="item">5</div>
   <div class="item">6</div>
 </div>
</body>
</html>
```

La parte CSS que hay que poner en un archivo **style.css**:

```
.grid-container {
 display: grid;
 grid-template-columns: repeat(3, 1fr); /* 3 columnas iguales */
 grid-template-rows: repeat(2, 150px);  /* 2 filas de 150px */
 gap: 10px; /* espacio entre las celdas */
 max-width: 600px;
 margin: 0 auto;
}
```

```
.item {
 background-color: #4CAF50;
 color: white;
 font-size: 2em;
 display: flex;
 justify-content: center;
 align-items: center;
 border-radius: 8px;
}
```

Ejemplo de cuadrícula CSS

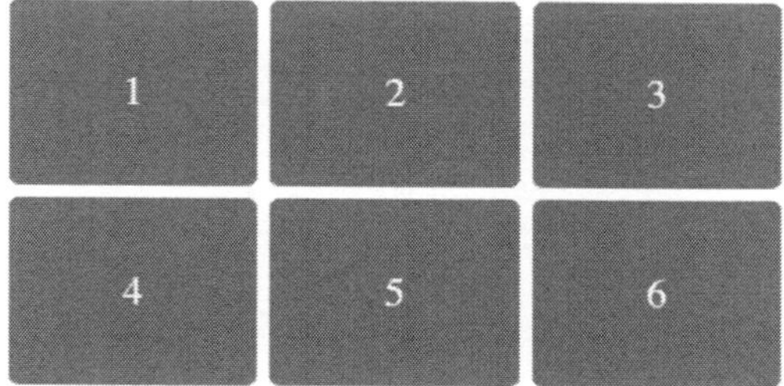

Breve explicación de la línea:

```
grid-template-columns: repeat(3, 1fr);/*3 columnas iguales */
```

`fr` significa fracción; **1**`fr`, significa **una** parte del espacio disponible.

La escritura css:

```
.container {
 display: grid;
 grid-template-columns: 1fr 2fr;
}
```

Esto significa:

- La cuadrícula tiene **2 columnas**.
- La **1.ª columna** ocupará **1 parte**.
- La **2.ª columna** ocupará **2 partes**.

Por lo tanto, si el ancho total es 900px:

- La 1.ª columna medirá 300px.
- La 2.ª columna medirá 600px.

10. El desbordamiento

El desbordamiento (*overflow*) permite definir la manera en la que se gestiona el contenido que desborda, es decir, que no cabe dentro del bloque.

Supongamos que un bloque contiene texto: en ciertos casos, es posible cambiar el texto independientemente de la página HTML (consulte el capítulo JavaScript - sección Ajax). Pero, ¿se van a cargar unas pocas líneas de texto o bien una novela entera? El objetivo del desbordamiento es lograr que el texto esté siempre accesible para el internauta.

Las opciones para la propiedad `overflow` son las siguientes:

- `inherit`: como de costumbre, recupera las reglas de `overflow` de su elemento padre.
- `hidden`: en este caso, todo lo que no quepa dentro del bloque no se mostrará. Esta opción puede resultar útil para simular un elemento oculto. Es decir, si el bloque contiene una imagen muy grande, solo será visible su parte correspondiente al tamaño del bloque. Pero esta imagen puede desplazarse mediante JavaScript y, finalmente, aparecer en una "ventana" que es el bloque con el estilo `hidden`.
- `scroll`: esta opción muestra una barra de desplazamiento en el interior del bloque. Incluso aunque haya poco texto en el bloque, `scroll` mostrará la barra de desplazamiento.
- `auto`: puede que sea la opción más utilizada, esta opción analiza el contenido del bloque, y si el contenido que se desea mostrar es mayor que el espacio del bloque, muestra una barra de desplazamiento (como `scroll`). Por el contrario, si todo se muestra y está visible, no se mostrará la barra de desplazamiento.

11. Uso de padding y margin

Se trata de dos propiedades muy sencillas y que conviene dominar perfectamente, tanto por su sintaxis en CSS, que es realmente práctica, como por su importancia en la visualización estética de una página.

La primera, `padding`, permite definir el margen interior de un bloque. Sin este `padding`, si el bloque contiene texto, se mostrará pegado al borde del bloque. Para airear un poco será posible escribir:

```
padding: 4px ;
```

El bloque tendrá, ahora, un margen interno de 4 píxeles, en los cuatro lados.

Para aplicar valores diferentes en cada uno de los lados, la sintaxis puede realizarse anotando el margen superior (5px) en primer lugar, seguido del derecho (0px), el inferior (3px) y el margen interior izquierdo (0px) para terminar.

```
padding: 5px 0 3px 0;
```

Los valores están separados por un espacio.

Si solo se escriben dos valores, el primero se corresponde con los márgenes interiores superior en inferior, y el segundo valor se aplica a los márgenes derecho e izquierdo.

Si solo se indica un valor, se aplica a los cuatro lados.

Es posible, también, indicar el nombre de un margen y asignarle el valor correspondiente.

```
padding-left: 5px ;
padding-bottom: 4px ;
```

`padding` se ocupa, por tanto, del margen interior y se asocia a menudo con `margin`, que gestiona el espacio fuera del bloque.

`margin` va a ser muy útil para organizar el espacio entre los bloques. Estas dos propiedades utilizan las mismas reglas de sintaxis, será posible definir:

```
margin: 2px 2px 3px 10px;
```

La propiedad `margin` puede utilizarse para centrar un bloque, en este caso se aplicará el valor `auto`. Con este valor, el navegador calcula él mismo el margen.

```
margin: 0 auto;
```

El código anterior aplica un margen exterior de 0 arriba y abajo. Los lados derecho e izquierdo están en `auto`. El bloque aparecerá centrado en la página.

12. Las variables

Actualmente, CSS permite almacenar información en las variables. Así, si utilizamos el mismo color muchas veces, algo bastante habitual, se le puede poner un nombre a ese color para, a continuación, utilizar ese nombre en lugar del color.

El nombre deberá comenzar por dos guiones: `--mi-color`.

Para ello, vamos a utilizar `:root{}`, que apuntará a la raíz del documento.

```
:root {
  --color-fondo:#007DB7;
  --padding-default:10px;
}
```

Con este tipo de sintaxis al principio del archivo CSS, las variables serán accesibles y utilizables en el archivo. Ellas permitirán agrupar muchos elementos de la tarjeta gráfica, tales como los colores.

Es necesario usar la palabra clave "`var`" para utilizar una variable CSS.

Para utilizar una variable, escribiremos:

```
#marcoTop header { /* o cualquier otro selector */
background-color: var(--color-fondo);
}
```

13. Las propiedades decorativas (sombra, degradado, redondeo...)

Tomemos el caso de la propiedad `box-shadow`:

```
box-shadow:0px 0px 5px 2px #000 inset;
```

`box-shadow` crea una sombra por detrás del bloque, como si estuviera algo elevado sobre la página. Los dos primeros valores, aquí a `0px`, indican la posición x e y de la sombra respecto al bloque. El tercer valor, `5px`, indica que la sombra tiene un radio de influencia que se extiende 5 píxeles. El valor `2px` indica el tamaño de la sombra. El último valor es para el color de la sombra, negro en este caso.

El último valor `inset` no es obligatorio. De hecho, solo los dos primeros valores y el color son obligatorios. Sin la palabra `inset`, la sombra está en el exterior del bloque. Con `inset` está en su interior.

Es posible crear varias sombras, una exterior y otra interior, separándolas mediante una coma:

```
box-shadow:0px 0px 20px 2px #0F0 inset, 0px 0px 5px 10px #F00;
```

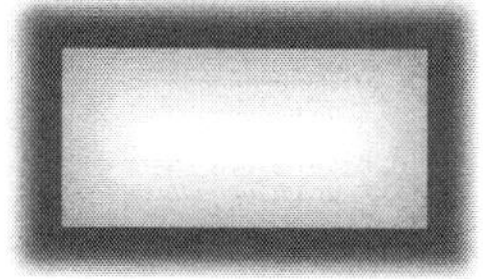

Es posible, actualmente, realizar degradados muy atractivos en CSS. También en este caso, cada navegador acepta una sintaxis diferente.

El sitio http://www.colorzilla.com/gradient-editor/ proporciona un generador que facilita la sintaxis y ayuda a producir un código válido para todos los navegadores.

El siguiente ejemplo muestra las distintas maneras de escribir un degradado:

```
background: -moz-linear-gradient(top,  #1e5799 0%, #2989d8 50%,
#207cca 51%, #7db9e8 100%);
```

En Firefox, la palabra `top` indica que el degradado comienza en la parte superior. Al principio, en el 0%, tenemos un color de partida (#1e5799), que se va degradando automáticamente hacia abajo sobre la mitad de la zona a rellenar (50 %) con el segundo color (#2989d8). A continuación, en el 51% de la altura total, se comienza otro degradado con un nuevo color (#207cca). Por último, este degradado termina en la parte inferior de la página (100 %) con el último color (#7db9e8).

La sintaxis para los demás navegadores es similar.

```
background: -webkit-linear-gradient(top,  #1e5799 0%,#2989d8
50%,#207cca 51%,#7db9e8 100%);

background: -o-linear-gradient(top,  #1e5799 0%,#2989d8
50%,#207cca 51%,#7db9e8 100%);

background: -ms-linear-gradient(top,  #1e5799 0%,#2989d8
50%,#207cca 51%,#7db9e8 100%);
```

La sintaxis por defecto requerida por el W3C precisa de otra manera el punto de partida: `to bottom` en lugar de `top`.

```
background: linear-gradient(to bottom,  #1e5799 0%,#2989d8
50%,#207cca 51%,#7db9e8 100%);
```

Debemos prever, de cualquier modo, un color de fondo sin degradado para las versiones más antiguas de los navegadores, que no saben cómo gestionar el degradado.

```
background: #1e5799;
```

Puede consultar el sitio http://css3generator.com para crear sus propios estilos mediante un formulario y copiarlos en su propio archivo CSS.

Por fortuna, los navegadores evolucionan. Ya no es necesario escribir sistemáticamente los prefijos:

– `webkit` (Chrome y Safari);

– `o` (Opera);

– `ms` (Microsoft);

– `moz` (Mozilla Firefox);

Los navegadores han integrado la mayoría de los comandos CSS, como `transition:` o `transform:`. Pero sigue habiendo diferencias entre los navegadores que hacen que debamos ser prudentes y tengamos que comprobar la visualización de la página para cada uno de ellos.

Los filtros

Puede ser práctico desenfocar una zona para resaltar lo que no está desenfocado o para conseguir ciertos efectos visuales. Puede hacerse escribiendo:

```
filter: blur(2px);
```

El elemento de tipo imagen, texto u otro se desenfocará hasta que deje de ser reconocible si el valor en píxeles es demasiado elevado.

Comprobémoslo con un ejemplo:

– Esta es la imagen por defecto:

– Aquí tenemos la misma imagen con una regla de estilo: `filter: blur (3px)`

– Y, de nuevo, la misma imagen con un desenfoque de 10px:

Otro ejemplo con el filtro: `drop-shadow()`.

Este efecto proyecta una sombra y requiere varios parámetros, tales como el decalaje en x, el decalaje en y, el radio de desenfoque y el color.

```
.textoSombraproyectada {
      filter: drop-shadow(4px 4px 3px #000)
}
```

Observación

Siempre se debe poner un punto y coma (;) al final de la frase en el CSS. Pero si es la última instrucción y va seguida de una llave de cierre(}), el punto y coma no es obligatorio. No obstante, se recomienda ponerlo por si se añaden instrucciones CSS después de esta línea. Por lo tanto, lo más sencillo es poner un punto y coma siempre.

Lo que provocará este efecto en el texto:

Sin sombra proyectada...

¡Con sombra proyectada!

Para saber más sobre todos los filtros existentes, la página https://developer.mozilla.org/fr/docs/Web/CSS/filter-function se actualiza cada vez que se produce alguna modificación o se crea un nuevo comando relacionado con los filtros.

14. Las columnas en el texto

Desde hace relativamente poco es posible aplicar un estilo que va a crear columnas, de manera muy sencilla.

Pero ¿para qué resulta interesante organizar el texto en columnas? Para realizar un efecto como de prensa en formato escrito. Las revistas y los periódicos contienen, la mayoría, artículos escritos en varias columnas.

Puede que usted haya leído alguna vez un libro y se haya equivocado de línea, volviendo a leer la misma línea dos veces. Este tipo de problemas son los que permiten evitar las columnas. Cuando el texto se escribe en distintas columnas, cada línea ocupa un ancho más reducido, y resulta mucho más sencillo ir a la siguiente línea, con una lectura y una representación visual más simples. Éste es el principal interés de las columnas. El ejemplo que se muestra en el archivo **4_14_columna.html** pone de relieve este principio.

Lorem ipsum dolor sit amet, consectetur adipisicing elit, sed do eiusmod tempor incididunt ut labore et dolore magna aliqua. Ut enim ad minim veniam, quis nostrud exercitation ullamco laboris nisi ut aliquip ex ea commodo consequat. Duis aute irure dolor in reprehenderit in voluptate velit esse cillum dolore eu fugiat nulla pariatur. Excepteur sint occaecat cupidatat non proident, sunt in culpa qui officia deserunt mollit anim id est laborum.

Hasta hace relativamente poco, para crear columnas, se construían distintos bloques posicionados uno al lado del otro, y se rellenaban con el texto correspondiente. Pero cuando el texto provenía del servidor o de una base de datos, este método era prácticamente imposible de realizar.

La propiedad `column-count` va a permitir definir el número de columnas y va a dividir automáticamente la zona. Resulta muy sencillo.

```
-moz-column-count:3;
-webkit-column-count:3;
-o-column-count:3;
column-count:3;
```

Es posible configurar `column-width` para definir el ancho de las columnas en píxeles.

```
div { column-width: 100px }
```

Si se utiliza `column-width` además de `column-count`, entonces `column-count` indica el número máximo de columnas.

La propiedad abreviada, que combina `column-width` y `column-count`, es la propiedad `columns` (con una "s").

```
div { columns: 3 100px }
```

La propiedad gap define el espacio entre las columnas.

```
-moz-column-gap:11px;
-webkit-column-gap:11px;
-o-column-gap:11px;
column-gap:11px;
```

Es posible realizar un trazo en el espacio entre las columnas utilizando la propiedad column-rule, e indicando el tamaño, el tipo de trazo y el color, como con un borde.

```
column-rule-width:1px;
column-rule-color:#cbcefb;
column-rule-style:dotted;
```

En efecto, no debemos olvidar los prefijos para los distintos navegadores, aquí con la propiedad abreviada que define el tamaño, el tipo y el color del trazo:

```
-moz-column-rule: 3px solid #ccc;
-webkit-column-rule: 3px solid #ccc;
-o-column-rule: 3px solid #ccc;
-s-column-rule: 3px solid #ccc;
column-rule: 3px solid #ccc;
```

El sitio del W3C detalla todo esto: https://www.w3.org/TR/css3-multicol/

15. Las transformaciones 3D

En el archivo **4_15_transformacion3D.html** se encuentra un ejemplo funcional.

En la sección HTML, tenemos en primer lugar un botón que, tras hacer clic en él, hace girar una zona sobre sí misma respecto al eje Y. Está seguida del div que contiene las dos caras, que tiene por id zonaRota.

```
<input type="button" onclick="rotacion3D();" value="3D" />
<div id="zonaRota">
    <div class="cara">De cara</div>
    <div class="cruz cara">De cruz</div>
</div>
```

Ambas caras son, de hecho, dos div. Poseen, ambas, la clase cara, que permite posicionarlas en zonaRota y volver su cara visible.

La segunda cara tiene, además, la clase `cruz`, para la cruz, que sirve esencialmente para dar la vuelta al div, produciendo un efecto de rotación de 180° sobre el eje Y.

En `zonaRota` existen, por tanto, dos div que están cara a cara.

Contienen un texto bastante arbitrario, aunque también es posible incluir otros elementos, imágenes, etc.

Lo esencial se realiza en el código CSS, examinemos primero el código JavaScript incluido en la página HTML:

```
var cara= true;

function rotacion3D() {
    var zona = document.getElementById('zonaRota');
    if (cara) {
        zona.className = "rota";
    } else {
        zona.className = "";
    }
    cara = !cara;
}
```

Tenemos, en primer lugar, una variable `cara`, una variable booleana que vale verdadero (`true`) por defecto y que supone que la cara se muestra por defecto, y no la cruz.

Cuando se invoca a la función `rotacion3D` tras hacer clic con el botón sobre la zona correspondiente, almacena en la variable zona el div, que se llama `zonaRota`, y que contiene ambas caras.

A continuación, se realiza una comprobación sobre la variable booleana, que permite indicar si es verdadera o falsa. Si el resultado es verdadero, la palabra `className` permite agregar el estilo de clase `rota` al contenedor principal `zonaRota`. Esta clase CSS permite realizar la rotación.

Si la variable booleana `cara` vale falso, entonces se eliminan las clases de `zonaRota`, lo que anula la rotación y volverá a la posición inicial.

Para terminar, la variable booleana recibe el valor opuesto a su valor actual, para que en la siguiente llamada a la función `rotacion3D` el resultado del `if()` sea diferente y la animación se realice con cada clic sobre el botón 3D simplemente agregando o suprimiendo la clase `rota`.

Para la sección CSS:

```
#zonaRota {
    width: 200px;
    height: 200px;
    -webkit-transform-style: preserve-3d;
    -webkit-transition: all 0.5s ease-out;
    -moz-transform-style: preserve-3d;
    -moz-transition: all 0.5s ease-out;
    -o-transform-style: preserve-3d;
    -o-transition: all 0.5s ease-out;
    transform-style: preserve-3d;
    transition: all 0.5s ease-out;
}
```

Se dimensiona el contenedor principal `zonaRota`, a continuación se inicializan las propiedades de transformación (para la rotación) y de transición (para la animación). La sección siguiente completa todo esto y explica las transiciones.

Observación

No es obligatorio agregar una transición. Esto aporta dinamismo, en lugar de cambiar de una cara a otra sin ninguna transición. Por el contrario, no debemos perder de vista que la intención es mostrar una cara y, a continuación, la otra, y no mostrar una animación. Para ello, la transición debe ser lo suficientemente rápida, de modo que ***medio segundo*** *es una duración correcta para este tipo de efectos.*

Es obligatorio, por el contrario, escribir `transform-style:preserve-3d;` para que la transición 3D se realice correctamente en el flujo de representación.

La zona principal está, ahora, lista para realizar la animación.

Las dos zonas que están cara a cara utilizan el estilo de clase `cara`. Es la propiedad `backface-visibility` la que permite ocultar (`hidden`) la cara cuando se da la vuelta. Sin esto, sería el texto opuesto, de cruz, el que se mostraría.

```
.cara {
    position: absolute;
    width: 100%;
    height: 100%;
    background-color:#aaa;
    -webkit-backface-visibility: hidden;
    -moz-backface-visibility: hidden;
    -o-backface-visibility: hidden;
    backface-visibility: hidden;
}
```

El estilo CSS siguiente se escribe `.cruz.cara` para imponer el uso de ambas clases en la sección HTML (`class="cruz  cara"`). Esta combinación permite aplicar al div una rotación de 180° en el eje Y para dar la vuelta a la cruz mediante el `transform`.

```
.cruz.cara {
    display: block;
    -webkit-transform: rotateY(180deg);
    -webkit-box-sizing: border-box;
    -moz-transform: rotateY(180deg);
    -moz-box-sizing: border-box;
    -ms-transform: rotateY(180deg);
    -ms-box-sizing: border-box;
    -o-transform: rotateY(180deg);
    -o-box-sizing: border-box;
    transform: rotateY(180deg);
    box-sizing: border-box;
    padding: 10px;
    color: white;
    text-align: center;
    background-color: #aaa;
}
```

La propiedad `box-sizing` permite asegurar que ambas caras tienen la misma dimensión. Precisando `border-box`, permite tener una dimensión que tiene en cuenta los márgenes y los bordes. Sin esto, los valores por defecto pueden provocar que los lados no tengan exactamente las mismas dimensiones (debido a los márgenes, por ejemplo), y será algo menos estético.

Puede obtener más información aquí:
https://developer.mozilla.org/es/docs/Web/CSS/box-sizing

Para terminar, la clase `rota` permite realizar una rotación de 180° sobre el eje Y, como con `cruz`, posee, a su vez, una sombra que se mostrará con la rotación. Ésta es la clase que se agrega o suprime al contenedor principal, `zonaRota`, y que permite realizar la rotación del conjunto cuando se agrega (vista de cruz) y volver a la vista normal (`cara`) cuando se suprime.

```
.rota {
    -webkit-transform: rotateY(180deg);
    -moz-transform: rotateY(180deg);
    -ms-transform: rotateY(180deg);
    -o-transform: rotateY(180deg);
    transform: rotateY(180deg);
    box-shadow: -5px 5px 5px #aaa;
}
```

16. Las transiciones y animaciones

Es posible realizar animaciones en CSS. Esto, de hecho, se realiza en dos etapas. En primer lugar, deben definirse las imágenes clave (*keyframes*) mediante la palabra clave `@keyframes` seguida del nombre que se desea dar a la animación.

Cuando se utiliza una animación, se debe indicar su duración. La definición de la animación no espera un tiempo concreto, sino un porcentaje de tiempo.

```
@keyframes blink_anim {
    0% { color: #D00; }
    100% { color: #666; }
}
```

Se define que, al inicio de la animación, en el 0%, el color sea rojo (#D00). Al final de la animación, alcanzado el 100% del tiempo, bien sea tras 1 segundo o tras 10 segundos, el color será gris. La duración de la animación se definirá cuando se utilice la animación `blink`:

```
.blink {
    animation: blink_anim 1s linear infinite;
}
```

Aquí, el estilo de clase `.blink` utiliza la animación `blink_anim` durante 1 segundo. De esta forma, el texto pasará de rojo a gris en 1 segundo.

La palabra clave `linear` indica que el paso del 0 al 100% se realizará de manera constante. Es posible, no obstante, configurar una aceleración al inicio o al final para darle algo más de ritmo a la aplicación.

El sitio alsacreations proporciona, en la dirección https://developer.mozilla.org/en-US/docs/Web/CSS/transition-timing-function/ ilustraciones que permiten comprender este concepto de aceleración.

Si está previsto que una animación dure un segundo, no durará más. Por el contrario, en función de la aceleración que seleccionemos, la animación podrá ser más rápida al principio que al final utilizando el valor `ease`. El valor `ease-in` es más lento al principio para terminar con una velocidad lineal, mientras que `ease-out` empieza con una velocidad constante para ralentizar al final. El último valor posible, `ease-in-out`, produce una ralentización al principio y al final.

La última palabra, `infinite`, indica que la animación se producirá en un bucle sin final, es decir, cuando se alcance el 100% se retomará en el 0% de nuevo.

En este caso, puede resultar interesante configurar los mismos valores al inicio y al final de la animación.

```
@keyframes blink_anim {
    0% { color: #D00; }
    50% { color: #666; }
    100% { color: #D00; }
}
```

La animación anterior, si se configura en bucle infinito, se producirá sin cortes. Si la duración es superior a 2s, obtendremos la misma animación que teníamos en la página anterior, pero sin tener un cambio brusco en el nivel de color.

```
.blink {
    animation: blink_anim 2s linear infinite;
}
```

A continuación, el código HTML no cambia en su funcionamiento, y basta con utilizar el estilo de clase `blink`.

```
<span class='blink'>Texto que parpadea</span>
```

El sitio http://daneden.github.io/animate.css/ muestra muchos ejemplos realizados con este método.

Ejercicio: un reloj que se balancea

Crear una animación representando un rectángulo que se balancea como un péndulo.

En el capítulo de JavaScript, en la sección Gestión de los timers (setTimeout(). SetInterval().Date), añadiremos la hora con JavaScript.

17. El diseño responsivo y las media queries

Lo que se denomina *responsive design* es un diseño que se adapta en función del tamaño de la pantalla y de la posición (vertical o apaisada) de un dispositivo como una tableta o un smartphone.

El diseño se va a poder adaptar, siempre que el webmaster cree todas las adaptaciones posibles. Conviene prever, si el tamaño de la pantalla está comprendido entre unas dimensiones concretas, que ciertos estilos se reescriban en consecuencia. Para otras dimensiones, se utilizarán siempre los mismos estilos (de clase, de etiqueta y de id), que se reescribirán para que todos los elementos estén visibles y sean accesibles.

Para detectar la resolución de la pantalla, tenemos las media queries, que "consultan" la pantalla para obtener la información correspondiente y saber en qué resolución se está mostrando la página HTML. Su funcionamiento es el siguiente: "si la zona de visualización de la página tiene una dimensión comprendida entre 800px y 1200 px, se utilizará una hoja de estilo. Si se está trabajando en otro rango, se utilizará otra hoja de estilo."

Esto va a requerir cierto trabajo, prever la visualización para un teléfono pequeño o una gran pantalla. Lo más sencillo es configurar el sitio para una pantalla estándar y, a continuación, adaptarlo a los distintos tamaños de pantalla.

El uso de las media queries puede realizarse directamente en la llamada desde la página HTML al archivo CSS. En el siguiente ejemplo, se cargará el archivo screen640.css si la visualización está destinada a una pantalla (y no a una impresora, puesto que el medio de destino es una pantalla (screen)) con un ancho superior a 200 píxeles e inferior a 640 píxeles.

```
<link rel="stylesheet" media="screen and (min-width: 200px) and
(max-width: 640px)" href="screen640.css" type="text/css" />
```

A continuación será posible configurar otras etiquetas `<link>` para otras dimensiones:

```
<link rel="stylesheet" media="screen and (min-width: 640px) and
(max-width: 800px)" href="screen800.css" type="text/css" />
```

Para organizar los archivos CSS debemos prever, por ejemplo, un archivo que contenga todos los estilos que no cambien sea cual sea el tamaño de la pantalla, y otros archivos que permitan reposicionar y redimensionar la página en función del tamaño del soporte.

Es posible detectar otra información correspondiente al medio de visualización, se trata de la orientación. Esto se va a aplicar en smartphones y tabletas. Es posible precisar, por tanto:

```
<link rel="stylesheet" media="screen and (orientation:landscape)
and (min-width: 200px) and (max-width: 640px)"
href="screen640Apaisado.css" type="text/css" />
```

Las dos opciones posibles para la orientación son `landscape` y `portrait`. Por defecto, una pantalla de ordenador está en posición apaisada (`landscape`).

Si el sitio no necesita el uso de muchos estilos, pueden escribirse en un único ancho, pero será mucho más voluminoso.

```
.titulo {
    color:#800;
    font-family: Arial, sans-serif;
}

@media screen and (min-width: 200px) and (max-width: 640px) {
    .titulo {
        font-size:16px;
    }
}

@media screen and (min-width: 640px) and (max-width: 800px) {
    .titulo {
        font-size:18px;
    }
}

@media screen and (min-width: 800px) and (max-width: 1024px) {
    .titulo {
        font-size:20px;
    }
}

@media screen and (min-width: 1024px) {
    .titulo {
        font-size:24px;
    }
}
```

Aquí, el estilo de clase `titulo` se escribirá, siempre, en letra Arial de color rojo. A continuación, el tamaño del texto se definirá en función del ancho de la pantalla y se adaptará al soporte para estar siempre visible.

Container queries @container

Las container queries permiten aplicar estilos a un elemento en función del tamaño de su contenedor padre, en lugar del tamaño global de la página, como ocurre con las media queries. Esto resulta muy interesante para crear componentes modulares y reutilizables.

Ejemplo de uso

```
.contenedor-tarjeta {
  container-type: inline-size; /* Define el contenedor por su anchura */

  container-name: tarjeta; /* Opcional, para nombrar el contenedor */
}

.tarjeta {
  background-color: lightgray;
  padding: 1rem;
}

/* Estilos aplicados cuando el contenedor .contenedor-tarjeta es más
estrecho que 400px */
@container trajeta (width < 400px) {
  .tarjeta {
    flex-direction: column; /* Ejemplo: pasar de une disposición
horizontal a vertical */
  }
  .tarjeta-imagen {
    width: 100%;
  }
}
```

HTML

```
<div class="contenedor-tarjeta">
  <div class="tarjeta">
    <img src="imagen.jpg" alt="Descripción"
class="tarjeta-imagen">
    <h2>Titre de la carte</h2>
    <p>Texto descriptivo.</p>
  </div>
</div>
```

18. El menú hamburguesa

Un menú hamburguesa es un menú que no se puede visualizar cuando la pantalla del dispositivo es demasiado pequeña. Para abrir este menú, el usuario puede hacer clic en el símbolo ≡.

La idea es que el menú se muestre totalmente si la pantalla es suficientemente ancha y, en caso contrario, se represente mediante este símbolo (≡), que en teoría se parece a una hamburguesa y le da el nombre a este tipo de menú. Podemos comprobar su funcionamiento con los archivos de la carpeta 4_18_hamburguesa.

Esto es lo que veremos si la pantalla es lo bastante ancha:

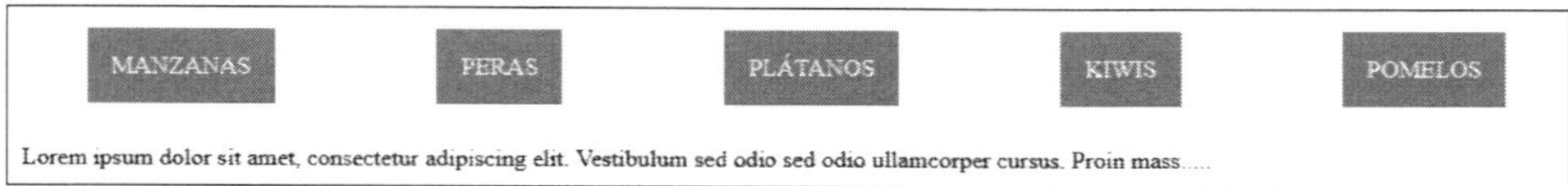

Y esto, cuando la pantalla sea más pequeña:

Cerrado

Lorem ipsum dolor sit amet, consectetur adipiscing elit. Vestibulum sed odio sed odio ullamcorper cursus. Proin mass.....

Abierto

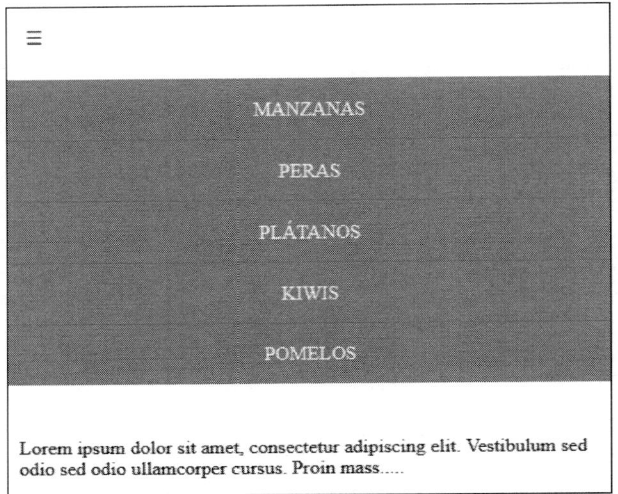

Veamos el código con el que se obtiene automáticamente este tipo de menú.

Código HTML

```
<body>
    <input type="checkbox" id="menuHamburguesa">
    <label for="menuHamburguesa">☰</label>

    <nav role="navigation" id="navMenu">
        <ul>
            <li><a href="#">Sección1</a></li>
            <li><a href="#">Sección2</a></li>
            <li><a href="#">Sección3</a></li>
            <li><a href="#">Sección4</a></li>
            <li><a href="#">Sección5</a></li>
        </ul>
    </nav>

    <div class="contenido">
        <p>Lorem ipsum dolor sit amet, consectetur adipiscing elit.
Vestibulum sed odio sed odio ullamcorper cursus. Proin mass..... </p>
    </div>

</body>
```

Examinemos este código HTML.

Dentro de `<body>`, la primera etiqueta es una `input` de tipo `checkbox` cuyo id es **menuHamburguesa**. Esta etiqueta será el núcleo de funcionamiento del menú hamburguesa. Una checkbox solo tiene dos estados posibles: puede estar seleccionada o no.

El mecanismo se implementa de tal forma que, si la casilla está seleccionada, el menú se muestra en toda la anchura de la pantalla, y si no está seleccionada, solo aparece el símbolo de la hamburguesa.

Utilizaremos un truco bastante corriente: la casilla de selección no será visible para el usuario gracias al CSS. Pero el código sí que podrá acceder a su estado, ya esté seleccionada o no. Bastará con hacer que la casilla se seleccione si el usuario hace clic en el símbolo hamburguesa y, en tal caso, se mostrará el menú. Todo esto se entenderá más fácilmente cuando veamos el código CSS. Pero terminemos primero con el HTML.

La etiqueta siguiente es una etiqueta **label**, que muestra el símbolo ≡ y que contiene el atributo **for="menuHamburguesa"**. Pero el id de la checkbox es, precisamente, **menuHamburguesa**. Por lo tanto, pulsar el símbolo del label será equivalente a hacer clic en la checkbox.

De momento, este código permite seleccionar o deseleccionar la checkbox haciendo clic en el label. En la continuación del código HTML, hay una etiqueta **nav** que contiene una lista con los enlaces del menú. Abajo se encuentra, por ejemplo, una etiqueta `<div>` con el texto de la página.

Veamos ahora el código CSS de esta página para acabar de comprender su funcionamiento.

Este es el código que permite ocultar la checkbox mediante la instrucción:

```
display: none;
input#menuHamburguesa {
    display: none;
}
```

Una transición para que el contenido se desplace en 500 ms durante la aparición o desaparición del menú:

```
.contenido {
    transition: margin .5s ease;
}
```

Las etiquetas <p> (párrafo) que estarán en cada elemento de la clase `contenido` tendrán un padding (un margen interior) de 10px.

```
.contenido p {
    padding: 10px;
}
nav#navMenu {
    height: 0;
    opacity: 0;
}
```

La etiqueta <nav> con el id: `navMenu` tendrá por defecto una altura y una opacidad de cero. Dicho de otro modo, será invisible por defecto. La lista no mostrará nada:

```
nav#navMenu ul {
    list-style: none;
}
```

El comando `display: flex` permitirá mostrar el menú horizontal o verticalmente:

```
nav#navMenu ul li a {
    text-transform: uppercase;
    background: hsl(102, 100%, 39%);
    border-bottom: 1px solid hsla(0, 0%, 0%, .1);
    color: white;
    text-decoration: none;
    display: flex;
    justify-content: center;
    padding: 1rem;
}

label[for="menuHamburguesa"] {
    margin: 1rem;
    display: block;
    width: 30px;
    height: 30px;
}
```

El comando siguiente es un poco más complejo o, al menos, el selector. Este comando selecciona la clase `.contenido` que está situada justo después de la checkbox cuando esta última está seleccionada. La virgulilla ~ permite seleccionar un elemento (en este caso `.contenido`) si este último está precedido de la checkbox seleccionada (`checked`).

```
input#menuHamburguesa:checked ~ .contenido {
    margin-top: 18rem;
}
input#menuHamburguesa:checked~nav#navMenu {
    transition: opacity 1s;
    opacity: 1;
}
```

Para terminar, las media queries, que hemos estudiado en la sección El diseño responsivo y las media queries de este capítulo, permiten modificar la visualización en función del tamaño de la pantalla. Más allá de la composición, el elemento importante que se debe destacar es el hecho de pasar la etiqueta `ul` a `flex-direction: row;` para mostrar el menú en una línea, sabiendo que si no se precisa nada para la etiqueta `ul`, se visualizará en columna porque es la visualización por defecto de una lista.

```
@media screen and (min-width:37.5rem) {
    body {
        overflow-x: hidden;
    }
    input#menuHamburguesa:checked ~ .contenido {
        margin: 0 0 0 9rem;
    }
    nav#navMenu ul {
        width: 9rem;
    }
}
```

```
@media screen and (min-width:62.75rem) {
    label[for="menuHamburguesa"] {
        display: none;
    }
    nav#navMenu {
        height: auto;
        opacity: 1;
    }
```

```
    nav#navMenu ul {
        display: flex;
        justify-content: space-around;
        flex-direction: row;
        width: auto;
        margin: 1rem auto;
    }
}
```

19. El donut

Mientras un sitio web espera que lleguen los datos del servidor, se suele advertir al usuario mostrando por ejemplo una pequeña animación de un dibujo girando sobre él mismo. El uso de un Gif animado es una solución, pero nosotros vamos a ver cómo diseñar una especie de donut que gira sobre símismo.

Para dividir las etapas va a ser necesario, en primera instancia, dibujar un cuadrado con un lado coloreado.

Después, redondeamos el cuadrado y una animación lo hará girar sobre él mismo.

Código HTML

```
<section class="container">
      <div class ="donut-espera"></div>
</section>
```

En este código HTML hay, simplemente, unà sección que va a servir de receptáculo para el donut y un div para el dibujo del donut.

Código CSS

```
.container {
      position: absolute;
     left:50%;
      top:50%;
     transform: translate(-50%, -50%);
}
```

```
.donut-espera {
     width: 50px;
     height: 50px;
      border: 5px solid #ccc;
       border-top-color: #0037ff;
}
```

Para la clase .container, el código CSS permite centrar la sección en el centro de la página sean cuales sean las dimensiones de la misma.

Como recordatorio, left y top van a desplazar la sección un 50% respecto a la página, mientras que transform, va a desplazar el contenedor un 50% respecto a su propio tamaño.

Ya que la sección no tiene dimensiones, serán las de su contenido, la clase .donut-espera, las que se tengan en cuenta.

Después es necesario transformar nuestro cuadrado en círculo, y para ello añadiremos un border-radius al 50% a la clase .donut-espera.

```
.donut-espera {
     /* ... */
     border-radius:50 %;
}
```

Pasemos ahora a la parte de la animación

Vamos a crear una animación gracias a la propiedad @keyframes.

```
@keyframes donut-rotacion {
     0%   { transform: rotate(0deg); }
     100% { transform: rotate(360deg);}
}
```

El nombre de la animación es: "donut-rotacion". El código que contiene nos indica que a 0%, es decir, al comienzo de la animación, la rotación es de 0deg y a 100%, al final de la animación, la rotación es de 360deg, lo que representa un giro completo.

Bastará luego con precisar, al utilizar esta animación, a qué corresponde el 100% desde un punto de vista temporal.

```
.donut-espera {
     /* ... */
     animation: donut-rotacion 1.5s linear infinite;
}
```

Por lo tanto, tenemos que configurar el atributo `animacion` para que use la animación creada con @keyframe llamada `donut-rotacion`.

Los parámetros siguientes son:

- la duración de la animación, aquí un segundo y medio;
- el tipo de animación, aquí **linear**, lo que significa que la velocidad de rotación será constante, no habrá ni aceleración ni desaceleración;
- y por último, la información **infinite**, que indica que la animación volverá a empezar una vez llegada al final y repetirá la rotación indefinidamente.

Aquí está el CSS completo para la clase `.donut-espera`.

```
.donut-espera{
     width: 50px;
     height: 50px;
     border: 5px solid #ccc;
     border-top-color: #37f;
     border-radius: 50%;
     animation: donut-rotacion 1.5s linear infinite;
}
```

Para terminar, un poco de JavaScript que permite ocultar nuestro donut.

En la práctica, habrá que ocultar el donut en el momento en que la información que se estaba esperando (una carga de página, la recuperación de datos del servidor...) y que nos hizo mostrar el donut de espera, haya llegado a su fin.

En el ejemplo a continuación, el donut se ocultará al evento click.

Aquí está el código JavaScript correspondiente:

```
const donut = document.querySelector('.container');
donut.addEventListener("click", hideDonut);
function hideDonut() {
     donut.style.display = "none";
}
```

La constante `donut` apunta a la clase `.container`, mediante el método `querySelector`.

Un evento está adjunto a esta constante (addEventListener) permitiéndole ejecutar una función al hacer click.

La ejecución de la función (hideDonut) va a modificar la propiedad `display` del donut para ocultarlo (display = "none").

Donut con conic-gradient

Es posible pintar un fondo usando la opción `conic-gradient`, que va a generar un degradado cónico, como su nombre indica.

Podrás ver los detalles de conic-gradient en este enlace:
https://developer.mozilla.org/en-US/docs/Web/CSS/gradient/conic-gradient

Para nuestro donut, vamos a dibujar un disco con un degradado cónico. Añadiremos un círculo blanco en el centro del disco, dando la ilusión de dibujar solo el contorno del círculo.

Ejemplo CSS:

```
background: conic-gradient(red 0% 87%, #ccc 87% 100%);
```

El código anterior dibuja en el fondo un disco cónico, el primer color, el rojo, aparecerá del 0% al 87% de la circunferencia. Y el segundo color, gris, comenzará al 87% y terminará al 100%.

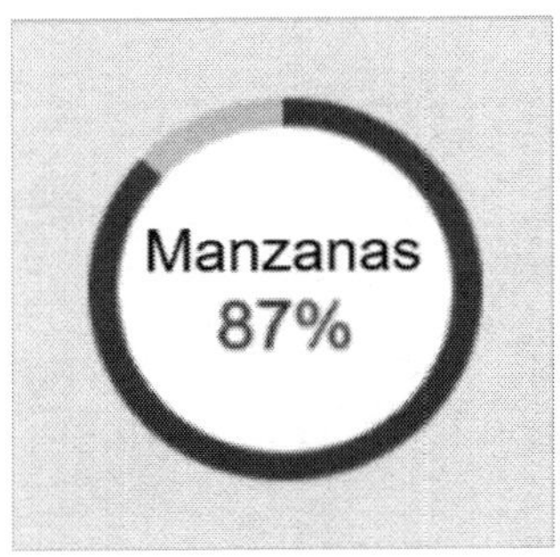

El código HTML utilizado:

```
<section class="container">
     <div class="disco hueco"><span>Manzanas<br>87%</span></div>
</section>
```

La clase `disco` y la clase `hueco` permiten, respectivamente, dibujar las áreas roja y gris mediante `conic-gradient` y el hueco será un círculo blanco centrado.

Para terminar, hay una etiqueta `<span>` que permite mostrar una información en el centro. Aquí el nombre (Manzanas) y el porcentaje.

El código completo del disco:

```
.disco{
     margin: 20px;
     height: 100px;
     width: 100px;
     border-radius: 50%;
     background: conic-gradient(red 0% 87%, #ccc 87% 100%);
}
```

Para el hueco:

```
.disco.hueco{
     display: flex;
     justify-content: center;
     align-items: center;
}
```

No hacemos más que centrar el elemento con la clase `hueco` en el centro del disco.

```
.disco.hueco::after {
     content: '';
     position: absolute;
     height: 85px;
     width: 85px;
     border-radius: 50%;
     background-color: #FFFFFF;
}
```

Con `::after`, creamos un pseudo-elemento, un disco blanco, que estará delante del disco con un degradado cónico.

Es importante fijarse, en este ejemplo, que el disco con el degradado cónico, que tiene la clase disco, tiene una altura de 100 píxeles. El hueco tiene una altura de 85 píxeles. Y esta diferencia (15 píxeles) entre el círculo grande de 100 y el más pequeño de 85, da el grosor del trazo del donut.

```
.container {
     display: inline-flex;
     border: 1px solid #ccc;
     background-color: #eee;
}

.disco{
     margin: 20px;
     height: 100px;
     width: 100px;
     border-radius: 50%;
     background: conic-gradient(red 0% 85%, #ccc 85% 100%);
}

.disco.hueco {
     display: flex;
     justify-content: center;
     align-items: center;
}

.disco.hueco::after {
     content: '';
     position: absolute;
     height: 85px;
```

```
        width: 85px;
        border-radius: 50%;
        background-color: #FFFFFF;
}

.disco.hueco span {
        font-size: 13pt;
        text-align: center;
        z-index: 1;
        font-family: Arial, Helvetica, sans-serif;
}
```

Para terminar con la parte de CSS, está el span, con el texto que se mostrará dentro del donut. Ponemos el "z-index" en 1 para mostrar el texto correctamente delante del disco.

Ejercicio:

Crear el código JavaScript que permita generar varios donuts, cada uno con su propio valor, color y texto.

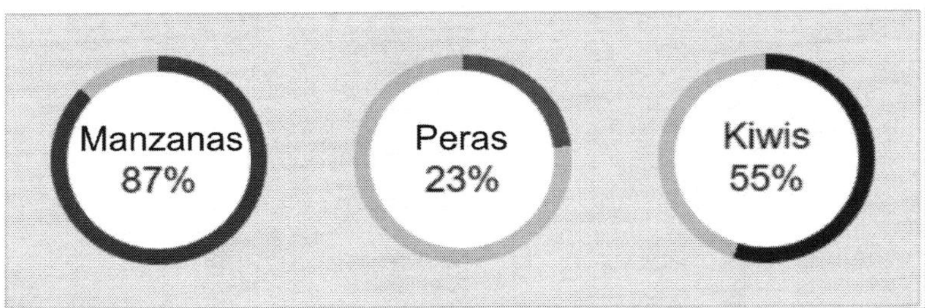

¿Cómo proceder?

Para escribir este código, lo primero que hay que hacer, ya que sabemos fabricar un donut del color deseado y con valores precisos, será revisar y observar el código HTML y CSS existente, y detectar lo que va a cambiar de un donut a otro. Luego será posible generar el código que creará cada donut con sus propiedades.

Una de las cosas que cambiará es la información contenida en el dibujo del degradado cónico.

```
background: conic-gradient(#800 0% 87%, #ccc 87% 100%);
```

Aquí está el color #800 que será necesario modificar gracias a nuestro código JavaScript.

También está el 87% que es la longitud del arco de círculo y que será diferente en otro donut.

Para la parte HTML, también será necesario cambiar el nombre en el span, que aparece en el centro del donut.

Es decir, vamos a generar con JavaScript tantos donuts como queramos. Todos serán idénticos, excepto por **el nombre**, **el color** y **el porcentaje**.

Todos los donuts tendrán una gran cantidad de código HTML y CSS en común, y solo tres diferencias: el color, el porcentaje y el nombre.

Partamos de un ejemplo concreto, donde deseamos crear tres donuts. Por tanto, tendremos que almacenar la información de cada uno de los donuts y poder recuperarla para usarla al generar el código HTML.

Para este tipo de ejemplo, puede ser práctico escribir todo el código HTML que deseamos obtener al final. Esto puede ayudar a darnos cuenta de lo que deberá hacer el código JavaScript.

Y en nuestro caso, sería algo así:

```
<section class="container">
     <div class="disco hueco" style="background: conic-gradient(#800
0% 87%,#ccc 87% 100%);">
           <span>Manzanas<br>87%</span>
     </div>
     <div class="disco hueco" style="background: conic-gradient(#080
0% 23%,#ccc 23% 100%);">
           <span>Peras<br>23%</span>
     </div>
     <div class="disco hueco" style="background: conic-gradient(#008
0% 55%,#ccc 55% 100%);">
           <span>Kiwi<br>55%</span>
     </div>
</section>
```

Así que siempre tendremos las clases `disco` y `huesco`, pero el estilo del background se modifica, personalizándolo para cada donut.

En cuanto al código JavaScript, un array podría contener en cada posición toda la información de un donut.

Es decir, contendrá en cada posición un objeto (en formato JSON) que incluye la información de un donut.

El objeto podría tener esta sintaxis:

```
let unDonut = { prct: 87, nombre: 'Manzanas', color: '#800' }
```

Con esta sintaxis, si queremos acceder al color de nuestro donut, escribiremos:

```
let color = unDonut.color;
```

Accedemos, entonces, al objeto `unDonut` y con el punto ".", podemos recuperar una propiedad del objeto.

Cuando tengamos cada donut en un array, tendremos un código de este tipo:

```
const losDonuts = [
     { prct: 87, nombre: 'Manzanas', color: '#800' },
     { prct: 23, nombre: 'Peras', color: '#080' },
     { prct: 55, nombre: 'Kiwis', color: '#008' }
];
```

La ventaja de usar un array es que solo tendremos un único elemento que manipular, el cual contendrá todos los donuts.

Habrá que iterar sobre el array y recuperar las posiciones una a una. Cuando se recupere una posición del array, es decir, la información de un donut, habrá que acceder a la propiedad deseada, como el color, para mostrarla en el código que vamos a generar.

El código HTML inicial se limitará a un contenedor vacío. En cada iteración del bucle, se generará el código HTML y CSS para un donut, que al final será insertado en el contenedor.

```
<section class="container"></section>
```

Capítulo 5
JavaScript

1. Introducción

Cuando se trabaja en una página, se utiliza en el código HTML una etiqueta para precisar que el código que sigue es código JavaScript y no HTML. Este es el rol de la etiqueta <script>.

```
<script type='text/javascript'>

// aquí se incluye el código JavaScript

</script>
```

2. La lista de tareas

Llegados a este punto del libro, hemos abordado dos lenguajes. El primero, HTML, permite estructurar la representación, y el segundo, CSS, permite entre otros mejorar el aspecto visual de la página. Esto nos habrá permitido darnos cuenta de que hay pocas cosas en común entre ambos lenguajes.

El último lenguaje, JavaScript, es también completamente diferente a los dos anteriores. Por el contrario, muchos lenguajes de programación, como C, C++, C# o incluso Java, PHP o VBScript (y existen muchos otros), se parecen bastante a JavaScript.

Los lenguajes como JavaScript saben realizar bien, necesariamente, tres cosas concretas: **memorizar** una información, **comparar** valores y **repetir** una acción. Por ejemplo, serán capaces de comparar si un valor determinado es mayor o menor que otro, y reaccionar en función del resultado de la comparación, o bien repetir una acción una cierta cantidad de veces o hasta que ocurra algo.

Todo esto es bastante sencillo, de hecho, y basta con aprender a descomponer lo que debería hacer el programa en pequeñas etapas, e incluso descomponer estas etapas en otras más pequeñas.

Para establecer una analogía con la programación en JavaScript, tomemos como ejemplo una receta de cocina y veamos cómo cocinar huevos al plato.

Para preparar huevos al plato, en primer lugar tenemos que romper los huevos sobre una sartén que contenga alguna materia grasa, preferiblemente caliente, esperar algunos minutos hasta que se cocinen, agregar sal, pimienta, y buen provecho.

Esta receta, explicada a una persona que hable nuestro mismo idioma, le permitirá cocinar huevos al plato.

Supongamos que queremos hacer aprender a una máquina a cocinar huevos al plato, de modo que tendremos que descomponer todas las etapas.

En primer lugar, se necesitan los huevos. Es preciso disponer de una variable que represente un pequeño espacio de memoria del ordenador y que contendrá el número de huevos que pueden utilizarse. De momento, esta variable `NumeroDeHuevos` es igual a cero.

A continuación, debemos hacer que esta variable tenga un valor superior o igual a dos. Esto será tras abrir el refrigerador y darnos cuenta de que tenemos huevos suficientes. Si no hay bastantes huevos, tendremos que ir a comprarlos. El programa va a verificar, por tanto, si tenemos suficientes huevos y esperará mientras el número de huevos sea inferior a dos.

Esto, traducido a un pseudolenguaje, da como resultado:

```
NumeroDeHuevosEnElFrigo = 5;
NumeroDeHuevos = 0;
Repetir
    Abrir el refrigerador;
    Si NumeroDeHuevosEnElFrigo > o = 2
    Entonces
          NumeroDeHuevos = 2;
          NumeroDeHuevosEnElFrigo = NumeroDeHuevosEnElFrigo - 2;
    Si no
          Ir a comprar huevos;
          Ponerlos en el frigo;
Mientras que NumeroDeHuevos < 2;
```

Una vez realizadas estas etapas, el número de huevos será suficiente, y será posible pasar a la etapa siguiente. Pero va a ser necesaria una sartén lo suficientemente grande para poner dentro los huevos, hecha de un material que pueda utilizarse en cualquier tipo de sistema de cocción.

También hace falta una cocina u hornillo. Si funciona con gas, conviene que haya suficiente gas para algunos minutos de cocción; si se trata de una placa eléctrica, debe haber electricidad en la toma y la placa debe estar conectada a esta toma. A continuación, se agrega a materia grasa. Y así sucesivamente, etc.

El objetivo es ir mucho más allá en el detalle de esta receta de cocina. Este pequeño ejemplo sirve para mostrar hasta qué punto una acción relativamente sencilla a primera vista está compuesta por numerosas acciones más pequeñas. He aquí donde se encuentra la parte más compleja:
¡des-com-po-ner!

Entremos, ahora, de lleno en el asunto.

3. Variables y asignaciones

Las variables son pequeños espacios de la memoria del ordenador que almacenan información concreta. Esta información puede ser un valor numérico, o una lista completa de habitantes de una gran ciudad que contenga sus nombres, sus números de teléfono, sus edades, etc. Dicho de otro modo, es posible almacenar en una variable elementos simples o complejos.

Poco importa lo que se almacene, la sintaxis en JavaScript para utilizar una nueva variable es algo así:

```
var numeroDeHuevos = 0;
var nombreDelComprador = 'Pepe';
```

La instrucción empieza por la palabra clave `var` escrita en minúsculas.

Esta palabra indica a JavaScript que a partir de esta línea de programa se va a incluir una nueva variable, llamada `numeroDeHuevos`, cuyo valor es, de momento, igual a 0. A continuación, el programa prosigue y encuentra otra variable, `nombreDelComprador`, que se crea. Esta, a su vez, contiene un texto que se almacena en el espacio de memoria.

Si estos elementos de programación se denominan variables es porque su contenido puede cambiar con el tiempo, puede variar.

Observación

Destaquemos que los nombres de las variables están formados por palabras puestas unas a continuación de las otras, con la primera palabra en minúscula, y las siguientes empezando por una letra mayúscula, lo cual produce una sintaxis más legible. Si el nombre de las variables se escribe de otra manera diferente, el programa funcionará sin problema, pero será algo más difícil de releer.

No es posible asignar un nombre cualquier a una variable. JavaScript funciona utilizando palabras propias, que tienen un sentido o que indican una acción a realizar. Si una variable se escribe exactamente de la misma manera que una palabra clave de JavaScript, no será posible saber si se trata de una palabra clave o de la variable, lo cual provocará un error.

Si escribe el nombre de una variable utilizando palabras que explican para qué sirve, este nombre será lo suficientemente complejo para evitar el problema de confusión con las palabras clave.

4. Los tipos de variables

4.1 Los valores numéricos

La programación implica memorizar valores (como ocurría con los huevos, en el ejemplo anterior). En la familia de los valores numéricos, tenemos los números enteros, que se escriben sin coma:

```
var numeroDeHuevos = 12;
```

o los números con decimales, que se escriben con una coma, como un precio, por ejemplo.

```
var precioDeUnHuevo = 0.2;
```

A partir de este momento, es posible realizar cálculos tales como:

```
var precioDeLosHuevos = numeroDeHuevos * precioDeUnHuevo;
```

Aquí, el asterisco es, de hecho, el símbolo de la multiplicación. La variable `precioDeLosHuevos` contendrá, entonces, el coste de una docena de huevos.

Observación

Observe que una instrucción en JavaScript termina con un punto y coma ";", ¡como con CSS!

4.2 El texto y la concatenación

Es posible almacenar, también, texto en una variable. Se escribe de la siguiente manera:

```
var nombre = 'Moisés';
var inicial = "M";
```

Lo que caracteriza al hecho de que la información almacenada sea texto son las comillas simples « ' » o las comillas dobles « " » que contienen el texto.

Si se omiten las comillas simples o dobles, JavaScript creerá que lo que hay tras el signo igual = es otra variable. Por ejemplo:

```
var nombre =  "Moisés";
var cliente = nombre;
```

En este caso, lo que se almacena en la variable `cliente` será el mismo contenido que el que hubiera almacenado en la variable `nombre`.

Supongamos, ahora, que en una página HTML se escribe: "Hola Moisés". De hecho, el objetivo sería escribir "Hola" y, a continuación, mostrar el contenido de la variable `nombre`. Esta variable cambiará en cada caso. Para ello, se escribe la palabra "Hola", que es texto y no es variable, seguida del valor de la variable `nombre`. El operador que permite realizar esta concatenación es el símbolo +. Cuando se escribe este símbolo entre texto y una variable, JavaScript va a enlazar ambas cadenas, es lo que se denomina concatenación.

Un caso práctico sería:

```
alert("Hola " + nombre);
```

Esta línea de código utiliza una función JavaScript del navegador, `alert()`, que abre una ventana modal, es decir, una ventana que bloquea la ejecución del programa hasta que se cierre la ventana haciendo clic en el botón **Aceptar**. Mostrará la información que se escriba entre paréntesis. Si el texto escrito entre paréntesis se ha escrito entre comillas, se mostrará en el `alert()` tal cual. Si no está escrito entre comillas, se trata de una variable, y se mostrará el valor de dicha variable en la ventana.

4.3 Los arrays

Un array (`Array` en JavaScript) permite almacenar diversa información del mismo tipo. Cada información, bien sea texto, valores numéricos u otros, se almacena en una posición referenciada por un número concreto, el índice de un array, de modo que será posible escribir y leer el array.

```
var lista_arr = new Array();
lista_arr[0] = "algunos plátanos";
lista_arr[1] = "champú";
lista_arr[2] = "un kilo de patatas";
lista_arr[3] = "un bote de garbanzos";
lista_arr[4] = "pasta dentífrica";
lista_arr[5] = "una tableta de chocolate";
alert(lista_arr[2]);
```

Si se ejecuta el código anterior, el sistema creará en primer lugar la variable `lista_arr` que será un nuevo array. Esto no es obligatorio, pues el hecho de que el nombre termine por `_arr` permite saber cuando se lee la variable que se trata de un array (`Array`).

A continuación, se escriben seis posiciones del array con un valor. **Cabe destacar que la primera posición de un array es siempre la posición cero**. Para completar el array, debemos indicar la posición del array que nos interesa acceder informando entre corchetes el número de la posición, y a la derecha del signo = el valor que queramos almacenar. En este ejemplo, el array contiene una lista de la compra, pero del mismo modo podría contener valores numéricos o nombres de imágenes.

En nuestro ejemplo, el contenido de la ventana `alert()` será el contenido de la tercera posición del array, dicho de otro modo: un kilo de patatas.

4.4 Los valores booleanos

Los valores boolean (se pronuncia bu-le-an) son un tipo de información particular y resultan muy prácticos en programación. El contenido de una variable booleana solo puede ser `true` (verdadero) o `false` (falso).

```
var comidaPreparada_bool = false;
```

Un programa está compuesto, a menudo, por pequeñas acciones distintas pero dependientes entre sí. El hecho de utilizar una variable booleana va a permitir al ordenador saber si una etapa es válida o no, comprobando si el valor de la variable es `true` o `false` y continuar con una sección de código diferente en cada caso en función del resultado.

Imaginemos que la variable `comidaPreparada_bool` contiene el valor `true`, el programa desencadena una alerta para llamar a todo el mundo a la mesa.

```
Si comidaPreparada_bool tiene el valor true
Entonces
   Llamar a todo el mundo a la mesa
```

Las variables booleanas se utilizan principalmente en la comprobación de condiciones en la sección Las condiciones, y que permiten realizar una selección, es decir, ejecutar ciertas instrucciones si la condición es cierta (`true`) o ejecutar otras instrucciones diferentes si la condición es falsa (`false`).

El ordenador puede considerar una variable de texto como verdadera o falsa, o una variable que contenga un valor como verdadera o falsa.

Examinemos los siguientes casos:

```
var a = 0; // el valor cero.
var b = ""; // comillas vacías
var c = false; // una variable booleana con el valor falso.
```

Si se realiza una comprobación sobre cada una de las tres variables anteriores, el ordenador considerará que las variables son falsas.

Es difícil, en este punto del libro, profundizar más, pues las variables booleanas se utilizan principalmente con las condiciones, que se abordan en la sección Las condiciones.

4.5 Los objetos

Muchos lenguajes informáticos hablan de objetos. En este mundo virtual que es la informática, los objetos no tienen que ver con una taza o un coche, pero tienen características particulares, como una taza o un coche.

Un coche se define, entre otros, por su marca, su color, su potencia y muchas otras características. Estas características representarán un coche.

Un coche puede arrancar y empezar a andar, o frenar para detenerse. Es decir, existen ciertas funcionalidades que son propias de un coche.

En un pseudocódigo informático tendríamos algo del estilo:

```
coche.color = "rojo";
coche.puertas = 5;
coche.potencia = "120 caballos";
```

En la primera línea, el "." entre `coche` y `color` permite saber que se trata del color del coche, el color es una característica propia del coche.

En lo relativo a las acciones que permite realizar un coche:

```
coche.acelera();
```

o bien:

```
coche.frena();
```

El hecho de acelerar o frenar son acciones, mientras que el color o la potencia son, realmente, características.

Hemos visto antes que una variable podía ser un array. Para crear un array, se utilizaba la palabra `new` en el código. Esta palabra indica la creación de un objeto. De hecho, un array es un objeto. Esto significa que además de características, cierto número de posiciones, por ejemplo, también puede realizar acciones, por ejemplo ordenar los elementos que lo constituyen.

Retomemos el array `lista_arr` que habíamos creado más arriba. Podríamos ordenarlo de la siguiente manera:

```
lista_arr.sort();
```

Esta simple línea de código va a recuperar las posiciones del array una por una y las va a ordenar por orden alfabético, puesto que el array contiene texto. Si el contenido del mismo fueran valores numéricos, se ordenarían por orden creciente, con la misma palabra clave `sort()` o por orden decreciente con la palabra clave `reverse()`.

Una vez realizada la ordenación, el contenido de la tabla será:

```
lista_arr[0] = "algunos plátanos";
lista_arr[1] = "champú";
lista_arr[2] = "pasta dentífrica";
lista_arr[3] = "un bote de garbanzos";
lista_arr[4] = "un kilo de patatas";
lista_arr[5] = "una tableta de chocolate";
```

Una variable es, por tanto, un objeto que se define mediante sus características (llamadas propiedades, en programación) y por acciones (llamadas métodos).

Es posible fabricar nuestros propios objetos, pero para poder hacer esto conviene dominar la programación secuencial, que veremos principalmente aquí.

Por el contrario, utilizaremos numerosos objetos que están escritos y listos para su uso, como el array. La ventana del navegador que muestra la página HTML es un objeto que se denomina `window`. Cuando se escribe:

```
alert("Hola");
```

La palabra `alert()` es un método o una función del objeto `window`. Una sintaxis más completa sería:

```
window.alert("Hola");
```

La palabra `window` no es obligatoria en este caso, puesto que todo lo que se hace en HTML está contenido en el objeto `window`.

Observación

Observe la sintaxis de `window` sin una "s" al final, y no "Windows", así como `alert` sin la "a", y no "alerta".

Como hemos podido constatar, una variable JavaScript puede contener diferentes tipos de datos, ya que JavaScript tiene la particularidad de aceptar que una misma variable contenga diferentes tipos de datos en distintas partes del código. Esto puede ser práctico, pero también existe el riesgo de que el desarrollador se pierda un poco en el código.

Por ejemplo, podemos escribir:

```
var toto = "un chico simpático";
toto = 12;
toto = false;
```

En este ejemplo, la variable `toto` se crea una primera vez con la palabra `var` y contiene una cadena de caracteres. Debajo, ya no es necesario escribir la palabra `var` porque la variable ya ha sido creada, pero ahora tiene un valor numérico. Y, en la línea siguiente, es de tipo booleano.

No hay ningún error de sintaxis en este código, pero es imposible hacer un programa si una misma variable tiene un valor numérico y, justo después, uno booleano. El programador se perderá en su propio código.

Hay dos cosas que pueden ser útiles para no armarse un lío. En primer lugar, el nombre de las variables: es algo extremadamente importante. No hay que dudar en poner a las variables unos nombres que indiquen su contenido, es decir, que solo leyendo el nombre de la variable el desarrollador sepa lo que debe contener. El ejemplo anterior quedaría así:

```
var toto_txt = "un chico simpático";
var toto_edad = 12;
var toto_carnetDeConducir = false;
```

Incluso si esto hace que el código se alargue un poco, porque el nombre de las variables es más largo, sabemos que `toto_edad` corresponde a la variable que contiene la edad de toto. Si se llamara `edad`, el programador no sabría a qué persona corresponde esa edad.

Como resumen, se puede establecer una regla: un nombre de variable no debe contener una sola palabra. Intentaremos que el nombre de la variable esté formado por varias palabras y que la simple lectura del nombre de la variable permita conocer su contenido.

Existe una instrucción en JavaScript que indica el tipo de la variable y se puede utilizar en el código para confirmar que la variable es una cadena de caracteres, por ejemplo.

Se trata del comando `typeof`, que permite indicar el tipo de una variable. Solo hay seis posibilidades: `object`, `boolean`, `function`, `number`, `string` (cadena de caracteres) ou `undefined` (la variable no ha sido definida).

Siguiendo con el ejemplo anterior, podríamos obtener lo siguiente:

```
var toto = "un buen chico";
// test para saber si toto es una cadena de caracteres
if (typeof toto === 'string'){
// este es el código para manipular a toto si es una cadena de caracteres.
} else if (typeof toto === 'number'){
// este es el código para manipular a toto si es un valor numérico.
}
```

5. Los operadores

Un operador en JavaScript tiene como objetivo combinar elementos, bien mediante simples fórmulas matemáticas, tales como la suma o la resta, o bien mediante otros métodos más complejos que nos permiten recuperar las cifras pares o comparar información.

Tomemos como ejemplo un programa en JavaScript que contenga una variable `resultado` que tenga el valor 12 y una variable `calculo` que no tenga ningún valor inicial.

```
var resultado = 12;
var calculo;
```

Con los operadores, podemos realizar una suma:

```
var calculo = resultado + 5;
```

Tras la ejecución de esta línea, `calculo` tendrá un valor igual a 12 + 5, es decir 17.

Ocurrirá lo mismo con una resta, una multiplicación o una división.

```
calculo  = resultado - 2; // calculo tendrá el valor 10.
calculo  = resultado * 3; // calculo tendrá el valor 36.
calculo  = resultado / 4; // calculo tendrá el valor 3.
```

módulo

Otro operador que permite realizar un cálculo es el operador módulo. Su símbolo es el porcentaje (%). Devuelve el resto de la división entera.

```
var resultado = 13;
var calculo  = resultado % 4;
```

Si dividimos 13 entre 4, el resultado entero es 3, y el resto es 1. Con el operador %, tendremos que 13%4 (que se lee "trece módulo cuatro") realiza la división entre 4 y devuelve el resto, es decir 1.

Veamos un caso práctico de cómo utilizar el operador módulo.

Situemos elementos, diez en total, en tres columnas. Nuestra página se construye de manera que el primer elemento se sitúa en la posición X = 0, el segundo elemento en la posición X = 100 y el tercero en la posición X = 200.

Gracias al módulo es posible, conociendo el número del elemento que se manipula, posicionarlo en la primera, la segunda o la tercera columna en función de este número.

Veamos el caso de los cuatro primeros elementos.

El primero tiene el índice 0. El cálculo 0%3 (cero módulo tres) devuelve el valor 0, que se corresponde con la primera columna. Funciona bien para el primero.

El segundo, que tiene el índice 1, tendrá que posicionarse en X = 100. El cálculo 1%3 (uno módulo tres), es decir el resto de 1 dividido entre 3, devuelve el valor 1. La fórmula matemática correspondiente sería:

```
var posicion = (indice % 3) * 100;
```

Con el índice, que vale 1, módulo 3, queda 1, y multiplicado por 100 se obtiene 100. Es el resultado esperado.

A continuación, el índice pasa a valer 2. El resto de la visión devuelve 2. La fórmula matemática devuelve la posición con valor 200, correspondiente en nuestro ejemplo a la tercera columna.

Pasemos, ahora, al siguiente índice, el cuarto (que tiene el valor 3). Si el índice tiene el valor 3, la visión entre 3 no devolverá ningún resto. Dicho de otro modo, 3%3 = 0. Si se aplica la fórmula matemática, se obtendrá el valor correcto, que se corresponde bien con la cuarta posición esperada.

Dicho de otro modo, si el índice vale 0, 1, 2, 3, 4, 5, 6, 7, etc., el módulo 3 del índice devolverá, respectivamente: 0, 1, 2, 0, 1, 2, 0...

Observación

Habrá comprendido que, si calcula el módulo 2 de un valor, obtiene 1 si el valor de partida es impar y cero en el caso de un valor par.

Tan solo queda agregar al programa una línea de código que diga, cada vez que se recupera el valor 0, que se debe aumentar el valor de la fila para ir a la siguiente.

+=, -=, *=, /= y %=

Entre las operaciones de cálculo, existen también +=, -=, *=, /= y %=. Son operadores cuyos signos se agrupan; **no existe ningún espacio antes del signo igual**.

Es habitual realizar cálculos que agregan un valor a una variable, por ejemplo un elemento en la pantalla que se desplaza diez píxeles a la derecha, es decir, agrega 10 al valor que tuviera esta variable.

Podríamos escribir:

```
posicion = posicion + 10;
```

Cuando se escribe de este modo, sea cual sea el valor que tuviera `posicion` antes de ejecutar esta línea de código, `posicion` valdrá 10 más a continuación.

Esto puede escribirse de otra manera más breve para obtener el mismo resultado.

```
posicion += 10;
```

Esto quiere decir que se agrega el valor 10 al valor que tuviera `posicion`.

El funcionamiento es el mismo para la resta, la multiplicación y la división.

Otro cálculo que se realiza con frecuencia es el incremento, es decir, el hecho de agregar 1 a una variable. Cuando se cuenta el número de pasos, por ejemplo, cada vez se agrega 1 a la variable.

Es posible escribir esto de las dos maneras siguientes:

```
posicion = posicion + 1;
posicion += 1;
```

Existe una tercera sintaxis que utiliza el símbolo ++, en este caso la sintaxis es:

```
posicion ++;
```

La variable `posicion` se incrementa en 1. Existe, también, el -- que decrementa en una unidad el valor de la variable.

Un aspecto a destacar es la posición del símbolo ++ en una fórmula matemática.

Comparemos los dos programas siguientes:

```
var posicion = 5;
var tamaño = 12;
var calculo;
```

Es posible escribir una combinación de lo que hemos visto antes y tener:

```
calculo = (posicion++) * tamaño;
```

pero también sería posible escribir:

```
calculo = (++posicion) * tamaño;
```

Observación

Los paréntesis aquí no son necesarios. Si se eliminan, no cambia el resultado del cálculo, pero ayudan a la lectura.

En el primer caso, el operador ++ está situado tras la variable, y realizará su incremento una vez calculado el resultado de toda la línea. En efecto, tendremos primero la multiplicación: `posicion` por `tamaño`, es decir 12 * 5 = 60. A continuación se producirá el incremento, y la posición pasará de 12 a 13.

En el segundo ejemplo, el operador se sitúa delante de la variable. En efecto, en este caso se producirá primero el incremento de `posicion`, que pasará de 12 a 13, y a continuación se calculará la multiplicación.

Tendremos, siempre, la posición con el valor 13 tras la multiplicación; pero en el primer caso `calculo` valdrá 12*5, es decir 60, mientras que en el segundo caso `calculo` valdrá 13*5, es decir 65.

Observación

El operador ++ se utiliza, habitualmente, tras la variable. No obstante puede resultar muy útil comprender bien la diferencia entre `posicion++` y `++posicion`, sobre todo si se busca código en Internet que podría contener este tipo de sintaxis.

Para un desarrollador debutante que dude entre situar el operador ++ antes o después de la variable, ¡basta con escribirlo en dos líneas!

De este modo:

```
calculo = (posicion++) * tamaño;
```

podría escribirse:

```
calculo = posicion * tamaño;
posicion++;
```

Y:

```
calculo = (++posicion) * tamaño;
```

podría escribirse:

```
posicion++;
calculo = posicion * tamaño;
```

Existen otros operadores que no realizan ningún cálculo sino que permiten comparar elementos. Son muy útiles en las condiciones, que veremos a continuación.

6. Las condiciones

Las condiciones son comprobaciones que pueden pedirse al ordenador para comparar elementos. Es uno de los aspectos **esenciales** de la programación.

6.1 if, else y las llaves

La sintaxis de una condición no es muy compleja. En el archivo **5_6_1_If.html** puede consultar un ejemplo básico, y utilizaremos otros ejemplos más completos para abordar ciertos conceptos más avanzados en este libro. Por ejemplo, para comprobar si el valor de una variable es superior al de otra variable:

```
var a=5, b=10;
if (a > b) {
    alert("a es mayor que b");
} else {
    alert("a es menor que b");
}
```

En este ejemplo, se declaran e inicializan dos variables. Es posible, de hecho, declarar ambas variables en una única línea, separándolas con una coma. Esto funciona perfectamente, aunque hace que la lectura del código sea un poco más compleja.

A continuación, tenemos el `if()`. En inglés, "if" significa "si" (condicional). Es nuestra condición: si `a` es mayor que `b`.

En los tipos de variables, existe el tipo booleano. El resultado de la comparación que se realiza entre paréntesis será de este tipo. El resultado entre paréntesis será, por tanto, o bien VERDARERO o bien FALSO. No existen más opciones.

El equipo realiza la comparación entre `a` y `b` gracias al símbolo > (mayor que) escrito entre ambas variables, que permite indicar el tipo de comparación. O bien `a` es mayor que `b`, o bien `a` no es mayor que `b`. No existen más opciones.

Si el resultado de la comparación es VERDADERO, entonces JavaScript ejecutará el código que hay escrito entre las dos primeras llaves. En nuestro caso, mostrará una ventana en la que se escribe "a es mayor que b".

La palabra `else` se traduce por "si no". Permite declarar otro juego de llaves que contienen el código que se ejecutará si el resultado de la comprobación es FALSO.

No es obligatorio escribir el `else` seguido de las llaves. Es posible realizar una acción si el resultado es VERDADERO y no hacer nada en caso contrario. En este caso, el código podría ser:

```
if (a > b) {
   alert("a es mayor que b");
}
```

Para agregar algo más de precisión, veamos la utilidad de las llaves.

La condición que se utiliza en el ejemplo anterior podría escribirse de varias formas.

Caso 1:

```
if (a > b)
    alert("a es mayor que b");
```

Caso 2:

```
if (a > b) alert("a es mayor que b");
```

Ambas sintaxis funcionan perfectamente y las verá escritas, seguramente, en muchos scripts.

Si bien funciona, no quiere decir que sea un buen hábito.

En el primer caso, no se escriben las llaves, pero sí existe una cierta indentación al comienzo de la línea del `alert()`. La lectura es algo más fácil que en el segundo caso, puesto que en el primer caso hay una línea de comprobación `if()` y en la línea siguiente la acción a realizar si el resultado de dicha comprobación es VERDADERO.

La utilidad de las llaves es, de hecho, agrupar el código. Es decir, si queremos ejecutar varias acciones, debemos agruparlas entre llaves.

Ejemplo:

```
var a=5, b=10;
if (a > b) {
    alert("a es mayor que b");
    b++;
}
```

En este ejemplo, si `a` es mayor que `b`, entonces JavaScript ejecuta las dos acciones escritas entre las llaves, es decir, mostrar la ventana con el `alert()` e incrementar el valor de la variable `b`.

¿Qué ocurre si no se definen las llaves?

```
var a=5, b=10;
if (a > b)
    alert("a es mayor que b");
    b++;
```

Obtendremos un error, aunque un error bastante difícil de detectar puesto que será un error del desarrollador, el programa no hará lo que se esperaba, en cambio no será un error de JavaScript.

Si el resultado de la comprobación es verdadero, el `alert()` mostrará su texto y, a continuación, se incrementará el valor de la variable `b`.

Si el resultado es falso, la siguiente línea de código no se ejecutará, es decir el `alert()`. No obstante, la línea `b++;`, aunque esté indentada, se ejecutará, dado que solamente la línea de código que sigue al `if()` depende de la condición, las líneas siguientes son incondicionales, es decir, se ejecutan sistemáticamente.

Observación

Se dan muchos casos, con frecuencia, donde las llaves no se incluyen y realmente no son necesarias, y más adelante el programa evoluciona y las llaves se hacen necesarias. Lo más sencillo y lo más eficaz para mejorar la legibilidad y el funcionamiento del código es incluir SIEMPRE las llaves. La utilidad de las llaves se asocia con ciertas palabras clave y su funcionamiento es siempre el mismo: agrupar las líneas de código. O bien se ejecuta todo el contenido incluido dentro de las llaves, o bien no se ejecuta nada.

Es posible querer realizar varias pruebas sucesivas y encadenar varios `if()`.

```
var a=5, b=10;
if (a > b) {
    alert("a es mayor que b.");
} else if (a < b){
    alert("a es menor que b.");
} else {
    alert("a y b tienen el mismo valor.");
}
```

Aquí, si la primera comprobación es verdadera, el programa no ejecutará las siguientes comprobaciones. Por el contrario, si a no es mayor que b, se realiza en JavaScript la segunda comprobación, que si es falsa también permite ejecutarse el último else para mostrar que a y b son iguales.

Esto produce, de hecho, bastantes líneas de código para, simplemente, saber si a y b son iguales.

Para comprobar la igualdad entre dos variables, se utiliza el operador == (dos veces el signo igual sin espacio entre ellos). No debe confundirse con un único signo igual =, que se utiliza para realizar una asignación.

```
if (a == b) {
    alert("a es igual a b");
}
```

JavaScript tiene un lado simpático que puede resultado algo molesto en ciertos casos. Veamos el siguiente código:

```
var a=5;
var b="5";
if (a == b) {
    alert("a y b son idénticas.");
}
```

Ambas variables contienen un 5. Pero en un caso se trata de la cifra 5 y en el otro caso del carácter 5. En este ejemplo, JavaScript considerará que a y b tienen el mismo valor y el resultado de la comprobación será verdadero.

Existe otro operador de comparación que es === (tres signos igual). Este operador permite comparar dos cosas: si las variables tienen el mismo valor, como hace el operador de comparación ==, y también los tipos de las variables. En nuestro ejemplo, las dos variables no tienen el mismo tipo, puesto que una es un valor entero y la otra es texto. La comparación con === hará la distinción de tipo y el resultado será falso.

Del mismo modo que existen operadores que permiten realizar una comprobación de igualdad, otros operadores permiten comprobar si los valores son diferentes. El símbolo de exclamación "!" provoca el efecto inverso al del operador en curso. Es decir, si == permite comprobar la igualdad, entonces != permite comprobar la diferencia entre dos variables. Del mismo modo es posible realizar una comprobación de diferencia de tipo, que se escribirá: !==.

De este modo, el siguiente código permite comprobar si las dos variables son diferentes:

```
var a=5;
var b="5";
if (a !== b) {
    alert("a y b son diferentes.");
}
```

El signo de exclamación se denomina "not" o "no lógico". Se utiliza, a menudo, para invertir el valor de un booleano. Si, por ejemplo, un booleano debe pasar del valor TRUE al valor FALSE y, a continuación, de FALSE a TRUE (como si fuera un interruptor que está encendido, a continuación apagado, a continuación encendido), en lugar de escribir:

```
if (miBooleano === true) {
    miBooleano = false;
} else {
    miBooleano = true;
}
```

para invertir el valor del booleano, podemos escribirlo precedido de un signo de exclamación:

```
miBooleano = !miBooleano ;
```

Esto hace que `miBooleano` pase a tener el valor opuesto al que tuviera.

Para terminar con el `if()`, existen muchos casos en los que el desarrollador querrá realizar varias comprobaciones en una misma línea de código.

Por ejemplo, si queremos estar seguros de que un elemento de la pantalla se sitúa en una zona concreta, cuando x esté comprendida entre 0 y 100 e y entre 300 y 350, podríamos escribirlo en una única línea de código:

```
if (x > 0 && x < 100 && y>  300 && y < 350) { ...
```

El operador && (Y lógico) es un operador lógico. Es decir, nos va a ayudar a manipular valores TRUE y FALSE. El resultado de las comparaciones puede ser verdadero o falso, y el operador && permite indicar que ambos resultados sean verdaderos.

Lo que está escrito entre paréntesis se debe leer así: si x es mayor que 0 Y x es menor que 100 E y es mayor que 300 E y es menor que 350, entonces la condición es verdadera.

Del mismo modo, existe el operador || (O lógico).

```
if (x > 0 && x < 100 || x > 300 && x < 400) { ...
```

Aquí, la condición será verdadera si el valor de x está comprendido entre 0 y 100 O si x vale entre 300 y 400.

Podemos establecer una analogía con un circuito eléctrico que nos permitirá comprender mejor el uso de estos operadores.

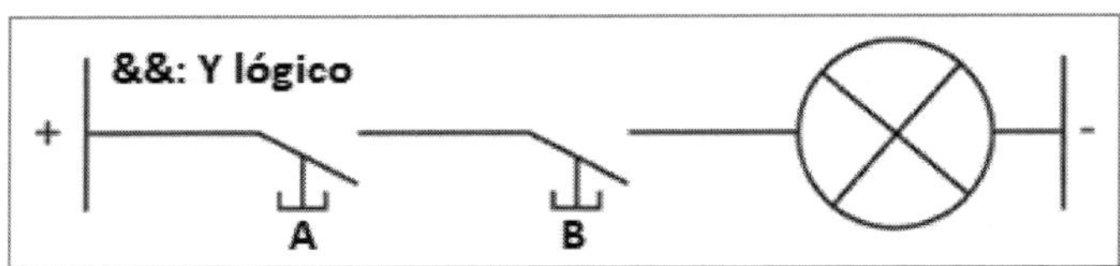

Imaginemos un circuito eléctrico con el polo + a la izquierda, dos interruptores A y B, luego una bombilla, y a continuación el polo - de la alimentación. Para que la bombilla se encienda, debemos pulsar el interruptor A Y el interruptor B. Es, por tanto, lo mismo que se produce con un Y lógico (&&), que se utiliza en las condiciones JavaScript. El hecho de presionar únicamente sobre A o únicamente sobre B nos dejará a oscuras.

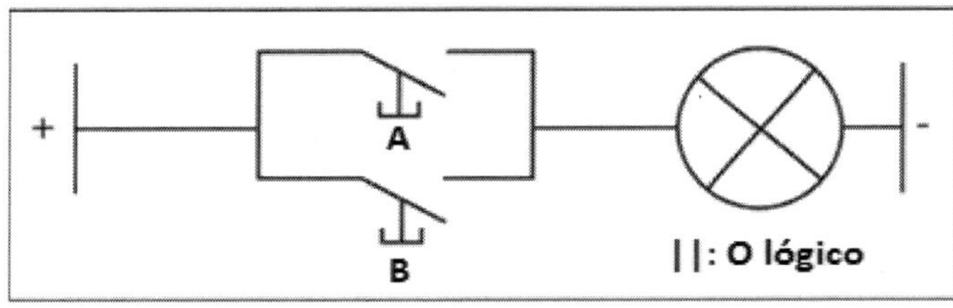

Del mismo modo, el O lógico puede representarse con un circuito eléctrico. Esta vez, ambos interruptores están configurados en paralelo. Para encender la bombilla, debemos seleccionar entre pulsar el botón A O el botón B.

Observación

El operador > (mayor que) se ha utilizado en varias ocasiones. Este operador obliga a que los valores sean diferentes. Si se quiere comprobar si un valor es mayor o igual a otro, entonces debemos utilizar el operador >=. El operador <= permite comprobar si un valor es menor o igual a otro.

6.2 switch case

Utilizando condiciones, habrá casos en los que queramos comprobar diferentes posibilidades, distintos valores, **para una misma variable**. Por ejemplo, si una variable contiene el mes en curso y queremos comprobar el valor de la variable para, a continuación, realizar distintas acciones en función de este valor.

Consulte el ejemplo: **5_6_2_switchCase.html**

La sintaxis "switch case" está preparada para ello.

```
var losMeses_arr = ["", "Enero", "Febrero", "Marzo", "Abril",
"Mayo", "Junio", "Julio", "Agosto", "Septiembre", "Octubre",
"Noviembre", "Diciembre"];
var elMes = 2;
var txt = "";

switch (elMes) {
    case 1: txt = "Enviar las felicitaciones.";
            break;
    case 2: txt = "Fin de semana en la nieve.";
            break;
    case 3: txt = "Ropa de primavera.";
            break;
    case 4: txt = "Invitación al cumpleaños el 16.";
            break;
    case 5: txt = "Revisión antes del examen.";
            break;
    case 6: txt = "Examen...";
            break;
```

```
    case 7:
    case 8: txt = "Vacaciones...";
            break;
    case 9: txt = "Preparar la vuelta al cole.";
            break;
    case 10: txt = "Preparar la mudanza.";
             break;
    case 11: txt = "Organizar Halloween.";
             break;
    case 12: txt = "No comprar todos los regalos en el último
momento.";
             break;
    default : txt = "Error con el mes.";
}
alert("El mes de " + losMeses_arr[elMes] + " recordar: " + txt);
```

Tenemos unas cuantas líneas más que con los demás ejemplos, pero esto nos va a permitir tener un ejemplo algo más completo, donde realmente muchas líneas se parecen.

Las tres primeras líneas del programa permiten crear variables. La primera es un array, `losMeses_arr`, que contiene el nombre de todos los meses. Observe que la primera posición del array, la posición 0, está vacía. A continuación, se declara la variable `elMes` que contiene el mes que debe analizarse, el valor de esta variable podría provenir de un formulario o de un archivo de texto. Queda una última variable, `txt`, que servirá para memorizar el texto que se mostrará al final de la comprobación.

A continuación, tenemos el `switch-case`.

Tras la palabra clave `switch` se indican unos paréntesis que contienen la variable que debe analizarse. En nuestro ejemplo, la variable `elMes` que contendrá el número del mes. A continuación, tenemos varios grupos de líneas de código similares que empiezan por `case`. De hecho, cuando se escribe `case 1 :`, significa "en el caso de que la variable `elMes` valga 1".

Si vale 1, el programa escribirá en la variable `txt` el texto correspondiente al mes de enero.

En la siguiente línea, tenemos la palabra clave `break` (romper). Esta palabra clave indica a JavaScript que ha terminado con el `switch-case` y que puede ejecutar la línea que siga al `switch-case`, dicho de otro modo, la línea tras la llave de cierre, de modo que se ejecutaría el `alert()`.

Todas las líneas de código que contienen un `case` se parecen entre sí, salvo por el texto que cambia. Para cada mes tenemos un texto que se asigna a la variable `txt` y a continuación se sale del `switch-case`.

¿Qué ocurre si el "break" no se escribe?

En nuestro ejemplo, la línea `case 7` no contiene `break`. Esto significa que si la variable `elMes` vale 7, la línea `case 7` se validará, la ejecutará JavaScript, y a continuación, al no encontrar un `break`, JavaScript ejecutará también la siguiente línea... así hasta encontrar un `break`. Dicho de otro modo, JavaScript ejecutará el texto de la línea `case 8`, tanto si el valor de `elMes` es 7 como si es 8.

Una vez terminado el `switch-case`, es el turno de ejecutar el `alert()`. Su contenido se descompone en cuatro partes.

En primer lugar, el texto escrito directamente, es decir: "El mes de ".

A continuación, el mes, con todas sus letras, se agregará, recuperándolo de alguna de las posiciones del array `losMeses_arr`. En nuestro ejemplo, `elMes` vale 2, de modo que se leerá la posición número 2 del array. Este caso vale "Febrero", de modo que se escribirá el mes de febrero.

A continuación, tenemos el texto: "recordar:".

Para terminar, el valor contenido en la variable `txt`, que depende del resultado del `switch-case`.

Entre cada una de las cuatro partes de texto, tenemos el operador de concatenación + que permite unir textos y valores de variables.

7. Iteraciones

La informática, término derivado de las palabras "**infor**mación auto**mática**", es una idea interesante vista desde este ángulo. Pero de momento, con lo que hemos visto hasta ahora en el libro, si queremos que una variable evolucione y se incremente de 1 en 1 hasta alcanzar el valor 1000 tendremos que escribir unas cuantas líneas de código.

En todos los lenguajes similares a JavaScript existe el concepto de bucle, es decir, un código que se va a repetir durante cierto tiempo o un número determinado de veces hasta que ocurra algo particular. Esto puede resultar útil para desplazar un objeto por la pantalla, realizar una cuenta atrás, recorrer un array, etc.

7.1 El bucle for

```
for (Inicialización; Condición; Incremento){
     Acción;
}
```

El bucle `for` es un bucle que repite un determinado código un número concreto de veces. La programación se realiza mediante una variable. Lo más habitual es que esta variable se incremente desde un valor inicial hasta un valor final, por ejemplo, para contar de 1 a 12 recorriendo todos los meses, como se hace en el archivo **5_7_1_bucleFor.html**.

Inicialización: vamos a incluir una variable, que podríamos denominar `contador`, asignándole un 1 como valor de partida. La palabra clave `var` en el interior de la función `for()` permite crear la variable `contador` dentro del propio bucle.

```
for (var contador = 1; Condición; Incremento){
     Acción;
}
```

El **;** indica el final de la inicialización y de la condición.

Condición: el bucle se ejecuta mientras la condición sea verdadera. Lo que debe ser verdadero, en nuestro caso, son los valores para la variable `contador` de 1, 2, 3, etc. hasta 12. Por ello, mientras la variable `contador` sea menor o igual a 12, leeremos la posición del array correspondiente.

```
for (var contador = 1; contador <= 12; Incremento){
     Acción;
}
```

Incremento: el bucle empieza con un valor del contador para la variable igual a 1. Pero será necesario aumentar este valor y hacer que la variable `contador` valga 2, luego 3, etc. El incremento se escribe `contador++`, que hará que cada ciclo del bucle el valor aumente en 1.

```
for (var contador = 1; contador <= 12; contador++){
    Acción;
}
```

Si en lugar de contar quisiéramos descontar, podríamos empezar con un valor inicial mayor que el valor de evaluación y, a continuación, decrementar esta variable con el operador `--`.

```
for (var contador = 12; contador >= 1; contador--){
    Acción;
}
```

Acción: para esta parte, podríamos escribir una única línea de código, como ocurre en el ejemplo siguiente, que únicamente muestra el mes. Pero si cada vez que recuperamos el mes quisiéramos recuperar un importe, nombres, realizar cálculos, etc., podría traducirse en bastantes líneas de código.

Por ejemplo:

```
var losMeses_arr = ["", "Enero", "Febrero", "Marzo", "Abril",
"Mayo", "Junio", "Julio", "Agosto", "Septiembre", "Octubre",
"Noviembre", "Diciembre"];
var txt = "";

for (var contador = 1; contador <= 12; contador++) {
    txt += losMeses_arr[contador] + "_";
}

document.getElementById("reprJS").innerHTML = txt;
```

El código entre llaves es el que se ejecuta y repite con el bucle. Este código se ejecutará varias veces.

Con el bucle `for()`, tenemos la creación de una variable que permite memorizar el texto `txt`.

Cuando JavaScript lee la línea `for()`, el valor de la variable `contador` vale `1`. Ella es, en efecto, menor o igual que 12, de modo que el bucle va a poder ejecutar lo que se encuentra escrito entre las llaves.

Una vez ejecutado el código entre llaves, se produce la parte de incremento y se ejecuta `contador++`. La variable `contador` pasa a valer 2. A continuación, si el resultado de la evaluación `contador <= 12` sigue siendo verdadero, se ejecuta de nuevo el contenido entre llaves. De nuevo se producirá un incremento, se evaluará la condición, y así sucesivamente hasta que la variable `contador` no sea menor o igual que 12.

Entre las llaves, vemos en primer lugar nuestra variable `contador`. Se utiliza entre corchetes para acceder al array `losMeses_arr` y permite recuperar la posición 1. Se concatena, a continuación, un carácter de subrayado _ y se agrega la variable `txt`.

La variable `txt` al principio del bucle está vacía, no contiene ningún texto. El hecho de escribir += va a permitir agregar el contenido que se acaba de recuperar del array. En primer lugar, la variable `txt` contendrá `Enero_`. En la segunda vuelta, la variable `contador` valdrá 2, y se agregará `Febrero_` a `txt`. `txt` pasará a valer, entonces, `Enero_Febrero_`.

Al final del bucle, se escribe el valor de `txt` en #reprJS, y mostrará:

```
Enero_Febrero_Marzo_Abril_Mayo_Junio_Julio_Agosto_
Septiembre_Octubre_Noviembre_Diciembre_
```

Observación

En el ejemplo, hay que hacer variar la variable `contador` de 1 a 12. Esta forma de trabajar sirve, simplemente, para comprender el funcionamiento del bucle `for()`. En la práctica sería mejor evitar escribir directamente los valores límite, 1 y 12, y crear en su lugar una variable para configurar el inicio del bucle y otra para el final del bucle. El motivo es que el primer elemento de un bucle o el último elemento pueden ser valores que se reutilicen dentro del bucle. Sería más práctico escribir en distintos lugares la variable `finContador` en lugar de tener que repetir el valor 12. Esto evitará cometer errores y perder tiempo si el programa evoluciona, si por ejemplo el año pasa a tener 13 meses. El siglo pasado, los desarrolladores no pensaron que fuera a llegar el año 2000, y este tipo de problemas produjo lo que se denominó "bug del efecto 2000".

Observación

Otro tema a tener en cuenta es la variable `contador`. *Dado que sirve para contar meses, sería mejor denominarla* `contadorMes`. *Para un programa de 10 líneas, podría denominarse "i". Pero si el programa es más importante, habrá posiblemente varios contadores y será preferible que tengan nombres diferentes que nos permitan saber qué cuentan. Esto produce un código algo más largo, pero mucho más práctico.*

Por el contario, dado que el código puede ir del servidor al cliente, conviene pensar en que no sea demasiado largo. Si la palabra `contadorMes` *se escribe 400 veces en la página, será mejor encontrar un método de escritura, por ejemplo* `cntMes`, *que aportará claridad y ocupará menos bytes.*

```
var losMeses_arr = ["", "Enero", "Febrero", "Marzo", "Abril",
"Mayo", "Junio", "Julio", "Agosto", "Septiembre", "Octubre",
"Noviembre", "Diciembre"];
var primerMes = 1, ultimoMes = 12;
var txt = "";

for (var cntMes = primerMes; cntMes <= ultimoMes;
cntMes++) {
   txt += losMeses_arr[cntMes] + "_";
}

document.getElementById("reprJS").innerHTML = txt;
```

7.2 while

```
while (Condición;){
    Acción;
}
```

El bucle `while` (mientras que...) empieza con una condición. Todo método de programación que ejecute un número determinado de veces varias instrucciones realiza lo que llamamos un bucle. Las instrucciones contenidas en el bucle puede que no se ejecuten jamás, pues si las condiciones de partida son falsas, el bucle no se ejecutará. Esto puede, también, producir un número infinito de ejecuciones. Si bien el bucle `for()` resulta práctico para contar, el bucle `while()` es práctico para esperar a que se produzca algún evento o a que alguna variable sea válida. Consulte el ejemplo del archivo **5_7_2_bucleWhile.html**.

Supongamos que tenemos un array de números, positivos o negativos. El bucle `while()` permite recorrer el array hasta encontrar el primer número negativo.

```
var suma_txt = "La suma de los números antes del primer valor
negativo es igual a: ";
var negativo_txt = "El primer valor negativo es: ";
var posicion1_txt = "Está en la posición n°";
var posicion2_txt = "O bien ";
var laBanca = [3.2, 2.7, 128, 0.5, -600.6, 14.7, 55, -23.4, 8];
var totalAntesDelNegativo = 0;
var contador = 0;

while (laBanca[contador] > 0) {
    totalAntesDelNegativo += laBanca[contador];
    contador++;
}

var representacionJS = document.getElementById("reprJS");

representacionJS.innerHTML = suma_txt + totalAntesDelNegativo + "<br />";
representacionJS.innerHTML += negativo_txt + laBanca[contador] + "<br />";
representacionJS.innerHTML += posicion1_txt + contador + " ";
representacionJS.innerHTML += posicion2_txt + (contador + 1) + " posición";
```

El programa se divide en tres grandes bloques. El primero inicializa las variables. El segundo bloque, que nos interesa, realiza un bucle `while` sobre los valores del array. El último bloque muestra los resultados.

La condición del `while` es: `laBanca[contador] > 0`. Es decir, la posición del índice `contador` debe contener un valor superior a 0. Si vemos el contenido del array `laBanca[]`, comprobamos que el quinto valor (la posición número 4) no es superior a 0. Este bucle se repetirá para las posiciones 0, 1, 2, 3 es decir cuatro veces. Si el array `laBanca[]` fuera distinto, el número de ejecuciones del bucle sería diferente, esto es lo interesante del bucle `while()`.

Si la primera posición del array `laBanca[]` fuera inferior a 0, la condición del `while` sería tal que el bucle no se ejecutaría ninguna vez.

7.3 do ... while

Lo que diferencia el `do ... while()` del `while()` es que el `do ... while()` realiza la comprobación para saber si debe seguir ejecutando el bucle **después** de realizar la primera ejecución.

```
do {
    // el contenido del bucle
} while (laBanca[contador] > 0);
```

En este caso, el desarrollador se asegura de que el bucle se recorrerá al menos una vez. Esto no ocurre, necesariamente, con un bucle `while()`.

7.4 break y continue

Existen dos palabras clave que pueden cambiar el funcionamiento de un bucle.

`break`, cuando se encuentra en un bucle, permite detener el bucle y el programa continúa a continuación del bucle. Permite, por tanto, salir del bucle.

`continue`, cuando se encuentra en un bucle, hace que el programa continúe el bucle pasando al siguiente índice sin terminar con el contenido del bloque correspondiente a la acción. Si bien el bucle se ejecuta con normalidad, algunas líneas del cuerpo del bucle no se ejecutan.

```
for (var i=0 ; i<50 ; i++) {
    if (i==10) {
        continue;
    }
    if (i==48) {
        break;
    }
    // el código del bucle
    ...
}
```

En el código anterior, la comprobación `if (i==10)` implica que cuando `i` valga 10, se ejecutará la instrucción `continue`. El bucle pasará directamente al valor i=11.

La comprobación `if (i==48)` implica que cuando `i` sea igual a 48, el código del bucle no se ejecutará más, en la medida en que el bucle terminará con la instrucción `break` y el programa continuará su ejecución tras el bucle.

Observación

Si utiliza a menudo `continue` o `break`, debería plantearse si está utilizando el bucle adecuado. Puede ser que le convenga más utilizar un bucle `while` en lugar de un bucle `for`.

7.5 Foreach

Otra forma de recorrer un conjunto de datos, como por ejemplo un array, es utilizar la instrucción `foreach`.

Comparemos un bucle `for()` con un bucle `foreach()`.

Los nombres de los arrays terminan por `_arr`, para indicar que la variable que se está manipulando es un array.

```
var inscritos_arr = ["pedro", "lucas", "claudia"];
var validado_arr = [];
/* El bucle recorre el array inscritos_arr[], empezando por
la primera casilla, la cero, hasta la última casilla, que puede
saberse utilizando la longitud del array inscritos_arr.length.*/
for (var i = 0; i < inscritos_arr.length; i++) {
  // cada inscrito se copiará en el array validado_arr
  validado_arr.push(inscritos[i]);
}
```

La función `push()` permite añadir un elemento al final de un array. Esto agregará una posición al array.

A continuación, hagamos la misma manipulación con `foreach`:

```
var inscritos_arr = ["pedro", "lucas", "claudia"];
var validado_arr = [];
/* El bucle recorre el array inscritos_arr[], pero con
la instrucción foreach() no hay que precisar el inicio y el
final del bucle. La instrucción recorrerá automáticamente TODAS
las casillas del array */
inscritos_arr.foreach(function(unInscrito){
  // cada inscrito se copiará en el array validado_arr
```

```
   validado_arr.push(unInscrito);
}) ;
```

Con `foreach()`, cada vez, se ejecuta una acción que contiene un parámetro, en este caso `unInscrito`, que contiene la palabra `pedro` la primera vez que se recorre el bucle, `lucas` la segunda vez y así sucesivamente. La ventaja de esta instrucción es que no hay que determinar el principio y el final del array que se recorre porque esto se hace automáticamente.

Array "find from last" (findLast(), findLastIndex())

Estas funciones permiten realizar una búsqueda en el array empezando por el final.

Por ejemplo, con el array numbers:

```
const numbers = [10, 40, 25, 50, 80, 12, 70, 4];
console.log("numbers %o: ", numbers);
// Encontrar el último número mayor que 28
const lastLargeNumber = numbers.findLast(n => n > 28);
console.log("lastLargeNumber: " + lastLargeNumber); // Output: 70
```

El valor encotrado, 70, es efectivamente el número mayor que 28 más cercano al final del array.

```
// Índice del último número mayor que 28
const lastLargeIndex = numbers.findLastIndex(n => n > 28);
console.log("lastLargeIndex: " + lastLargeIndex); // Output: 6
```

Array para modificar por copia (toReversed(), toSorted(), toSpliced(), with())

Estos métodos ofrecen alternativas a los métodos que modifican el array original (`reverse()`, `sort()`, `splice()`). Devuelven un nuevo array con los cambios y **dejan el array original intacto**. El método `with(index, value)` devuelve un nuevo array en el que el elemento del índice dado se sustituye por el nuevo valor.

```
const numbers = [10, 20, 30, 40, 25, 50, 80];

// Invierte sin modificar el original
const reversedArray = numbers.toReversed();
console.log("reversedArray: " + reversedArray);
```

```
// Output: [80,50,25,40,30,20,10]
console.log("numbers: " + numbers);
// Output: [10,20,30,40,25,50,80]

// Ordena sin modificar el original
const sortedArray = numbers.toSorted((a, b) => a - b);
console.log("sortedArray: " + sortedArray);
// Output: [ 10,20,25,30,40,50,80]
console.log("numbers: " + numbers);
// Output: [10,20,30,40,25,50,80]

// "Splice" sin modificar el original (elimina 1 elemento
en el índice 1 e inserta 6 y 7)
const splicedArray = numbers.toSpliced(1, 1, 6, 7);
console.log("splicedArray: " + splicedArray);
// Output: [10,6,7,30,40,25,50,80]
console.log("numbers: " + numbers);
// Output: [10,20,30,40,25,50,80]

// Sustituye un elemento en un índice dado sin modificar el original
const arrayWithChange = numbers.with(2, 99);
// Sustituye el elemento del índice 2 (valor 30) por 99
console.log("arrayWithChange: " + arrayWithChange);
// Output: [10,20,99,40,25,50,80]
console.log("numbers: " + numbers);
// Output: [10,20,30,40,25,50,80]
```

Object.groupBy() et Map.groupBy()

Estos métodos permiten agrupar los elementos de un array en función de un valor devuelto por una función `callback`.

`Object.groupBy()` devuelve un objeto en el que las **claves** son los grupos y los **valores** son arrays de elementos.

`Map.groupBy()` devuelve un map.

Ejemplo de map

```
const map = new Map();
// Adición de pares clave/valor
map.set('nombre', 'Alice');
map.set('edad', 30);
map.set({ id: 1 }, 'Objeto complejo');
```

```
// Lectura
console.log(map.get('nombre')); // "Alice"

// Verificación
console.log(map.has('edad')); // true

// Eliminación
map.delete('edad');

// Tamaño
console.log(map.size); // 2

// Recorrido
map.forEach((valor, clave) => {
 console.log(clave, valor);
});

// Ou con for...of

for (const [clave, valor] of map) {
console.log(clave, valor);
}
```

Ejemplo: Object.groupBy()

```
const fruitsLegumes = [
   { name: "manzanas",   type: "fruta",   quantity: 5 },
   { name: "plátanos",   type: "fruta",   quantity: 0 },
   { name: "zanahorias", type: "verdura", quantity: 10 },
   { name: "brócoli",    type: "verdura", quantity: 3 }
];

// Agrupar por tipo
const groupedByType = Object.groupBy(frutasVerduras, item => item.type);

/*
groupedByType se parecerá a:
{
   fruta: [
   { name: "manzanas",   type: "fruta", quantity: 5 },
   { name: "plátanos",   type: "fruta", quantity: 0 }
   ],
   verdura: [
   { name: "zanahorias", type: "verdura", quantity: 10 },
   { name: "brócoli",    type: "verdura", quantity: 3 }
   ]
```

```
}
*/

console.log(groupedByType);

console.log(groupedByType.fruta);

const groupedByTypeMap = Map.groupBy(frutasVerduras, item => item.type);
console.log(groupedByTypeMap.get('verdura'));
// output:
0 : {name: 'zanahorias', type: 'verdura', quantity: 10}
1 : {name: 'brócoli',    type: 'verdura', quantity: 3}
length : 2
```

Ejemplo: Map.groupBy

```
const frutas = [
   { name: 'manzana',  color: 'rojo' },
   { name: 'plátano',  color: 'amarillo' },
   { name: 'cereza',   color: 'rojo' },
   { name: 'limón',    color: 'amarillo' }
];

const grouped = Map.groupBy(frutas, fruta => fruta.color);
console.log(grouped);

// Map {
//   'rojo' => [ { name: 'manzana', color: 'rojo' }, { name: 'cereza',
color: 'rojo' } ],
//   'amarillo' => [ { name: 'plátano', color: 'amarillo' },
{ name: 'limón',
color: 'amarillo' } ]
// }
```

La diferencia entre ambos métodos

```
Método              Devuelve     Ventajas

Object.groupBy()    Un objeto    Claves de tipo string o symbol únicamente
Map.groupBy()       Un map       Claves de cualquier tipo (objetos, etc.)
```

Ejemplo práctico de la diferencia entre estos dos métodos

```
const data = [1.1, 2.2, 3.3, 2.1];

Object.groupBy(data, n => Math.floor(n));
// { '1': [1.1], '2': [2.2, 2.1], '3': [3.3] }
Map.groupBy(data, n => Math.floor(n));
// Map { 1 => [1.1], 2 => [2.2, 2.1], 3 => [3.3] }
```

Con `Object.groupBy()`, les claves son cadenas de caracteres ('1', '2'...), mientras que con `Map.groupBy()`, las claves conservan su tipo original (en este caso, el tipo number).

7.6 Los módulos en JavaScript

He aquí las características de los módulos JavaScript:

- Los módulos son archivos que contienen funciones que pueden cargarse cuando sea necesario. Tienen un alcance local (sin variables globales que “contaminen”), es decir, las variables, funciones y clases del módulo quedan limitadas a su archivo y otros archivos JavaScript no podrán acceder a ellas. Para que una variable o una función sea accesible desde otro archivo, debe ir precedida de la palabra clave `export`.
- Carga diferida automática (*defer* implícito): al usar `<script type="module">`, el navegador espera a que el HTML se haya cargado (DOM listo) antes de ejecutar el script.
- Compatibilidad con lazy-loading mediante `import()` dinámico: es posible importar un módulo solo cuando sea necesario.
- Funciona únicamente a través de un servidor web (no en local file://).

Ejemplo de uso de un módulo

```
Estructura:

/mi-proyecto/|

├── index.html
├── main.js                archivo principal
└── utils.js               módulo exportado
```

utils.js

```
export const PI = 3.14;

export function addition(a, b) {
  return a + b;
}

export function decirBuenosdias(nombre) {
  return `¡Buenos días, ${nombre}!`;
}
```

main.js

```
// Importación de funciones con nombre
import { addition, PI, decirBuenosdias } from './utils.js';

console.log(PI) ; // 3.14
console.log(addition(2, 3));        // 5
console.log(decirBuenosdias("Lucas"));    // ¡Buenos días, Lucas!
```

index.html

```
<!DOCTYPE html>
<html lang="es">
<head>
 <meta charset="UTF-8" />
 <title>Ejemplo Módulos JS</title>
</head>
<body
  <script type="module" src="main.js"></script>
</body>
</html>
```

`type="module"` es **obligatorio** para activar la compatibilidad con módulos en `<script>`.

8. Depurar un programa

Un último punto que veremos relativo a las herramientas que nos proporcionan los navegadores actualmente es la depuración paso a paso, es decir, el hecho de poder ejecutar nuestro script pero pidiendo al navegador que se detenga en una línea concreta y esperar. El navegador ejecutará la línea solamente cuando se lo pidamos. Esta técnica se utiliza muy a menudo en la depuración y resulta muy práctica para darse cuenta de lo que realiza, realmente, el programa.

Esto no funciona con el CSS ni con el código HTML. Solo JavaScript puede ejecutarse paso a paso.

Para poder parar el script en un lugar preciso, debemos ir a la pestaña **Sources** de la ventana de ayuda al desarrollo.

Es posible, como se muestra en la captura de pantalla, que haya un icono en la barra de pestañas. Este icono es un botón que permite abrir un panel que dará acceso a los distintos archivos.

Abriremos este panel y haremos clic sobre el archivo que queramos examinar. En nuestro caso, se trata del archivo **1_2_4_base3lenguajes.html**. Aparecen el código HTML y la parte de script. Podemos ver números y líneas.

Si queremos detener el programa en la línea 12, basta con hacer clic en la línea 12. Aparece un pequeño marcador resaltando esta línea, como se muestra a continuación:

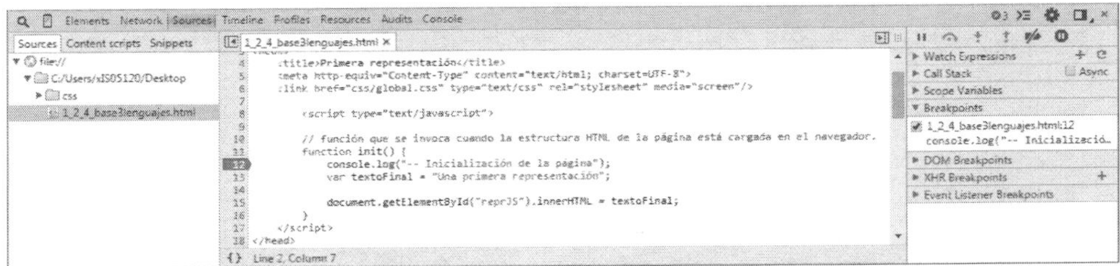

Si pulsamos ahora, en el teclado, [Ctrl] **R** (o [Cmd] **R** en Mac), se refresca la página. El navegador ejecutará el código hasta nuestro marcador, que denominamos "punto de ruptura" (*breakpoint*). Debería dar el siguiente resultado:

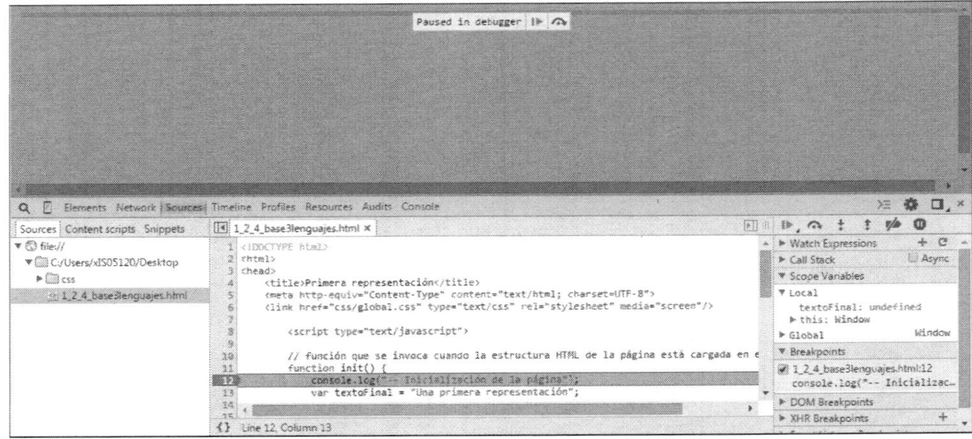

Aquí, el programa espera en la línea 12. La línea 12 no se ha ejecutado todavía. Para ejecutarla, tenemos la opción de hacer clic en varios botones.

El primer botón permite proseguir con la ejecución del programa hasta el final o hasta el siguiente punto de ruptura. Dado que aquí solamente hemos configurado un punto de ruptura, el programa se ejecutará hasta el final.

El segundo botón nos interesa bastante más. Nos va a permitir ejecutar la línea que está en espera. A continuación, el programa se detendrá en la línea 13 y esperará. Podremos, de nuevo, hacer clic sobre el segundo botón. Y así sucesivamente. Es la noción de paso a paso.

El punto que figura sobre el tercer botón simboliza una función. Supongamos que hemos escrito la función `dibujaEspiral()`. Si hacemos clic en el tercer botón, el programa entrará en la función, ejecutará la primera línea de esta función y esperará. Será posible, entonces, continuar la ejecución paso a paso gracias al segundo botón. Se trata, en este caso, de entrar en el detalle. Esto resulta práctico en ocasiones, aunque lo más habitual será utilizar el segundo botón.

El cuarto botón permite salir de una función. Esto puede resultar útil cuando una función contiene muchas líneas de código o bucles que ejecutan 300 veces el mismo grupo de instrucciones, haciendo su ejecución paso a paso particularmente larga. Podemos hacer clic en el cuarto botón para que el navegador ejecute todo el contenido de la función en la que se encuentra y detener la ejecución una vez salga de esta función.

El último botón permite desactivar temporalmente los puntos de ruptura. Quedan inactivos, y pueden volver a activarse haciendo clic de nuevo sobre este botón.

Volvamos a nuestro programa, que está esperando todavía en la línea 12. Si hacemos clic en la pestaña **Console** de la ventana de ayuda al desarrollo se mostrará el texto "--Inicialización de la página", que no se muestra todavía en el motor puesto que la línea 12 no se ha ejecutado. Si ahora volvemos al menú **Sources** y hacemos clic en el segundo botón, se seleccionará y esperará en la línea 13.

```
8        <script type="text/javascript">
9
10           // función que se invoca cuando la estructura HTML de la página está cargada en
11           function init() {
12               console.log("-- Inicialización de la página");
13               var textoFinal = "Una primera representación";
14
15               document.getElementById("reprJS").innerHTML = textoFinal;
16           }
17       </script>
18   </head>
```

El programa espera en este lugar y no continuará hasta que se produzca alguna acción por nuestra parte indicándole que pase a la siguiente línea. Si queremos echar un vistazo a la pestaña **Console**, podremos constatar que la ejecución de la línea 12 ha escrito, efectivamente, "--Inicialización de la página" en la consola.

Veremos un último aspecto relativo a la pestaña **Sources** en la que es posible agregar puntos de ruptura. En la sección derecha de la ventana, debajo de los botones que permiten realizar la ejecución paso a paso, encontraremos información muy interesante. Cabe destacar, por ejemplo, que una vez que se ejecuta la línea 13 se muestra el contenido de la variable `textoFinal`.

En la sección **Scope Variables** encontramos la subsección **Local**, que muestra las variables locales (este tipo de variables se estudiará en la sección Las variables locales y globales). Entre las variables locales, encontramos nuestra variable `textoFinal` que tiene el valor "Una primera representación".

En este ejemplo tenemos pocas variables. Pero resulta muy práctico, cuando nuestro programa se detiene, poder examinar los valores de las variables que se utilizan.

Esto permite darse cuenta de que tal variable debería tener el valor 100 y de hecho vale cero. Esto permitirá examinar el programa hasta encontrar la sección en la que la variable recupera el valor 100 y comprender por qué contiene el valor 0 en lugar de 100.

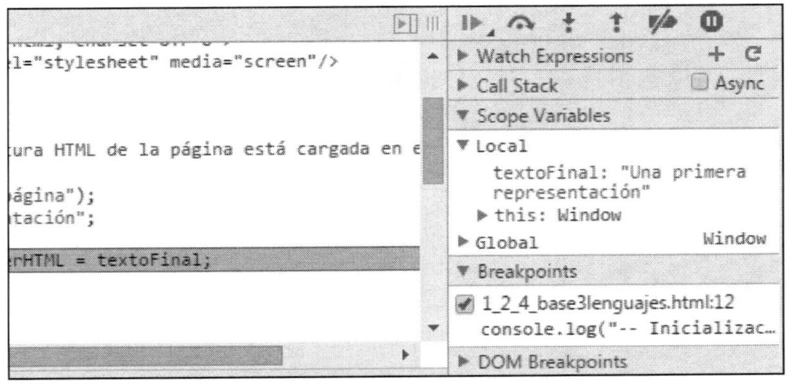

9. Las funciones

Una función es un conjunto de líneas de código agrupadas bajo un nombre concreto, por ejemplo `mostrarElMenu()`. Puede escribirse en un archivo con otras funciones y puede utilizarse en cualquier momento siempre que se haya cargado en el navegador, naturalmente.

Cuando el desarrollador desea mostrar el menú, en lugar de escribir o volver a escribir las líneas de código que muestran el menú, le basta con invocar a la función `mostrarElMenu()`.

9.1 Declaración

La declaración de la función se realiza con la palabra clave `function`. Permite indicar que lo que sigue es una función.

```
function mostrarElMenu() {
    // código que permite mostrar el menú
}
```

Es posible crear tantas funciones como sea necesario. No obstante, sería una pena tener que escribir otra función encargada de ocultar el menú. Uno de los objetivos de las funciones es no tener que volver a escribir el mismo código.

Para ayudar al desarrollador, JavaScript permite pasar parámetros a las funciones para que se ejecuten de una u otra manera.

```
function mostrarElMenu(mostrarUOcultar) {
    if (mostrarUOcultar === true) {
        // código que permite mostrar el menú
    } else {
        // código que permite ocultar el menú
    }
}
```

En este caso, la función espera, cuando se invoca, recibir el valor de `mostrarUOcultar` para saber qué debe hacer.

En este ejemplo, si no se precisa `mostrarUOcultar`, su valor no será `true`, y se ocultará el menú.

Es posible, también, crear una función como si fuera una variable o un objeto.

```
var salida = function(t) {
    document.getElementById('salida').innerHTML += "<br />:: "+t;
};
```

Aquí, la función `salida()` escribe el contenido de `t` en el elemento con id `salida`.

9.2 Nueva notación para las funciones

Podemos crear una función que tendrá el mismo funcionamiento que las funciones vistas anteriormente, pero con otra sintaxis de declaración, llamada: `Arrow function`.

```
function mostrarNombre(quien) {
     console.log(quien);
}
mostrarNombre("Antonio");
```

A continuación, la sintaxis de `arrow function` para `mostrarNombre`:

```
const mostrarNombre = (quien) => console.log(quien);
mostrarNombre("Antonio");
```

Con esta notación, la función es vista por el navegador como una constante. El parámetro "quien" siempre se coloca entre paréntesis, pero el cuerpo de la función está precedido por una flecha => (arrow) que se dibuja combinando un signo igual «=» y un signo mayor que «>».

Esta sintaxis tiene la ventaja de poder escribirse en una sola línea y fue introducida con ES6 (Ecma-Script 6). Aunque no utilicemos esta sintaxis, la reconoceremos si la vemos en nuestras búsquedas en Internet.

9.3 Llamada

La llamada a una función es la acción que consiste en utilizar nuestra función. Cuando se escribe el código `alert("Hola");`, se invoca a la función `alert()` pasándole como parámetro el texto `"Hola"`.

Para volver al menú, el desarrollador tendrá que escribir `mostrarElMenu(true);` para mostrarlo.

Si escribe `mostrarElMenu();` o `mostrarElMenu(false);` el menú se ocultará.

Observación

La principal dificultad vinculada a las funciones no es su llamada sino su creación. ¿Qué debemos escribir como función? ¿Qué debe ejecutar nuestra función? Un método muy simple consiste en imaginar que las funciones ya existen, es decir, escribir las líneas de código JavaScript pensando que ya existe una función que sabe mostrar el menú, y escribir `mostrarElMenu(true);` *aunque la función todavía no exista. Esto nos va a permitir determinar las funciones que hace falta escribir. A continuación, escribiremos realmente lo que tenga que realizar esta función.*

9.4 Las variables locales y globales

Para crear una variable, empezamos la línea escribiendo `var`. Esta palabra indica que lo que sigue es una nueva variable.

Se plantean dos preguntas:

¿En cualquier lugar del código se puede crear una variable? Sí.

¿En cualquier lugar del código se puede modificar una variable? No.

Una variable creada en una función no existe más que dentro de la función. Es probable que en la función que permite mostrar el menú existan variables encargadas de gestionar las etapas de apertura o cierre del menú. Se trata de variables que el desarrollador de esta función ha considerado necesarias.

Cuando se utiliza la función escribiendo `mostrarElMenu(true);`, las variables que existen en la función no son visibles ni accesibles desde el exterior de la función. Se trata de **variables** que son **locales** a la función. Es decir, estas variables no existen más que durante la ejecución de la función, y a continuación no se conservan en la memoria del ordenador.

Por el contrario, una variable que se crea en el exterior de una función se denomina **variable global**. Esta variable, una vez creada, permanece en la memoria del ordenador mientras esté abierto el navegador. Está accesible para su lectura o modificación durante todo el programa.

```
function comparaNombre(quien){
    var nombreRef = "Antonio";
    if (quien === nombreRef) {
       // código que se ejecuta cuando la comparación es ok
    }
}
var nombre= "Antonio";
comparaNombre(nombre);
```

La función `comparaNombre(quien)` recibe como parámetro `quien`. Contiene una variable local, `nombreRef`. El programa contiene, también, una variable global, `nombre`, accesible desde cualquier lugar del código JavaScript.

Sería correcto considerar que si `nombre` es accesible desde la función, no es necesario utilizar un parámetro, sino utilizar directamente la variable `nombre` en la función.

Esto daría el siguiente código:

```
function comparaNombre(){
    var nombreRef = "Antonio";
    if (nombre === nombreRef) {
        // código que se ejecuta cuando la comparación es ok
    }
}
var nombre= "Antonio";
comparaNombre();
```

Observación

En este ejemplo de código, funciona correctamente. Pero la ventaja e interés del parámetro es poder utilizar una función con valores diferentes.

Aquí, la función hará siempre una comparación con `nombre` y estará en cierto modo limitada. Resulta, por tanto, muy práctico que una función reciba parámetros.

Veamos un último punto relativo a las variables locales y globales.

```
function comparaNombre(quien){
    var nombre = "Antonio";
    if (quien === nombre) {
        // código que se ejecuta cuando la comparación es ok
    }
}
var nombre= "Antonio";
comparaNombre(nombre);
```

El código anterior funcionará, también, sin problema. En este caso tenemos dos variables con el mismo nombre. Pero una de ellas pertenece a la función y la otra a todo el programa; JavaScript establece la diferencia.

Encontrará un ejemplo de uso de variables locales en el script correspondiente al drag and drop (consulte la sección El drag and drop).

9.5 El resultado de una función

Una función puede, también, devolver un valor. Es decir, terminar su ejecución y devolver el contenido de una variable, lo que permite recuperar dicho valor.

```
var a = 5;
var b = 5;
function multiplicación(param1, param2) {
    return param1 * param2;
}
var c = multiplicación(a,b);
var d = multiplicación(c,c);
```

La palabra clave `return`, cuando se encuentra, pone fin a la función. Poco importa dónde está escrita esta palabra clave en la función, cuando se lee en JavaScript la ejecución del código prosigue saliendo de la función.

Una función no puede devolver varias variables. Pero es posible devolver un objeto, es decir, una variable que contenga varias variables.

```
function resultadoTest() {
    // ...
    var data.val1 = 5;
    var data.val2 = 7;
    return data;
}
var objeto = resultadoTest();
alert(objeto.val1 + " " + objeto.val2);
```

Aquí, la variable local, `data`, contiene dos valores. La variable `data` se recupera en `objeto`. La variable `objeto` contiene, por tanto, `val1` y `val2`.

10. Las cookies

Las cookies contienen información, algo así como variables, pero se almacenan en el navegador del lado del cliente. Tienen la peculiaridad de que se almacenan durante un periodo determinado de tiempo. Las cookies pueden resultar útiles para memorizar las opciones del usuario, que no tendrá que definirlas cuando vuelva a visitar el sitio.

```
function cookiesFx() {
    var dateNum = new Date();
    dateNum.setFullYear(dateNum.getFullYear() + 1);
    var exp = "expires=" + dateNum.toGMTString();

    document.cookie = "nbShow=" + escape(nbShow) + "; " + exp;
    document.cookie = "bg=" + escape(bg) + "; " + exp;
}
```

Para utilizar cookies, deben tenerse en cuenta dos etapas. La primera, que acabamos de mostrar, es la creación o actualización de las cookies.

Mediante la palabra clave `expires` se podrá definir la duración de la cookie, una especie de fecha de caducidad. La variable `dateNum`, en su creación, recupera la fecha actual. La llamada a la función `setFullYear` va a permitir cambiar el año, que aumentará en 1. Los valores almacenados en la cookie estarán accesibles durante un año.

La variable `exp` contiene la concatenación de la palabra clave `expires`, para indicar la duración, seguida de la fecha límite correspondiente.

A continuación, la información que guardamos en `nbShow` y `bg` se almacenará gracias a `document.cookie`. Puede haber muchas más variables, basta con repetir el mismo tipo de código. La función `escape()` permite modificar el contenido de cada variable para no tener problemas con los caracteres.

Cada línea termina con la concatenación de la variable `exp`, que indica la fecha de expiración de la cookie.

Lectura de cookies

A continuación viene la parte correspondiente a la lectura de las cookies almacenadas en el navegador. Es importante saber que el navegador jamás confundirá las cookies mostrando las de otro sitio diferente.

```
//lectura de cookies
var cookies = document.cookie.split(/; /);

for (var i = 0; i < cookies.length; i++) {

    cookies[i] = cookies[i].split(/=/);
    cookies[i][1] = unescape(cookies[i][1]);

    switch (cookies[i][0]) {
        case 'nbShow':
            nbShow = cookies[i][1];
            break;
        case 'bg':
            bg = cookies[i][1];
            break;
    }
}
```

El código anterior podría incluirse en una función `init()`, que se invocaría una vez el navegador recupera la estructura de la página, con `onload` en el body, por ejemplo.

La variable `cookies`, de hecho un array, recupera en primer lugar toda la información. La palabra `split` permite dividir el texto cada vez que encuentra un punto y coma ";". En la creación de la primera cookie, el primer dato almacenado era:

```
nbShow=5; expires=Mon, 22 May 2023 13:25:15 GMT
```

El split() permite dividirlo, cuando encuentra el ";". Almacena en la primera posición nbShow=5 y en la segunda expires=Mon, 22 May 2023 13:25:15 GMT. Dado que teníamos dos cookies, tendríamos en total cuatro posiciones del array.

nbShow=5
expires= Mon, 22 May 2023 13:25:15 GMT
bg="fondo_azul.jpg"
expires= Mon, 22 May 2023 13:25:15 GMT

A continuación, tenemos un bucle que permite recorrer toda la información almacenada en el array. Por cada línea del array, se producirá un nuevo split(). Pero en este caso, la división del texto se realizará respecto al signo igual "=". El resultado es otro array, donde cada posición recuperará un array de dos posiciones, donde el contenido de la primera posición (la número 0) será la variable y el de la segunda posición el valor. Es lo que llamamos un array de dos dimensiones: una dimensión para las filas y otra para las columnas.

Fila	Variable	Valor
0	nbShow	5
1	expires	Mon, 22 May 2023 13:25:15 GMT
2	bg	"fondo_azul.jpg"
3	expires	Mon, 22 May 2023 13:25:15 GMT

La lectura de la posición cookies[0][1] permite obtener el valor de la fila 0 y la columna 1, es decir, el valor de la variable, el nombre de la variable se encuentra en cookies[0][0].

La función unescape() anula el escape() que se hizo en la etapa de creación de la cookie y permite recuperar el texto inicial.

Por último, cada vez que se ejecuta el bucle, el switch() leerá el nombre de la variable almacenado en la posición del array. Si se trata de la variable buscada, entonces se almacenará su valor en una variable del programa para poder utilizarlo más adelante.

11. El drag and drop

El drag and drop es la acción de tomar un elemento manteniendo el clic del ratón sobre él, desplazarlo y soltar el clic para terminar sobre otro elemento. Es lo que hacemos cuando desplazamos un archivo seleccionándolo y moviéndolo con el ratón de una carpeta a otra.

Puede encontrar el siguiente ejemplo en el archivo:
5_11_DragAndDrop.html.

```
<div id="salida"></div>

<p>Desplace/Suelte los navegadores en una zona<br />
    <img src="../img/logos/chrome1.png"
        id="chrome_ico"
        ondragstart="dragNav(this, event)"
        alt="Logo Chrome">
    <img src="../img/logos/firefox1.png"
        id="firefox_ico"
        ondragstart="dragNav(this, event)"
        alt="Logo Firefox">
    <img src="../img/logos/ie1.png"
        id="edge_ico"
        ondragstart="dragNav(this, event)"
        alt="Logo Edge">
    <img src="../img/logos/opera1.png"
        id="opera_ico"
        ondragstart="dragNav(this, event)"
        alt="Logo Opera">
    <img src="../img/logos/safari1.png"
        id="safari_ico"
        ondragstart="dragNav(this, event)"
        alt="Logo Safari"></p>

<div class="box" ondragover="return false" ondrop="dropNav(this,
event, 1)">
    <p>Navegadores compatibles</p>
</div>
<div class="box" ondragover="return false" ondrop="dropNav(this,
event, 0)">
    <p>Navegadores incompatibles</p>
</div>
```

Para realizar un drag and drop en HTML5, debemos utilizar tres eventos: `ondragstart`, `ondragover` y `ondrop`.

`ondragstart` es el evento que se produce cuando el usuario "toma" un objeto. Aquí se trata de las imágenes, por "tomar" debemos entender pulsar con el botón izquierdo del ratón sobre la imagen, dejar el botón pulsado y desplazar la imagen para llevarla a otro lugar. Si el usuario "atrapa" una imagen, el evento `ondragstart` invocará a la función correspondiente, aquí `dragNav();`.

Es obligatorio trabajar con un elemento HTML que disponga del evento `ondrop`, que permite soltar el objeto en curso. Si ningún elemento utiliza el evento `ondrop`, el elemento desplazado no podrá situarse en ningún sitio.

En el ejemplo anterior, el evento `ondragstart` se utiliza en todas las imágenes, y tenemos dos `div` que utilizan el evento `ondrop` que permite al usuario soltar la imagen en uno u otro caso.

```
function salida(txt) {
    document.getElementById("salida").innerHTML += txt + "<br />";
}
function dragNav(target, evt) {
    evt.dataTransfer.setData("nombreIcono", target.id);
    salida("La imagen <b>" + target.id + "</b> está siendo
desplazada");
}
function dropNav(target, evt, compatible) {
    var id = evt.dataTransfer.getData("nombreIcono");
    target.appendChild(document.getElementById(id));

    if (compatible) {
        salida("La imagen <b>" + id + "</b> se ha soltado en la
zona compatible");
    } else {
        salida("La imagen <b>" + id + "</b> se ha soltado en la
zona incompatible");
    }

    evt.preventDefault();
}
```

La función `salida()` permite, simplemente, mostrar información durante el drag and drop para comprender mejor lo que sucede.

La función `dragNav(target, evt)` se invoca en nuestro ejemplo cuando el usuario desplaza el icono del navegador Firefox. En este caso, `target` contendrá el objeto con la imagen del logotipo de Firefox, y el evento contendrá la información correspondiente al drag and drop. La imagen con id `target.id` recuperará el id de la imagen que se está desplazando, en este caso `firefox_ico`. Esta información se almacena en la variable `nombreIcono`, que forma parte, ahora, de la información vinculada con el drag and drop. Es decir, en todo momento un evento vinculado al drag and drop podrá leer esta variable, será útil en el momento en que el usuario suelte la imagen.

A continuación, se invoca a la función `salida()` para mostrar lo que va a suceder.

Cuando el usuario suelta la imagen en una de las dos zonas, se invoca a la función `dragNav(target, evt, compatible)`. En primer lugar recupera en una variable local, llamada `id`, el nombre del icono que se ha almacenado en memoria al inicio del drag. Esto es posible gracias a la propiedad `dataTransfer`, que se ha utilizado antes para memorizar el id de la imagen desplazada. El destino (`target`) aquí es el div que permite recuperar la imagen del drag and drop. El método `appendChild()` creará en el objeto `tar-geun` nuevo elemento, que será de hecho el objeto cuyo id se ha recuperado mediante `getData`. Este mecanismo nos permitirá desplazar una imagen de un lugar a otro. La variable `compatible`, que vale 0 o 1, permite simplemente saber en qué zona se ha depositado la imagen y mostrar el mensaje adecuado.

La última instrucción `preventDefault` permite anular el evento y confirmar el final del drag and drop.

Observación

Para obtener más detalles acerca de `preventDefault`, consulte el sitio de Mozilla que muestra más ejemplos que permiten comprender cómo funciona todo esto:
https://developer.mozilla.org/en-US/docs/Web/API/Event/preventDefault

12. Mostrar el sitio HTML en pantalla completa

En la mayoría de los navegadores, salvo puede que Internet Explorer, es posible pasar un objeto a pantalla completa. La idea consiste en construir un sitio en el interior de este elemento, de modo que se muestre en pantalla completa. En el archivo **5_12_FullScreen.html** se muestra un ejemplo práctico.

Es preciso, naturalmente, prever la visualización utilizando valores en porcentaje o bien asociar algunos estilos que permitan una visualización agradable en pantalla completa.

En HTML tendremos, por ejemplo:

```
<div id="fullScreen">
    <input type="button" onclick="pantallaCompleta();"
value="Pantalla completa" />
    <h1>Una página que se muestra en pantalla completa.</h1>
</div>
```

A continuación, un evento u otro sobre el botón permitirán invocar al script siguiente para alternar el paso a pantalla completa o el retorno a pantalla normal.

```
function pantallaCompleta() {
var elem = document.getElementById('fullscreen');
    // Salir de la pantalla completa
    if (document.fullscreenElement) {
        document.cancelFullScreen();
    } else if (document.webkitFullscreenElement) {
        document.webkitCancelFullScreen();
    } else if (document.mozFullscreenElement) {
        document.mozCancelFullScreen();
    } else  {
        // Paso a pantalla completa
        if (elem.requestFullScreen) {
            elem.requestFullScreen();
        } else if (elem.webkitRequestFullScreen) {
            elem.webkitRequestFullScreen();
        } else if (elem.mozRequestFullScreen) {
            elem.mozRequestFullScreen();
        } else {
            alert('Navegador incompatible con la pantalla completa');
        }
    }
}
```

JavaScript recupera, simplemente, el id del div principal, que contiene todo el sitio.

A continuación, las instrucciones de comprobación que empiezan con `document` permiten recuperar información que indica si la visualización ya está en pantalla completa. La instrucción `FullscreenElement` debe estar precedida de `webkit` para que funcione bien en los navegadores Chrome y Safari y de `moz` para Firefox. Si la comprobación es verdadera, entonces se invoca a la función `CancelFullScreen();` para salir de la pantalla completa.

Si ninguna de las tres primeras comprobaciones es verdadera, significa que la visualización no está en pantalla completa. La instrucción `requestFullScreen` permite saber si el navegador es capaz de mostrar la página en pantalla completa. En este caso, se aplica la instrucción `request-FullScreen` al objeto que debe pasar a pantalla completa, `elem`. Si la condición es verdadera, se invoca a la función para pasar a pantalla completa, siempre precedida de `webkit` o `moz` para que funcione sobre la mayor cantidad de navegadores.

Esta funcionalidad no es válida para todos los navegadores, pero es interesante conocerla y utilizarla. En lugar de utilizar un div, puede resultar interesante pasar un vídeo para mostrarlo en pantalla completa.

Podemos examinar la sección CSS, puesto que existe un selector para el modo de pantalla completa.

```
#fullscreen {
    background-color: #0C0;
    width: 100%;
    height: 100%;
}
#fullscreen:-webkit-full-screen {
    max-height: 100%;
    background-color: #CCC;
}
#fullscreen:-moz-full-screen {
    max-height: 100%;
    background-color: #CCC;
}
```

El CSS detectará el paso a pantalla completa. El color de fondo del div pasará a gris cuando se muestre en pantalla completa.

13. Interacciones entre JavaScript, HTML y CSS

HTML y CSS son dos lenguajes que podrían calificarse de estáticos. Es decir, que si el estilo del texto de un párrafo utiliza el color gris, ese párrafo siempre estará escrito en gris y no será posible pedirle al CSS que cambie el color, salvo cuando se pasa el puntero del ratón por encima. Además, si una regla de estilo es estática, será la misma cada vez que se utilice. Un texto gris será siempre un texto gris en CSS. Y ahí es donde JavaScript resulta muy interesante porque puede modificar el estilo por una u otra razón: hacer desaparecer un elemento, desplazarlo por la pantalla, etc.

Supongamos que el código HTML tiene la etiqueta siguiente:

```
<div id='toto'>
<p>Toto va a la playa</p>
</div>
```

En primer lugar, es posible seleccionar la etiqueta `<div>` y, por tanto, su contenido, o bien la etiqueta `<p>`, en el interior de la etiqueta `<div>`. A continuación, se pueden efectuar modificaciones en el código HTML seleccionado o en el estilo aplicado a esas etiquetas.

```
var elDiv = document.querySelector("#toto");
var elParrafo = document.querySelector("#toto p");
```

En este ejemplo, la variable `elDiv` es el equivalente JavaScript de la etiqueta `<div id='toto'>` y la variable `elParrafo` es el equivalente del párrafo (etiqueta `<p>`).

Habría podido crearse la variable `elParrafo` escribiendo:

```
var elParrafo = elDiv.querySelector("p") ;
```

En este caso, no se accede al párrafo utilizando `document` sino partiendo del `<div>`.

¿Qué posibilidades nos ofrece esto?

Podemos cambiar el color del texto contenido en el párrafo con este código JavaScript:

```
elParrafo.style.color = "blue";
```

Con este código JavaScript, todo el texto del párrafo se volverá de color azul, fuera cual fuera su color anterior.

También se puede cambiar el contenido de la etiqueta <p>, y no solo en lo relativo a su apariencia.

```
elParrafo.innerHTML = "Este es el texto que aparece
ahora en el párrafo.<br>El antiguo texto ha sido suprimido";
```

O, para acabar con este ejemplo, se puede suprimir TODA la etiqueta y sustituirla por cualquier otro contenido HTML.

```
elDiv.innerHTML = "<article><h3>Un nuevo comienzo.</h3></article>";
```

En este ejemplo, ya no hay una etiqueta <p> y, en su lugar, encontramos una etiqueta `article`.

Observación

*Lo realmente importante es fijarse en la sintaxis que se ha utilizado entre los paréntesis de la instrucción `querySelector()`. Es exactamente la misma sintaxis que se utiliza para los selectores CSS. Por lo tanto, un buen dominio de esta sintaxis resultará muy útil para el CSS **y** para permitir que JavaScript interactúe con el código HTML.*

Recordemos que todas las reglas que se aplican a los selectores CSS están agrupadas en el sitio web oficial, al que se accede a través de este enlace: https://www.w3.org/TR/selectors-4/

14. Las bases de datos locales

Es posible crear una base de datos del lado cliente. Esta base de datos, una vez creada, puede utilizarse de manera indefinida. El hecho de cerrar el navegador o incluso de apagar el ordenador no le afectará.

Encontrará ejemplos que recogen lo esencial de las posibilidades (es decir, crear una base de datos, crear tablas, escribir en ellas y leerlas) en la carpeta **2025/indexedDB**.

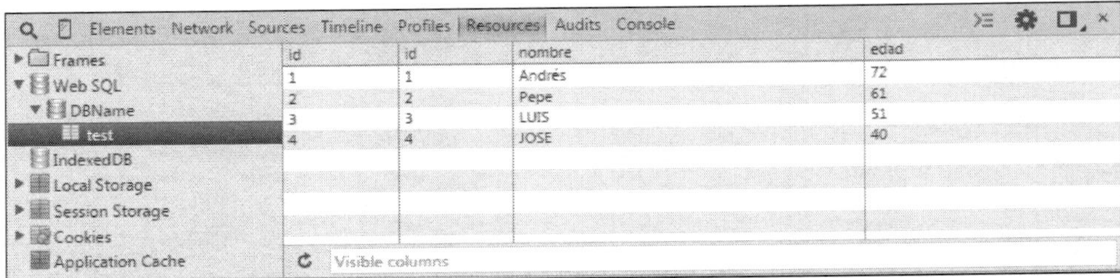

14.1 Creación de una base de datos

El primer paso consiste en crear una base de datos llamada "miBase" con IndexedDB, que utiliza un sistema de apertura asíncrono:

```
let db;
let request = indexedDB.open("miBase", 1);

request.onupgradeneeded = function(event) {
  db = event.target.result;
  db.createObjectStore("test", { keyPath: "id", autoIncrement: true });
};

request.onsuccess = function(event) {
  db = event.target.result;
  console.log("Base de datos abierta con éxito");
};

request.onerror = function(event) {
  console.error("Error al abrir la base: ", event.target.error);
};
```

A continuación, intervienen tres funciones.

La primera función, `onupgradeneeded`, es aquella en la que se crea o se modifica la estructura de la base (tablas, llamadas *object stores*, índices, etc.). Cuando se abre una base de datos con `indexedDB.open()`, es posible especificar una versión. Si esa versión es superior a la que está almacenada actualmente, se desencadena el evento `onupgradeneeded`.

En el ejemplo, *db* hace referencia a la base de datos. Se crea un nuevo *object store* (equivalente a una tabla) llamado test.

`keyPath: "id"` indica que cada objeto almacenado deberá tener una propiedad id, que servirá como identificador único (clave primaria), y `autoIncrement: true` significa que el valor de id se generará automáticamente si no se proporciona; ese valor será un entero autoincrementado.

La segunda función, `onsuccess`, se ejecuta cuando todo ha ido bien. Y el evento `onerror` se activa si hay algún problema.

Una vez creada, la base es accesible mediante la variable `db`. A continuación, hay que crear las tablas (*object stores*) que almacenarán los datos; luego, hay que insertar datos y, por último, leer la información necesaria.

14.2 Creación de una tabla (object store)

La tabla se representa aquí mediante un object store llamado « test », creado en la función `onupgradeneeded`. Tiene tres campos:

- un identificador autoincrementado (id);
- un nombre (nombre);
- una edad (edad).

Las columnas no se declaran explícitamente como en SQL; los objetos que se insertan pueden tener cualquier propiedad.

14.3 Insertar registros

```
let db = request.result;
let transaction = db.transaction("personas", "readwrite");
let store = transaction.objectStore("personas");

store.add({ nombre: "Alice", edad: 30 });
store.add({ nombre: "Bob", edad: 25 });
```

Este código creará:

```
{ id: 1, nombre: "Alice", edad: 30 }
{ id: 2, nombre: "Bob", edad: 25 }
```

Explicación de la palabra clave *transaction*: sirve para iniciar una transacción sobre una o varias tablas (llamadas *object stores*), con el fin de leer, escribir, modificar o eliminar datos de forma segura. La transacción garantiza que todas las operaciones agrupadas se completan juntas o fallan juntas. Ofrece eventos como `transaction.oncomplete`, `transaction.onerror`.

Otro método sería crear una función para registrar una nueva persona.

```
function anadirRegistro(nombre, edad) {
  let transaction = db.transaction(["test"], "readwrite");
  let store = transaction.objectStore("test");

  let request = store.add({ nombre: nombre, edad: edad });

  request.onsuccess = function() {
    console.log("Datos añadidos:", nombre, edad);
  };

  request.onerror = function(event) {
    console.error("Error al añadir:", event.target.error);
  };
}
```

Inserción de algunos registros:

- `anadirRegistro('Ballesteros', 72);`
- `anadirRegistro('Enrique', 61);`

Ejercicio: base de datos

Crear una base de datos « miBase » con una tabla « personas » que permita almacenar un nombre y una edad.

Crear un formulario que permita enviar la información a la base de datos y mostrarla (nombre y edad) una vez registrada.

Crear un botón que permita mostrar la lista de todas las personas que tienen menos de 50 años.

14.4 Leer información

Para leérmelos datos cuya edad es inferior a 50:

```
function leerRegistros(ageMax) {
  let transaction = db.transaction(["test"], "readonly");
  let store = transaction.objectStore("test");
  let request = store.openCursor();

  request.onsuccess = function(event) {
    let cursor = event.target.result;
    if (cursor) {
      if (cursor.value.age < edadMax) {
        console.log(cursor.key + " : " + cursor.value.nom);
      }
      cursor.continue();
    } else {
      console.log("Fin de la lectura.");
    }
  };

  request.onerror = function(event) {
    console.error("Error de lectura:", event.target.error);
  };
}
```

Lectura de los registros con edad < 50

```
leerRegistros(50);
```

Aquí, para recorrer toda la información almacenada, utilizamos cursor (un cursor), que permite recorrer todos los registros de un object store (o de un índice), uno a uno, en un orden determinado.

El objeto `cursor` dispone del método `continue()`, que, una vez llamado, pasa al siguiente registro.

15. Generar PNG en JavaScript

En la carpeta `lib` de la carpeta `js` se ha agregado una librería que permite crear imágenes en formato PNG. El archivo **5_16_PNG.html** detalla el siguiente ejemplo:

El código permite crear fácilmente cinco formas, que son: \, /, | |, = y X.

Dado que solo existen cinco formas, podría ser interesante tener iconos diferentes, con un color de fondo distinto en cada caso. Vamos a ver cómo crear los distintos colores y, a continuación, cómo crear las imágenes.

La primera etapa consiste en completar un array de objetos, que contendrá los colores, o mejor dicho las componentes roja, verde y azul del color de fondo, y una cuarta información correspondiente al color del primer plano.

```
var frecuencia = .2;
var RFrecuencia = Math.PI / 9;
var VFrecuencia = Math.PI / 17;
var AFrecuencia = Math.PI / 4;
var pattTernColor = new Array();
```

```
for (var i = 0; i < 20; ++i)
{
    var r = Math.round(Math.sin(RFrecuencia * i) * 70 + 180);
    var g = Math.round(Math.sin(VFrecuencia * i) * 70 + 180);
    var b = Math.round(Math.sin(AFrecuencia * i) * 70 + 180);
    var txt = 255;
    if ((r + g + b) > 100) {
        txt = 0;
    }
    pattTernColor[i] = {};
    pattTernColor[i].r = r;
    pattTernColor[i].g = g;
    pattTernColor[i].b = b;
    pattTernColor[i].t = txt;
}
```

La técnica que se utiliza aquí es un clásico para crear un arcoíris de colores.

La idea consiste en modificar los valores de rojo, verde y azul como si ellas fueran una sinusoide, haciéndolo de manera que si una aumenta, la otra disminuye, siendo la tercera diferente. La palabra correcta es "desfase", es decir, los valores aumentarán hasta alcanzar un valor máximo y disminuirán, a continuación, siguiendo una curva sinusoidal. Para que no todas tengan el mismo valor, cuando una arranca, la otra ya se encuentra algo avanzada, y la tercera viene con retraso. Son los tres valores de las frecuencias `RFrecuencia`, `VFrecuencia` y `AFrecuencia` los que permiten hacer esto.

Puede cambiar estos valores para ver cómo evolucionan los colores.

A continuación, tenemos un bucle que va a permitir crear hasta 20 colores, aunque de hecho no existe ningún límite. El valor que debe almacenarse en las variables locales `r`, `g` o `b` estará comprendido entre 0 y 255. La variable `txt` permite almacenar el color del primer plano. El color por defecto será blanco, pero si la cantidad de rojo, verde o azul es importante, entonces `txt` valdrá 0 para que el color de primer plano sea negro.

A continuación, la línea `pattTernColor[i] = {};` permite crear un objeto en la posición en curso, si bien es posible almacenar en la posición del array las cuatro informaciones de color de fondo (r,g,b) y de primer plano (t).

```
function creaPng() {

// generación de PNG.
    var tamañoDiagImg = 10;
    var p;
    var out = '';

    for (var numCol=0; numCol < pattTernColor.length; numCol++) {
        p = new PNGlib(tamañoDiagImg, tamañoDiagImg, 256);

        for (var x = 0; x < tamañoDiagImg; x++) {
            for (var y = 0; y < tamañoDiagImg; y++) {
                var textColor = p.color(pattTernColor[numCol].t,
pattTernColor[numCol].t, pattTernColor[numCol].t, 255);
                var fillColor = p.color(pattTernColor[numCol].r,
pattTernColor[numCol].g, pattTernColor[numCol].b, 200);

                switch (numCol % 5) {
                    case 0:
                        if (x === y) { // representación : \
                            p.buffer[p.index(x, y)] = textColor;
                        } else {
                            p.buffer[p.index(x, y)] = fillColor;
                        }
                        break;
                    case 1 :
                        if ((tamañoDiagImg - 1) - x === y) { //
representación: /
                            p.buffer[p.index(x, y)] = textColor;
                        } else {
                            p.buffer[p.index(x, y)] = fillColor;
                        }
                        break;

                    case 2 :
                        if (x === 2 || x === 7) { // representación: ||
                            p.buffer[p.index(x, y)] = textColor;
                        } else {
                            p.buffer[p.index(x, y)] = fillColor;
                        }
                        break;
```

```
                    case 3 :
                        if (y === 2 || y === 7) { // representación: =
                            p.buffer[p.index(x, y)] = textColor;
                        } else {
                            p.buffer[p.index(x, y)] = fillColor;
                        }
                        break
                    case 4 :
                        if (tamañoDiagImg - x === y || x === y) {
// representación: x
                            p.buffer[p.index(x, y)] = textColor;
                        } else {
                            p.buffer[p.index(x, y)] = fillColor;
                        }
                        break;
                }

            }
        }
        out += '<img id="imgColl_' + numCol + '"
src="data:image/png;base64,' + p.getBase64() + '"> ';
    }

    document.getElementById('pngg').innerHTML = out;
}
```

En la creación del PNG, la primera etapa consiste en crear un objeto de tipo PNG.

```
p = new PNGlib(tamañoDiagImg, tamañoDiagImg, 256);
```

Basta con pasarle las dimensiones, en nuestro ejemplo el ancho y el alto tienen el mismo valor, para obtener un pequeño cuadrado. El tercer parámetro es el número de colores posibles. Este PNG se crea en el interior de un bucle que recorre todos los colores creados anteriormente, de modo que habrá tantas imágenes como colores.

A continuación, se anidan dos bucles que permiten rellenar las filas y las columnas de la imagen PNG. Ambos bucles están limitados por las dimensiones de la imagen.

Con cada ejecución del bucle, se crean dos colores.

```
var textColor = p.color(pattTernColor[numCol].t,
pattTernColor[numCol].t, pattTernColor[numCol].t, 255);
var fillColor = p.color(pattTernColor[numCol].r,
pattTernColor[numCol].g, pattTernColor[numCol].b, 200);
```

La primera variable, `textColor`, es de hecho el color del primer plano. Recupera el valor almacenado anteriormente en el objeto array. En el ejemplo, el valor de `t` es siempre igual a 0. Este valor se aplica tres veces, para el rojo, el verde y el azul. Será negro. El último parámetro es el canal alfa, la transparencia. Para el primer plano, este valor tiene el valor máximo, 255, para que el trazo negro sea opaco.

La siguiente variable `fillColor` se corresponde con el color de relleno. Recupera los valores de rojo, verde y azul creados anteriormente. El canal alfa vale 200, si bien el color de fondo será ligeramente transparente y permitirá que se vea ligeramente lo que hubiera detrás de la imagen.

La idea consiste en crear únicamente cinco formas pero con colores de relleno diferentes, el módulo 5 (`numCol % 5`) permite crear alternativamente una de las cinco formas deseadas.

Cada instrucción `case` está seguida de una condición que permite saber si el píxel que debe pintarse lo hará con el color de primer plano o con el color de fondo. Las variables x e y representan la posición del píxel coloreado.

A continuación, la línea de código:

```
out += '<img id="imgColl_' + numCol + '"
src="data:image/png;base64,' + p.getBase64() + '"> ';
```

permite crear una etiqueta `<img ... />` y la fuente de esta imagen no será un archivo, como ocurre habitualmente, sino el valor almacenado en el objeto `p`. Es completamente posible codificar una imagen en base64 y almacenarla en una etiqueta imagen como se muestra aquí, o almacenarla en un CSS.

La codificación base64 es, simplemente, el hecho de transformar la información binaria en una cadena de caracteres. La información `image/png;` es el tipo MIME, una información que permite definir el tipo de imagen.

Observación

Es posible, utilizando la codificación base64, crear un archivo de texto, por ejemplo un archivo CSV (Comma Separated Values, valores separados por comas o puntos y coma), que puede ser muy práctico si se usa junto a una base de datos local.

En el ejemplo, la imagen se muestra, a continuación, para utilizarse directamente, pero dado que cada imagen posee su propio id, será posible invocar a este id para utilizar la imagen en cualquier otro lugar del sitio web.

16. Ajax

Ajax significa *Asynchronous JavaScript and XML*. Esto quiere decir que va a ser posible recuperar información del servidor de manera asíncrona. Dicho de otro modo, JavaScript va a pedir alguna información al servidor y, más tarde, el servidor responderá, aunque durante todo este tiempo el programa JavaScript no estará bloqueado esperando la respuesta. Podrá ejecutar otros programas, y cuando el servidor responda, se advertirá a JavaScript, y podrá consultar lo que ha enviado el servidor. En sus inicios, Ajax estaba diseñado para funcionar con XML, pero en la práctica es posible hacer circular cualquier tipo de información, siempre y cuando se trate de una cadena de caracteres.

En el archivo **5_16_Ajax.html** se encuentra un ejemplo que utiliza Ajax.

El interés de Ajax es poder actualizar una página HTML sin tener que cargar la página entera, sino recargando simplemente aquella información que se encuentre dentro de un div, por ejemplo, lo cual resulta mucho más rápido que recargar la página completa.

La función que permite utilizar Ajax es `XMLHttpRequest`. Esta función permite a JavaScript comunicarse con el servidor.

Contiene la palabra http, lo que significa que el código no funcionará salvo si se ejecuta en un servidor. De momento, todo lo que se ha codificado en el libro se almacena en el equipo cliente, y el principio de una URL en el navegador es file:// o c:// pero no http. Dicho de otro modo, hace falta http para ejecutar Ajax.

Lo más sencillo sería almacenar el ejemplo en un servidor remoto, el de su proveedor de hosting, o bien transformar su equipo en un servidor.

Para realizar la segunda solución, puede descargar WAMP (*Windows Apache MySQL PHP*) para Windows. Existe, también, MAMP para Mac y LAMP para Linux.

Una vez instalado WAMP, se crea una carpeta `wamp` en la raíz del disco duro, y debemos trabajar en la carpeta www. En Mac o Linux, debemos encontrar el lugar donde se haya instalado MAMP o LAMP, seguramente en las aplicaciones, y dejar los scripts que queramos leer en la carpeta `htdocs`.

Aquí se presenta un ejemplo que contiene dos botones que permiten, cada uno, cargar un texto distinto en un div. El script completo se encuentra en el archivo **5_16_Ajax.html**.

```
<button type="button" onclick="ajaxCarga(1)">Ajax 1</button>
<button type="button" onclick="ajaxCarga(2)">Ajax 2</button>

<div id="reprAjax"><h2>Un texto escrito directamente en la
página HTML.</h2></div>
```

He aquí el resultado:

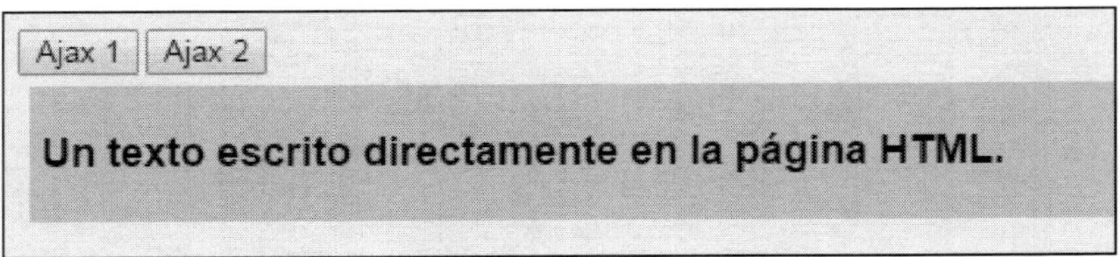

Cada botón invoca a la función `ajaxCarga()` y le pasa el número de archivo a recuperar. El `div` que tiene como id `reprAjax` verá cambiar su contenido por el que envíe el servidor.

Veamos la función `ajaxCarga()` y su funcionamiento:

```
function ajaxCarga(num) {
    var xmlHttp;

    if (window.XMLHttpRequest) {
        // código para Firefox, Chrome, Opera, Safari
        xmlHttp = new XMLHttpRequest();
```

```
    } else {
        // código para IE6, IE5
        xmlHttp = new ActiveXObject("Microsoft.XMLHTTP");
    }

    xmlHttp.onreadystatechange = function()
    {
        if (xmlHttp.readyState === 4 && xmlHttp.status === 200)
        {
            document.getElementById("reprAjax").innerHTML =
xmlHttp.responseText;
        }
    };

    if (num === 1) {
        xmlHttp.open("GET", "ajax1.txt", true);
    } else {
        xmlHttp.open("GET", "ajax2.txt", true);
    }

    xmlHttp.send();
}
```

En primer lugar, debemos inicializar la variable `xmlHttp`. La primera condición va a permitir inicializar esta variable para que Ajax funcione en los distintos navegadores. Para ello, se crea una comprobación que permite saber si el navegador conoce el objeto `window.XMLHttpRequest`. Se abordan ambos casos, tanto si conoce el objeto `window.XMLHttpRequest` como si no, tras la comprobación la variable `xmlHttp` permitirá comunicarnos mediante Ajax con el servidor.

En primer lugar es preciso crear una función que se invocará cuando el servidor responda. De momento, no se ha solicitado nada al servidor, pero no hace falta pedir nada al servidor, en un primer tiempo, y a continuación escribir el código que se quiere ejecutar, pues el servidor podría responder antes de que el código que reacciona a su respuesta se haya leído en el navegador. Por este motivo, debemos escribir en primer lugar el código que reacciona a la respuesta del servidor `xmlhttp.onreadystatechange` y, solamente después, invocar al servidor `xmlHttp.send`.

onreadystatechange es el evento que se produce cuando el servidor responde a la solicitud. La condición xmlHttp.readyState === 4 && xmlHttp.status === 200 permite asegurar que el servidor ha respondido y todo se ha sucedido correctamente. En este caso, bastará con leer la respuesta del servidor, que no es más que el archivo TXT cargado, y almacenar su contenido en xmlHttp.responseText.

A continuación, xmlHttp.open("GET", "ajax1.txt", true); indica que se va a solicitar un archivo al servidor.

La palabra GET indica el método utilizado. Tenemos la opción, en un formulario, de utilizar GET o POST. Si bien el método POST se utiliza más en formularios, dado que no está limitado en tamaño, el método GET presenta la ventaja de que es más rápido.

A continuación, tenemos el nombre del archivo que queremos recuperar y, para terminar, true significa que la comunicación es asíncrona. Si se utilizara el valor false, la comunicación sería síncrona, de modo que JavaScript esperaría a la respuesta y no podría realizar ninguna otra acción durante este tiempo.

La última línea, xmlHttp.send();, permite enviar la petición al servidor, mientras que el evento onreadystatechange nos avisará cuando el servidor responda.

A continuación se carga mediante Ajax un archivo utilizando jQuery.

```
$.ajax({
    type: "get",
    url: ajax1.txt,
    success: function(retorno) {
        $("#reprAjax").html(retorno);
    },
    error: function(retorno) {
        alert("problema en el servidor: " + retorno);
    }
});
```

Las palabras success y error permiten definir si todo se ha desarrollado correctamente o no. No es preciso escribir ninguna línea de código en Ajax en función del navegador, jQuery lo hace automáticamente.

Si todo se desarrolla correctamente, se encuentra el archivo y se envía al navegador, se ejecuta la sección `success` y el `retorno`, que es el equivalente de `xmlHttp.responseText`, se escribe en `#reprAjax`. Si se produce algún error, entonces se muestra una alerta.

Observación

jQuery es una librería de JavaScript, es decir, una gran cantidad de funcionalidades que facilitan el desarrollo en JavaScript. Con jQuery será más fácil realizar animaciones, modificar estilos, recuperar información relativa al navegador. jQuery no hace nada que JavaScript no sea capaz de realizar, pero permite escribir muchas menos líneas de código que utilizando JavaScript puro. La parte negativa es que tenemos que tener en el sitio de internet el archivo JQuery.js, que ocupa más de 100 KB.

17. Gestión de temporizadores (setTimeout(), setInterval(), Date)

setTimeout()

JavaScript permite ejecutar funciones después de un cierto tiempo o cada x milisegundos.

Por ejemplo: `setTimeout(function(){}, duración);`

Lo que podría dar:

```
setTimeout(function() {
      mostrarVentanaPromo();
}, 1500);
```

En este ejemplo, se muestra nuestra página HTML y un segundo y medio más tarde, el temporizador (`setTimeout`) se agota y se ejecuta la función `mostrarVentanaPromo()`.

setInterval()

```
setInterval(function() {
     moverPersonaje();
}, 30);
```

El código anterior es fácilmente comprensible, ya que tiene la misma sintaxis que el anterior. Pero en este caso, la función `moverPersonaje()` no se llamará una vez como con el `setTimeout()`, sino que se llamará continuamente cada 30 ms, lo que puede ser útil para ciertas animaciones.

Un `setInterval()` se ejecuta sin cesar y puede ser práctico, incluso indispensable, poder detenerlo y reiniciarlo.

Existe la función **`clearInterval()`** que permite finalizar el `setInterval()`. En este caso se debe escribir así:

```
let idInterval = setInterval(function() {
     moverPersonaje();
}, 30);

function stopInterval() {
     clearInterval(idInterval);
}
```

En un primer momento, `idInterval` contendrá un valor correspondiente al `setInterval()`. Esto permitirá, en un segundo momento, que `clearInterval()` use `idInterval` para detener el `setInterval` en curso.

Hay que tener cuidado cuando se activa el `setInterval()` mediante un clic del usuario: si el usuario hace clic varias veces, activará varios `setInterval` que serán difíciles, e incluso imposibles, de detener.

Por lo tanto, es prudente, por ejemplo, crear un booleano, que « sabrá » si un `setInterval` está en funcionamiento, lo que permitirá no iniciar uno nuevo.

Observación

La palabra clave "let" permite crear una variable en JavaScript.

Por ejemplo:

```
let setIntervalEnCurso = false;
let idInterval;
function iniciarSetInterval() {
     // equivalente a(setIntervalEnCurso == false)
     if(!setIntervalEnCurso) {
          // el bookeano en true evita iniciar
```

```
un nuevo setInterval()
           setIntervalEnCurso = true;
           idInterval = setInterval(function() {
                  moverPersonaje();
           }, 30);
     }
}
```

```
function stopSetInterval() {
     clearInterval(idInterval);
     setIntervalEnCurso = false;
     // lo que permitirá iniciar un nuevo setInterval()
}
```

Date

JavaScript posee una función que permite obtener la fecha y la hora.

```
let ahora = new Date();
let s = ahora.getSeconds();
console.log('segundos: ' + s);
```

En este ejemplo, se crea un objeto **ahora**. Este objeto posee numerosos métodos (funciones internas del objeto) que permiten obtener mucha información sobre la fecha (el mes, la hora).

Aquí, simplemente mostramos los segundos.

A continuación, un enlace a un sitio que contiene toda la información sobre los objetos de tipo Date y, de manera más general, una muy buena documentación sobre los lenguajes HTML y CSS.

https://developer.mozilla.org/es/docs/Web/JavaScript/Reference

Ejercicio: modificar la hora en JavaScript

Para completar el ejercicio del reloj que se balancea (capítulo CSS3 - Las transiciones y animaciones), ahora es necesario crear una función que muestre la hora. Este ejercicio también tiene como objetivo aprender a buscar en Internet, algo que todo desarrollador debe hacer regularmente.

18. Desplazar un elemento con el teclado

Para desplazar un elemento, como una bola, con el teclado, primero hay que detectar que se ha pulsado una tecla. Para ello, hay una escucha: window.onkeydown.

Cuando se desencadena el evento `keyDown`, es posible obtener mucha información sobre las teclas pulsadas o no. En nuestro caso, queremos obtener la información de la presión en una de las cuatro flechas de dirección.

Es importante implementar una lógica donde el hecho de presionar una tecla no mueva directamente la bola. De lo contrario, el movimiento de la bola dependería de nuestra rapidez para presionar repetidamente la flecha hacia la izquierda, por ejemplo.

Por lo tanto, procederemos de la siguiente manera: por un lado, simplemente establecer un booleano en `true` para indicar que una tecla está presionada, y por otro lado leer ese booleano para saber si se debe o no mover la bola.

Veamos lo que obtenemos:

HTML

```
<div class='bola'></div>
```

CSS

```
.bola {
   width: 30px;
   height: 30px;
   position: absolute;
   top: 200px;
   left: 200px;
   background: radial-gradient(ellipse at center, rgba(181, 189, 200, 1) 0%, rgba(130, 140, 149, 1) 36%, rgba(40, 52, 59, 1) 100%);
   border-radius: 50%;
}
```

JavaScript

Una variable (u objeto JSON) llamada `action` contendrá todos los booleanos que indican si una tecla está presionada o no. Por defecto, todos están en `false`.

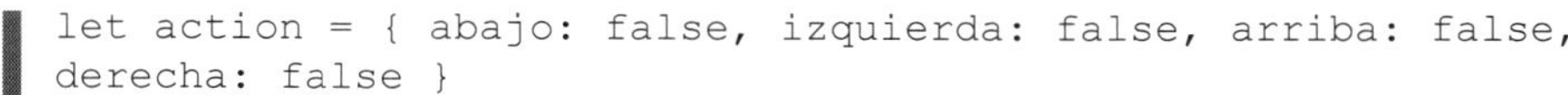

```
let action = { abajo: false, izquierda: false, arriba: false,
derecha: false }
```

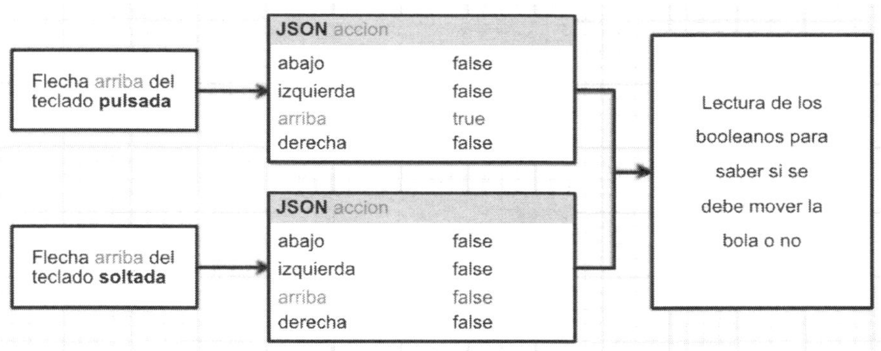

En el centro del diagrama, hay un objeto JSON.

Por un lado, se actualizará mediante un evento del teclado para indicar qué tecla está presionada. Por otro lado, se leerá el booleano para saber si se debe o no mover la bola.

Otra variable (u objeto JSON) llamada `posBola` contendrá la información sobre la posición de la bola en la pantalla. Sus valores iniciales serán los mismos que los del CSS, es decir, `left:200px` y `top:200px` que en JavaScript serán X e Y.

La unidad px no debe ser utilizada en este nivel. De esta manera, los valores `posBola.x` y `posBola.y` podrán ser incrementados o decrementados. Solo en el momento de utilizar estos valores se añadirá la unidad, como se indica más abajo.

Nuestro objeto `posBola` también puede contener valores máximos para que la bola no salga de un marco.

```
let posBola = {x:200, y:200, maxX:400, maxY:400}
```

Si una tecla está presionada y esa tecla es una flecha de dirección, el booleano correspondiente se pone en `true`. Si se suelta, el booleano se pone en `false`.

El evento `onkeydown` escucha si se ha presionado una tecla del teclado. Si es así, la función se ejecuta recuperando un objeto aquí llamado `e` (se puede nombrar de otra manera), ya que contiene mucha información sobre el evento que acaba de ocurrir, es decir, una tecla presionada.

Un `console.log(e)` permitirá visualizar toda la información del objeto `e`; en nuestro caso, nos interesa la propiedad `code`. La usamos en un switch/case para saber si la tecla presionada es `ArrowDown`, `ArrowUp`, etc..., en otras palabras, una o varias de las cuatro teclas de dirección.

Si es el caso, el booleano contenido en el objeto JSON `action`, previsto para la tecla abajo, arriba, derecha o izquierda, se pondrá en `true`.

```
window.onkeydown = function(e) {
   console.log(e)
   switch (e.code) {
       case "ArrowDown":
           accion.abajo = true;
           break;
       case "ArrowUp":
           accion.arriba = true;
           break;
       case "ArrowRight":
           accion.derecha = true;
           break;
       case "ArrowLeft":
           accion.izquierda = true;
           break;
       default:
           break;
   }
}
```

El evento onkeyup escucha si se deja de pulsar una tecla. Luego, al igual que con onkeydown, el booleano contenido en el objeto JSON accion, previsto para una tecla de dirección, se pondrá en false para indicar que la tecla ya no está presionada.

```
// se suelta una tecla
window.onkeyup = function(e) {
   switch (e.code) {
       case "ArrowDown":
           accion.abajo = false;
           break;
       case "ArrowUp":
           accion.arriba = false;
           break;
       case "ArrowRight":
           accion.derecha = false;
           break;
       case "ArrowLeft":
           accion.izquierda = false;
           break;
   }
}
```

El setInterval ejecuta la función moverBola() cada 5 ms; es decir, 200 veces por segundo.

```
setInterval(function() {
   moverBola();
}, 5);
```

Cuando la función moverBola() se ejecuta, verifica si un booleano es verdadero (por ejemplo, accion.abajo) y, si es el caso, el valor que contiene la posición en Y se modifica; más específicamente, se incrementa, ya que la bola debe descender. Luego, este nuevo valor se asigna al estilo top de la bola.

La misma lógica se aplica para el eje X, modificando el valor del estilo `left`, para ir a la izquierda o a la derecha.

```
function moverBola() {
   if (accion.abajo) {
       if (posBola.y < posBola.maxY) {
           posBola.y++;
       }
   }
   if (accion.arriba) {
       if (posBola.y > 0) {
           posBola.y--;
       }
   }
   if (accion.derecha) {
       if (posBola.x < posBola.maxX) {
           posBola.x++;
       }
   }
   if (accion.izquierda) {
       if (posBola.x > 0) {
           posBola.x--;
       }
   }
   bola.style.top = posBola.y + "px";
   bola.style.left = posBola.x + "px";
}
```

Ejercicio: crear la animación de un personaje que camina

Desplazar el personaje con el teclado (a partir del trabajo realizado en el capítulo CSS3 en la sección Los fondos y fondos múltiples).

Capítulo 6
Representación HTML y CSS

1. Los bloques y su posición en pantalla

La representación gráfica mediante código HTML se realiza, simplemente, mediante bloques situados en los lugares correspondientes. Este tema se aborda en el capítulo HTML - sección Métodos y etiquetas para estructurar una página, y lo vamos a desarrollar aquí combinando HTML y CSS.

1.1 Las tablas

Han sido, durante mucho tiempo, el método principal para posicionar el contenido de una página. El método consistía en crear una tabla, e insertar en una celda de la tabla otra tabla, que podía contener, a su vez, una o varias tablas.

Esto resultaba eficaz, pero exigía un esfuerzo bastante grande para entender el código, pues todas las tablas anidadas hacían que fuera difícil saber en qué tabla se estaba trabajando.

Veamos, de nuevo, el ejemplo de las frutas y las verduras que vimos en el capítulo HTML - sección Métodos y etiquetas para estructurar una página, y veamos cómo obtener esta apariencia para nuestra tabla. Este ejemplo puede examinarse en el archivo **6_1_1_Tablas.html**.

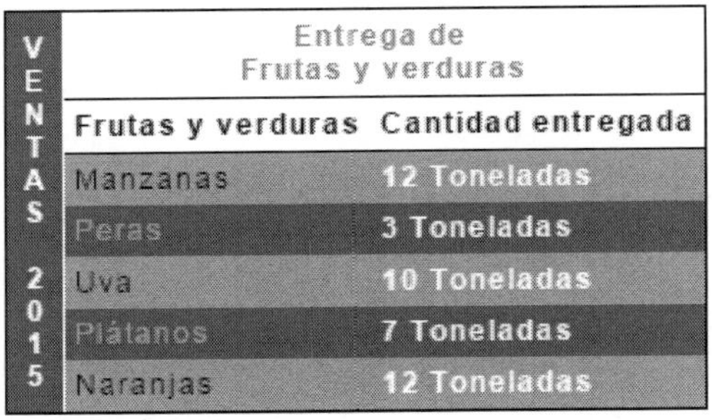

V E N T A S 2 0 1 5	Entrega de Frutas y verduras	
	Frutas y verduras	**Cantidad entregada**
	Manzanas	12 Toneladas
	Peras	3 Toneladas
	Uva	10 Toneladas
	Plátanos	7 Toneladas
	Naranjas	12 Toneladas

```
<table id="frutasVerduras">
    <tr>
        <td rowspan="7" class="tituloIzquierdo">V E N T A S   2 0 2 4</td>
        <th colspan="2" class="titulo">Entrega de <br />Frutas y  verduras</th>
    </tr>
    ...
```

La primera columna "VENTAS 2024" utiliza la propiedad HTML `rowspan`. El espacio ocupado por este `<td>` será equivalente a 7 filas, si bien la primera columna ocupará todo el alto de la tabla. El texto se escribe con espacios entre cada letra provocando así que las letras se escriban una debajo de las otras.

El título "Entrega de Frutas y verduras" utiliza el ancho de dos columnas gracias a la propiedad `colspan`, que permite agrupar varias columnas. El `<br />` hace que el texto se escriba en dos líneas.

La etiqueta `<table>` tiene, por defecto, márgenes internos y un espacio entre los bordes. Si no se aplica ningún valor que corrija esto, habrá espacio entre las celdas, y para las líneas de detalle será algo desafortunado tener un espacio de fondo entre "Manzanas" y "12 Toneladas". Para ello, conviene configurar el espacio entre las celdas igual a 0. Esto puede escribirse directamente en la etiqueta `<table>` escribiendo `cellspacing="0"`. El método utilizado aquí utiliza CSS.

```
#frutasVerduras, th {
    letter-spacing: 1px;
    border:1px solid #000;
    margin: 0;
    padding: 0;
    border-spacing: 0px;
}
```

La propiedad CSS `border-spacing` permite modificar este valor, y se fuerza a 0.

Las dos primeras líneas de la tabla, <th>, con el fondo blanco, tienen un borde interior. La etiqueta <th> (*table head*) escribe automáticamente en negrita en el centro. La etiqueta <th> recibe estilo mediante su id `#frutasVerduras` y debería tener un borde de 1 píxel a su alrededor, negro, de trazo continuo.

Para anularlo, se crea un estilo solamente para la etiqueta <th> que pone el borde a 0 para el conjunto y fija uno para la parte inferior:

```
th {
    padding: 4px;
    background-color: #fff;
    color: #000;
    border: 0px solid #000;
    border-bottom: 1px solid #000;
}
```

Del mismo modo, el título de la parte izquierda tiene un borde blanco en su lado derecho:

```
.tituloIzquierdo {
    text-align: center;
    width: 15px;
    background-color: #1362bb;
    color: #FFF;
    font-weight: bold;
    border-right: 1px solid #FFF;
}
```

Las tablas siguen usándose para representar datos, como en este ejemplo. Su principal defecto es que siempre tienen el aspecto de tablas. Para obtener un diseño responsivo resulta práctico poder cambiar la apariencia completa de la página únicamente con CSS. Dicho de otro modo, con la tabla será imposible o bien será muy complicado. Por este motivo las etiquetas <div> han tenido tanto éxito.

1.2 Los div y las nuevas etiquetas HTML5

Los div se han abordado en el capítulo dedicado a CSS3, donde hemos visto también las nociones de desbordamiento y posicionamiento. Con lo que hemos visto hasta ahora, vamos a poder construir una página HTML con una zona de cabecera (o menú) en la parte superior de la página que no se moverá cuando el usuario descienda por la página, del mismo modo que un pie de página, que podrá ser visible siempre en la zona inferior sea cual sea el tamaño de la página. Consulte el ejemplo: **6_1_2_losDivs.html**.

El código HTML contiene cuatro grandes apartados. Se incluyen en las etiquetas `<header>`, `<nav>`, `<div>` y `<footer>`.

```
<header id='topPagina'>Una CABECERA que se mueve</header>
<nav id='menu'>Un menú que se mueve en la parte superior
de la página</nav>

<div id='mainPagina'></div>

<footer id="piePagina">Un Footer fijo.</footer>
```

Si bien el nombre de estas cuatro etiquetas es completamente diferente, van a funcionar de la misma manera, mostrarse de la misma manera y tendrán las mismas propiedades en CSS. De hecho, su nombre va a permitir ayudar a detectar su contenido. La etiqueta `<header>` se encuentra en la zona superior de algo, aquí en lo alto de la página. La etiqueta `<nav>` contiene elementos previstos para la navegación, como un menú. El div ya lo hemos visto y no diremos nada acerca de su contenido, y para terminar la etiqueta `<footer>` es la zona más inferior de un bloque.

El código CSS permite posicionar los elementos con precisión. El uso de la posición `:fixed` así como `z-index` permite trabajar de modo que si el contenido de la página necesita incluir una barra de desplazamiento, el pie de página permanece siempre en el mismo sitio. Con ayuda de un poco de código JavaScript podremos hacer que el menú se muestre siempre en la parte superior de la página.

```
html, body {
    padding: 0;
    margin: 0;
}
```

Configurando a cero los distintos márgenes en HTML para el BODY conseguimos tener el 100% de la página disponible.

```
#topPagina {
    position: absolute;
    z-index: 100;
    top: 0;
    background-color: #365D88;
    width: 100%;
    height: 100px;
}
#menu {
    position: absolute;
    z-index: 100;
    top: 100px;
    background-color: #264D78;
    width: 100%;
    height: 40px;
}
#piePagina {
    position: fixed;
    z-index: 100;
    bottom: 0;
    background-color: #365D88;
    width: 100%;
    height: 50px;
}
```

Los `#topPagina`, `#menu` y `#piePagina` tienen su valor `z-index` fijo e igual a 100. Pueden tener el mismo valor, dado que no cambian jamás.

El `#topPagina` comienza fijo en la parte superior `(top: 0;)` y el menú que le sigue tiene el top configurado a 100 píxeles, que se corresponde con la altura del `#topPagina`.

El `#piePagina` tiene una posición fija abajo, pues `bottom` vale 0 y tiene una posición `fixed`.

```
#mainPagina {
    position: absolute;
    z-index: 90;
    width: 100%;
    height: 2000px;
    background: rgba(248,80,50,1);
```

```
    background: -moz-linear-gradient(top, rgba(248,80,50,1) 0%,
rgba(230,198,39,1) 100%);
    background: -webkit-gradient(left top, left bottom,
color-stop(0%, rgba(248,80,50,1)), color-stop(100%,
rgba(230,198,39,1)));
    background: -webkit-linear-gradient(top, rgba(248,80,50,1) 0%,
rgba(230,198,39,1) 100%);
    background: -o-linear-gradient(top, rgba(248,80,50,1) 0%,
rgba(230,198,39,1) 100%);
    background: -ms-linear-gradient(top, rgba(248,80,50,1) 0%,
rgba(230,198,39,1) 100%);
    /*background: linear-gradient(to bottom, rgba(248,80,50,1)
0%, rgba(230,198,39,1) 100%);*/
    filter:progid:DXImageTransform.Microsoft.gradient(
startColorstr='#f85032', endColorstr='#e6c627', GradientType=0 );
}
```

El `#mainPagina` se corresponde con la sección principal del sitio. Pasará a estar situada tras el menú o debajo del menú, y debajo de los elementos fijos, por norma general.

Si se ejecuta el código, el `#menu` va a moverse hacia la parte superior sin detenerse cuando alcance el máximo de la página. Continuará subiendo y desaparecerá de la pantalla.

Es posible consultar al navegador para saber si se está usando la barra de desplazamiento o, dicho de otro modo, si la página está desplazándose.

Para que el `#menu` suba y se detenga en la zona superior es necesario detectar el desplazamiento del `#menu`, y cuando alcance el límite superior de la página, cambiar su propiedad CSS `position` para hacerla fija de manera que no se desplace más. Tendremos que configurarla de nuevo como relativa, naturalmente, cuando la barra de desplazamiento descienda para que el `#menu` vuelva a su sitio original en la pantalla.

El método `window.getComputedStyle(element)` nos va a permitir acceder a la información de posiciones y dimensiones.

```
function init() {
    var elemento = document.getElementById('menu');
    posicionInicialMenu =
parseInt(window.getComputedStyle(elemento).getPropertyValue('top')
);
```

```
    elDoc = document.documentElement;
    elBody = document.body;
}
```

La función `init();` invocada por el `onLoad` de `<body>` recupera en la variable `posicionInicialMenu` la posición inicial del menú.

Incluso aunque la posición inicial del menú sea conocida en CSS e igual a 100px, el código CSS podría cambiar. El valor podría ser distinto a 100, de modo que si escribiéramos directamente en el código JavaScript el valor 100, el CSS no se mostraría correctamente. Esto permite desacoplar el código CSS del código JavaScript.

El valor recuperado por `getPropertyValue('top')` será, de hecho, "100px". Los dos caracteres "px" van a resultar algo molestos para realizar el cálculo. JavaScript considera esto como texto. La instrucción `parseInt()` permite convertir "100px" en un valor entero. Tenemos, por tanto, el valor 100 almacenado en la variable `posicionInicialMenu`.

Las dos variables `elDoc` y `elBody` existen para no tener que escribir la línea de código completa: bastará con escribir `elDoc` en lugar de `document.documentElement`. Del mismo modo que con `elEstilo` a continuación:

```
window.onscroll = function(event) {
    var elTop = (elDoc && elDoc.scrollTop || elBody &&
elBody.scrollTop || 0);
    document.getElementById("piePagina").innerHTML = elTop + " / "
+ posicionInicialMenu;

    var elEstilo= document.getElementById('menu').style;
    if (elTop > posicionInicialMenu) {
        elEstilo.top = '0px';
        elEstilo.position = 'fixed';
    } else {
        elEstilo.top = posicionInicialMenu + 'px';
        elEstilo.position= 'relative';
    }
};
```

`window.onscroll` es el evento que se produce cuando el usuario desplaza la página. La función anterior se invocará cada vez que el usuario mueva la barra de desplazamiento.

La primera etapa consiste en recuperar, en la variable elTop, la cantidad de desplazamiento de la página. La sintaxis permite que este código funcione en los distintos navegadores. Algunos navegadores tienen la información que se almacena en el body y otros en documentElement.

A continuación, se muestra la cantidad de desplazamiento en el piePagina, para darnos cuenta del mismo. Luego se realiza la comparación entre la cantidad de desplazamiento de la página y la posición inicial del menú. Si la página se ha desplazado una distancia mayor a la que separa el menú de la parte superior, entonces se fija el menú en la parte superior de la página, y se modifican sus propiedades CSS para que no se desplace más (fixed) desde la parte superior (top :0).

Si, por el contrario, el desplazamiento vale entre 0 y 100, entonces la posición del menú será relativa y se situará en posicionInicialMenu *pixel(s)* respecto a lo alto de la página.

Es posible, naturalmente, obtener el mismo resultado utilizando jQuery, y será ligeramente más sencillo de escribir, aunque obligará a descargar jquery.js, que ocupa unos 100 KB.

```
$(document).ready(function() {
    posicionInicialMenu = parseInt($("#menu").css("top"));

    $(window).scroll(function() {

        $("#piePagina").html($(window).scrollTop());

        if ($(window).scrollTop() > posicionInicialMenu) {
            $('#menu').css('top', '0px');
            $('#menu').css('position', 'fixed');
        } else {
            $('#menu').css('top', posicionInicialMenu + 'px');
            $('#menu').css('position', 'relative');
        }

    });
});
```

2. Las listas

Existen dos tipos de listas: las listas ordenadas (`<ol>`), es decir aquellas listas en las que cada elemento está precedido por un número, y las listas no ordenadas (`<ul>`), en las que cada elemento está precedido por un símbolo (una viñeta). Consulte el ejemplo: **6_2_lasListas.html**.

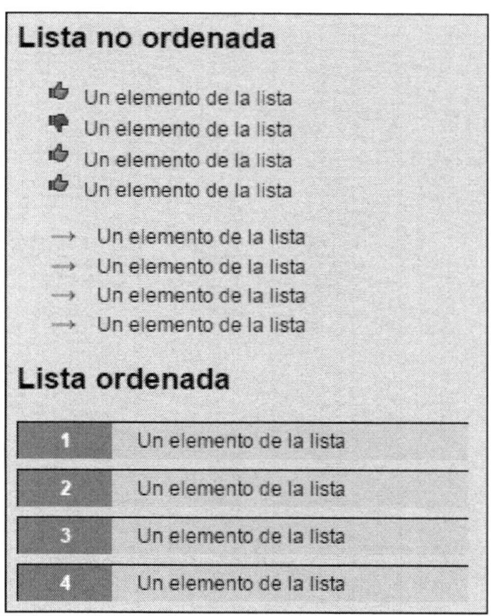

Es posible no mostrar la viñeta por defecto, que puede ser un círculo, un disco o un cuadrado. Es posible escribir en CSS, para una lista no ordenada, `list-style-type` y precisar uno de los posibles valores: `circle`, `disc` o `square`. El resultado será:

```
ul {
   list-style-type: circle ;
}
```

O, para una lista ordenada, precisar si la cuenta se realiza con números árabes, romanos o con letras.

```
ol {
   list-style-type: upper-roman;
}
```

En el ejemplo anterior, los elementos de la lista estarán precedidos por un número en cifras romanas mayúsculas (I, II, III, IV...).

Encontrará más detalles relativos a las listas en el sitio del W3C en la siguiente dirección: http://www.w3.org/TR/html401/struct/lists.html

Es habitual hacer desaparecer la viñeta o el número para utilizar una lista en varias líneas o en columnas para un menú (consulte el capítulo Los enlaces y menús en HTML5 - sección Creación de enlaces).

```
<h2>Lista no ordenada</h2>
<ul id="primeros">
    <li>Un elemento de la lista</li>
    <li>Un elemento de la lista</li>
    <li>Un elemento de la lista</li>
    <li>Un elemento de la lista</li>
</ul>

<ul id="segundos">
    <li>Un elemento de la lista</li>
    <li>Un elemento de la lista</li>
    <li>Un elemento de la lista</li>
    <li>Un elemento de la lista</li>
</ul>
```

El ejemplo anterior utiliza una lista HTML clásica. CSS va a permitir darle otro estilo utilizando una imagen en lugar del guion original o un símbolo obtenido de alguna tipografía especial.

El primer ejemplo de CSS utiliza imágenes que representan un pulgar hacia arriba o hacia abajo. Sustituyen al guion estándar:

```
#primeros {
    list-style-image: url('../img/form/valid.png');
}
#primeros li:nth-child(2) {
    list-style-image: url('../img/form/invalid.png');
}
```

Observe que el segundo estilo afecta al segundo <li>. Todos los <li> tendrán la imagen valid.png salvo el segundo, que tendrá la imagen invalid.png.

Para #segundos el guion se remplaza por una flecha → utilizando la pseudo-clase :before. Se aumenta el margen derecho para que el espacio entre la flecha y el texto sea algo más estético.

```
#segundos {
    list-style-type: none;
    padding-left: 20px;
}

#segundos li:before {
    content: "→ ";
    color: #800;
    font-weight: bold;
    font-size: 16px;
    margin-right: 8px;
}
```

El último caso utiliza una lista numerada, con la etiqueta <ol>:

```
<h2>Lista ordenada</h2>
<ol id="terceros">
    <li>Un elemento de la lista</li>
    <li>Un elemento de la lista</li>
    <li>Un elemento de la lista</li>
    <li>Un elemento de la lista</li>
</ol>
```

También en este caso, el código HTML no contiene nada extraordinario.

Por el contrario, el CSS contiene tres elementos, que se muestran en negrita y que merecen un poco de atención:

```
#terceros {
    counter-reset:li;
    margin-left:0;
    padding-left:0;
}
```

En primer lugar counter-reset nos permite contar los <li>. Cuando se desea mostrar el número de la posición de cada etiqueta <li>, la etiqueta principal <ol> pone el contador a 0 (counter-reset) para poder, a continuación, contar cada elemento counter(li) y mostrar el valor correspondiente delante del texto de la etiqueta <li> gracias a la pseudoclase :before y la propiedad content.

A continuación, la propiedad counter-increment permite contar cada etiqueta <li> e incrementar un contador con cada nueva etiqueta <li>.

```
#terceros > li {
    position: relative;
    margin: 0 0 6px 2em;
    padding: 4px 4em;
    list-style:none;
    border-top: 1px solid #000;
    background: #AFA;
    width:150px;
}

#terceros > li:before {
    content: counter(li);
    counter-increment:li;
    position:absolute;
    top:-1px;
    left:-2em;
    width:4em;
    margin-right: 8px;
    padding:4px;
    border-top: 1px solid #000;
    border-left: 1px solid #000;
    color:#fff;
    background:#6A6;
    font-weight: bold;
    text-align: center;
}
```

El sitio maxdesign.com proporciona un ejemplo de lista utilizada en un menú con una apariencia de pestañas que puede resultar interesante, por ejemplo, vinculada a Ajax: http://css.maxdesign.com.au/listamatic/horizontal08.htm

Capítulo 7
Los métodos de diseño

1. La etiqueta Canvas

El archivo **7_1_espiral.html** muestra una espiral animada. El diseño de la espiral se ha detallado en el capítulo La Web, y ahora agregaremos cierta interacción mediante JavaScript para modificar la velocidad de rotación de la espiral, por ejemplo.

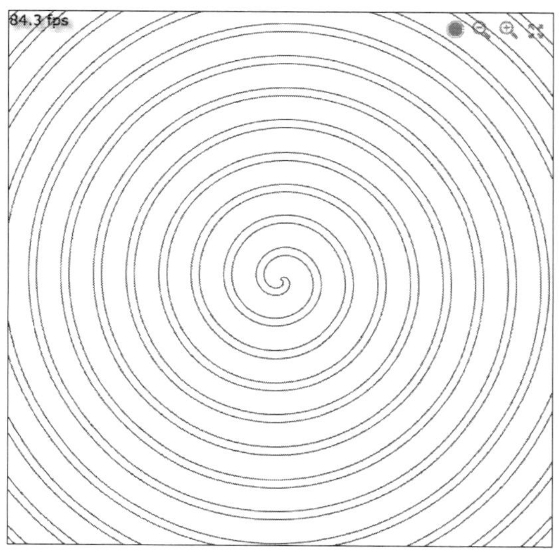

La captura de pantalla anterior muestra en su parte izquierda información relativa al número de imágenes por segundo (o *frames per second*, fps) y a la derecha cuatro botones. El primero permite detener la animación, el siguiente ralentiza la animación, el tercero la acelera y el último permite pasar a pantalla completa.

El código HTML no contiene nada nuevo.

```
<body onload="dibuja()" >
    <div id="fullscreen">
        <canvas id="espiral_id" width="600" height="600"></canvas>
        <span class="fs-button"></span>
        <span class="mas_btn"></span>
        <span class="menos_btn"></span>
        <span class="stop_btn"></span>
    </div>
</body>
```

Tenemos, por tanto, un `div` para la pantalla completa, la etiqueta `canvas` para el dibujo de la espiral y, a continuación, cuatro `span` que permiten mostrar los botones.

Los estilos de las clases de los `span` utilizan la tipografía ModernPictogramsNormal para mostrar los pictogramas.

Existe un evento `onload` en la etiqueta `body` que permite poner en marcha la animación invocando a la función `dibuja()`.

Se utiliza una nueva instrucción en la función `dibuja`, se trata de `setInterval`.

```
intervId = setInterval(reDibuja, 1);
```

Esta línea de código permite invocar a la función `reDibuja` cada milisegundo, es decir 1000 veces por segundo. La variable `intervId`, que es una variable global, permite poner fin a este `setInterval`. Una vez lanzado, el `setInterval` ejecutará cada milisegundo la función `reDibuja`, si no se ha previsto nada para detenerlo habrá que salir del navegador para pararlo todo.

Antes de ver lo que hace la función `reDibuja`, veamos el código que permite gestionar el teclado. Se ha diseñado utilizando jQuery y seguramente tendrá otras ocasiones para escribir este tipo de código que enriquece jQuery.

```
$(function() {
    $(document).keydown(function(evt) {
        if (evt.keyCode === 32) {
            if (girar_bool) {
                girar_bool = false;
                clearInterval(intervId);
            } else {
                girar_bool = true;
                intervId = setInterval(reDibuja, 1);
            }
        }
        if (evt.keyCode === 27) {
            girar_bool = false;
            clearInterval(intervId);
        }
    });
});
```

La primera línea accede a jQuery y permite agregar una nueva funcionalidad. La segunda línea, con el `keydown`, intercepta las teclas del teclado que se presionan. Cuando se produce el evento, se almacena el código correspondiente a la tecla presionada en la propiedad del evento, `keyCode`.

Para aquellos que conozcan ASCII (*American Standard Code for Information Interchange*, que es el código americano normalizado para el intercambio de información, es decir, una norma de codificación de los caracteres; para obtener más detalles, consulte: http://www.asciitable.com), la primera comprobación se realiza con la barra de espacio, que tiene como `keyCode` 32.

En distintos lugares del código, existe un valor booleano `girar_bool` que se lee y/o actualiza, indicando si la espiral gira en este momento o no.

Si se presiona la barra de espacio y `girar_bool` vale `true`, entonces el valor booleano pasa a valer `false`, y se invoca a la función `clearInterval(intervId);`.

Es `clearInterval(intervId);` el que pone fin a `setInterval` definido anteriormente.

Si la tecla pulsada tiene como `keyCode` 27, se trata de la tecla [Escape] (o esc) del teclado, que detendrá la animación.

La siguiente sección del código, con:

```
$(document).ready(function() {
      ...
}
```

permite inicializar el `click` sobre los distintos botones: el paso o el fin de la pantalla completa para el primero, y luego `menosRapido();`, `masRapido();` y `stopEspiral();` para los otros tres botones.

Observación

Observe que el código que permite pasar a pantalla completa se ha escrito únicamente para Chrome y Safari, es decir, los navegadores que utilizan webkit.

La llamada a la función `setInterval` es lo más rápida posible puesto que se ha configurado cada milisegundo, la solución para modificar la velocidad será aumentar o disminuir el paso entre cada sección del diseño de la espiral.

Tenemos, a continuación, la función `reDibuja()`, que se invoca 1000 veces por segundo. Define, simplemente, el sentido del dibujo de la espiral y principalmente invoca a la función `dibujaEspiral()` que se ocupa realmente de dibujar la espiral.

`dibujaEspiral()` empieza con la línea de código:

```
canvas.width = canvas.width;
```

Esta línea permite, simplemente, borrar el `canvas`. Es el caso con muchos sistemas de diseño, donde se crea un diseño en primer lugar. A continuación, para animarlo, se borra el conjunto y se dibuja un poco más lejos, para crear de este modo la animación. El hecho de escribir que el ancho es igual a la altura permite reinicializar rápidamente el `canvas`, y de este modo borrarlo.

El código que permite dibujar la espiral se ha visto en el primer capítulo. Aquí, destacaremos que la línea siguiente:

```
var theta = anguloInicial;
```

se escribe en primer lugar para la primera espiral, y a continuación, una vez dibujada, el lápiz pasa al centro y se define un nuevo ángulo inicial opuesto al primero, agregando la mitad de un círculo (PI/2).

```
ctx.moveTo(0, 0);

// partimos de 90°
theta = anguloInicial + Math.PI / 2;
```

canvas permite mostrar una sombra de manera bastante sencilla. Es lo que hacen las líneas que terminan el dibujo. Las propiedades shadowOffsetX y shadowOffsetY definen las características de la sombra, shadowBlur el tamaño del flujo y el último parámetro define el color.

```
// sombra
ctx.shadowOffsetX = 4;
ctx.shadowOffsetY = 4;
ctx.shadowBlur = 5;
ctx.shadowColor = 'rgba(0,0,0,0.6)';
```

Una vez diseñado el conjunto, pasamos a la parte de texto para la velocidad de visualización.

Aquí se utilizan dos variables: thisloop y lastloop. lastloop se inicializa con la fecha completa al inicio del programa. Su precisión es del orden del milisegundo. Cuando el diseño de la espiral ha terminado, se almacena en thisloop la fecha en curso, que será mayor que lastloop, y la diferencia entre ambos valores equivale al tiempo de dibujo. Al final, la variable thisFrameTime contiene la diferencia entre thisloop y lastloop, si bien conocemos el tiempo que ha hecho falta para dibujar una espiral.

```
var text = (1000 / frameTime).toFixed(1) + " fps";
ctx.font = "12pt Verdana";
ctx.textAlign = "left";
ctx.textBaseline = 'top';
ctx.fillStyle = 'rgb(0,0,0)';
```

La visualización de la velocidad, en imágenes por segundo, parte del valor 1000, pues el tiempo recuperado está en milisegundos, y se divide entre frameTime para obtener un valor en segundos.

La instrucción .toFixed(1) permite redondear a una cifra decimal el resultado de la división.

A continuación, se utilizan las propiedades del canvas ligadas al texto para definir la tipografía utilizada y su tamaño, la alineación y el color.

2. La etiqueta SVG

El formato de diseño SVG permite dibujar mediante etiquetas. Puede crearse en un editor de código o exportarse mediante una aplicación de diseño vectorial.

Es posible, también, utilizar CSS para configurar el aspecto y scripts para las interacciones. En el siguiente ejemplo, el script es, realmente, ECMAScript.

Ejemplo de tooltip

Podríamos escribir un libro completo acerca del formato SVG. El siguiente ejemplo nos va a permitir hacernos una idea sobre lo que es posible realizar. El archivo **7_2_tooltip.svg** muestra una animación y algo de interacción.

```
<?xml version="1.0" encoding="UTF-8"?>
<!DOCTYPE svg [
     <!ENTITY duracionAnimacion "2s">
]>
```

El encabezado del archivo SVG es XML. A continuación, la entidad (`ENTITY`) es el equivalente a una variable. Aquí, `duracionAnimacion` memoriza el texto "2s" que será la duración de la que haremos con SVG.

```
<svg xmlns="http://www.w3.org/2000/svg" onload="init(evt)"
width="480" height="300">

    <style type="text/css">
        .texto {
        font-family: Arial, sans-serif;
        font-size: 14px;
        }
        .tooltip {
        font-size: 12px;
        }
        .tooltip_bg {
        fill: white;
        stroke: #800;
        stroke-width: 2;
        opacity: 0.90;
        }
    </style>
```

El encabezado del SVG contiene un elemento `onload`, como con HTML. El CSS se parece en gran medida a lo que se utiliza en HTML.

Las instrucciones específicas de SVG son `fill` para rellenar una zona, `stroke` que define el color del trazo (generalmente el contorno de un objeto), y `stroke-width` para indicar la anchura del trazo.

El código prosigue con el script, pero es más sencillo ver, en primer lugar, las etiquetas que permiten comprender cómo funciona.

```
    <defs>
        <linearGradient id="degradadoRojo" x2="0%" y2="100%">
            <stop offset="0%" stop-color="white"/>
            <stop offset="50%" stop-color="red"/>
            <stop offset="100%" stop-color="#880808" stop-
opacity="0"/>
        </linearGradient>
    </defs>
```

La etiqueta `<defs>` permite definir efectos visuales, sombras, flujos... Aquí, se trata de un degradado que tiene como id `degradadoRojo` y que podrá utilizarse en cualquier momento en las etiquetas SVG. `x2` e `y2` permiten definir la extensión del degradado. Aquí, se configura sobre el eje Y. Empieza con un color blanco, hacia la mitad del tamaño del objeto sobre el que se aplica el estilo `degradadorojo`, será rojo; para terminar sobre el rojo y la transparencia.

```
    <text class="texto" x="10" y="25">El ratón pasa por
encima y</text>
    <text class="texto" x="10" y="45">hace aparecer un
tooltip.</text>

    <rect id="rect1" x="200" y="10" width="60" height="60"
fill="url(#degradadoRojo)"
          onmousemove="mostrarTooltip(evt, 'Un cuadrado rojo
degradado')"
          onmouseout="ocultarTooltip(evt)"/>

    <rect id="rect2" x="280" y="10" width="60" height="60"
fill="#000088"
          onmousemove="mostrarTooltip(evt, 'Un cuadrado azul
animado')"
          onmouseout="ocultarTooltip(evt)">
```

```
            <animate attributeName="x" from="30"  to="280"
begin="1s" dur="&duracionAnimacion;" />
    </rect>

    <rect class="tooltip_bg" id="tooltip_bg"
              x="0" y="0" rx="4" ry="4"
              width="55" height="17" visibility="hidden"/>
    <text class="tooltip" id="tooltip"
              x="0" y="0" visibility="hidden">Tooltip</text>

</svg>
```

A continuación, se muestra texto con el estilo de clase `texto`.

La etiqueta `<rect .../>` indica que se dibuja un rectángulo con una dimensión particular y una posición concreta. El color de relleno utilizado es el degradado que hemos creado antes. Se propagan dos eventos, `onMouseMove` y `onMouseOut`, cuando el ratón pasa por encima del rectángulo o sale de la zona rectangular.

El segundo rectángulo funciona como el primero. Pero si el primer rectángulo tiene la sintaxis `<rect  />`, el segundo se escribe con dos etiquetas `<rect></rect>`. Gracias a ello es posible configurar una animación en el segundo rectángulo.

La animación `<animate  />` se realiza sobre el eje de las X y permite hacer variar la posición x de 30 a 280. La duración de la animación es de 2s, aunque no comienza inmediatamente. Empieza (`begin`) 1s después de que todo esté listo.

A continuación, se prepara el tooltip gracias al dibujo de un rectángulo con texto. Los dos elementos tienen, cada uno, un identificador que permite a ECMAScript interactuar con ellos. No se muestran por defecto, pues su propiedad `visibility` vale `hidden`.

Observación

Cabe destacar que el tooltip se escribe al final. En efecto, los elementos se muestran en el orden en que se leen en el navegador. El último elemento dibujado está en primer plano.

```
<script type="text/ecmascript">
<![CDATA[

function init(evt)
{
    if ( window.svgDocument == null )
    {
       svgDocument = evt.target.ownerDocument;
    }

    tooltip = svgDocument.getElementById('tooltip');
    tooltip_bg = svgDocument.getElementById('tooltip_bg');
}

function mostrarTooltip(evt, texto)
{
    tooltip.setAttributeNS(null, "x", evt.clientX+11);
    tooltip.setAttributeNS(null, "y", evt.clientY+27);
    tooltip.firstChild.data = texto;
    tooltip.setAttributeNS(null, "visibility", "visible");

    length = tooltip.getComputedTextLength();
    tooltip_bg.setAttributeNS(null, "width", length+8);
    tooltip_bg.setAttributeNS(null, "x", evt.clientX+8);
    tooltip_bg.setAttributeNS(null, "y", evt.clientY+14);
    tooltip_bg.setAttributeNS(null, "visibility", "visible")
}

function ocultarTooltip(evt)
{
   tooltip.setAttributeNS(null, "visibility", "hidden");
   tooltip_bg.setAttributeNS(null, "visibility", "hidden");
}

]]>
</script>
```

El script muesta el equivalente a un tooltip cuando se pasa por encima el ratón. La sección `<![CDATA[ ... ]]>` contiene todo el código que permite indicar que no hay ninguna etiqueta en esta parte. Este tipo de sección se utiliza, a menudo, para incluir código en un lenguaje de etiquetas.

La primera cosa que debemos hacer es crear la variable `svgDocument` si no existe todavía. Se crea en la función `init()`, que se invoca cuando el documento está cargado en el navegador. Va a referenciar al documento SVG y nos permitirá acceder al contenido SVG. Del mismo modo que la manipulación del código HTML se realiza mediante la palabra clave `document`, `svgDocument` permite acceder a todos los elementos que tengan un identificador, como por ejemplo `tooltip` y su fondo (`tooltip_bg`).

La función `mostrarTooltip()` se invoca cuando el ratón pasa por encima del cuadrado; la función `ocultarTooltip()` cuando el ratón salga de esta zona.

La primera acción que realiza `mostrarTooltip()` es posicionar el tooltip respecto a la posición del ratón. `setAttributeNS` permite modificar una propiedad. `evt.clientX` indica la posición del ratón respecto a la `x` en el momento en que se produce el evento. El tooltip se sitúa, entonces, respecto a la posición del ratón con un ligero desplazamiento. Ocurre igual para `y`.

A continuación, el texto ("Un cuadrado azul animado", por ejemplo) que se pasa a la función se utiliza como `data` del elemento que tiene como id `tooltip`, lo cual permite mostrarlo en pantalla. Se obtiene el siguiente resultado:

```
<text class="tooltip" id="tooltip" x="0" y="0"
visibility="hidden">Un cuadrado azul animado</text>
```

Para terminar, hacemos que el tooltip sea visible mediante su propiedad `visibility`.

El rectángulo situado debajo del texto debe redimensionarse en función de la cantidad de texto que se muestre en el tooltip. `GetComputedTextLength()` permite recuperar el ancho, que se aplicará, a continuación, al fondo (`tooltip_bg`).

La función `ocultarTooltip()` se encarga de ocultar el texto y el fondo del tooltip.

He aquí el resultado en el estado inicial:

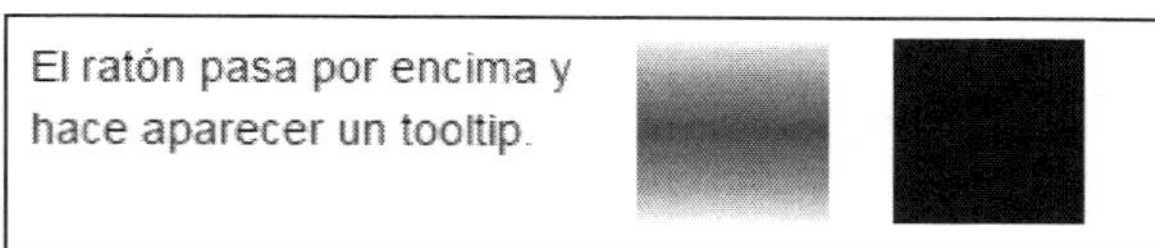

Cuando se pasa el ratón por encima de alguno de los cuadrados:

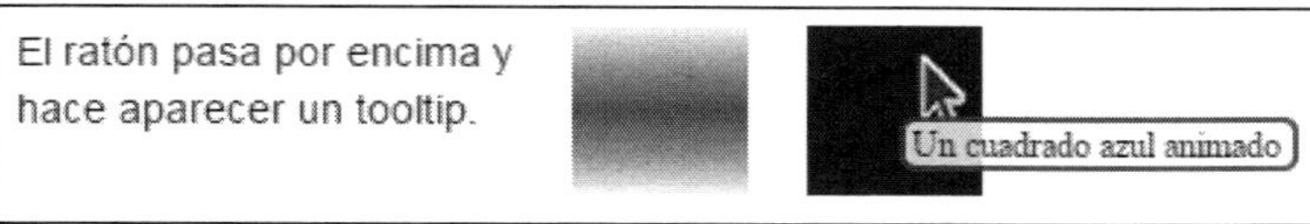

Ejemplo de animación

El archivo **7_2_Anim7nav.html** crea la animación que produce el dibujo siguiente, es decir, la rotación de distintos iconos que se amplían conforme se acercan al centro de la animación y se reducen cuando se alejan, simulando una animación en tres dimensiones:

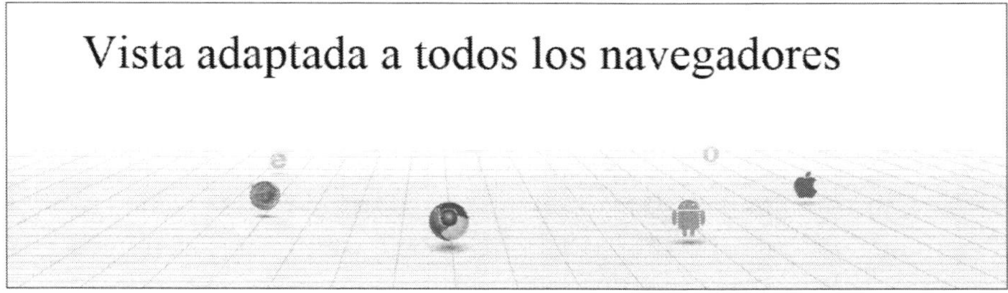

Cada icono animado es, de hecho, un archivo SVG. Gracias a esta tecnología pueden ampliarse sin producirse pixelación.

```
<body onload="init();">
    <div id="elSvg">
        <embed id="n1" src="nav_Chrome.svg" type="image/svg+xml"
width="32" height="32" />
        <embed id="n2" src="nav_Firefox.svg" type="image/svg+xml"
width="32" height="32" />
        <embed id="n3" src="nav_IE9.svg" type="image/svg+xml"
width="32" height="32" />
        <embed id="n4" src="SAFARI.svg" type="image/svg+xml"
width="32" height="32" />
        <embed id="n5" src="nav_Opera.svg" type="image/svg+xml"
width="32" height="32" />
        <embed id="n6" src="Apple_logo_black.svg"
type="image/svg+xml" width="32" height="32" />
        <embed id="n7" src="Android_robot.svg"
type="image/svg+xml" width="32" height="32" />
        <embed id="fondoAnimacion" src="fd_paraNAv.svg"
type="image/svg+xml" width="888" height="258" />
    </div>
</body>
```

El código HTML contiene un evento onload en body para iniciar la animación de las imágenes. Todas las imágenes están en la etiqueta <embed>. Esta etiqueta permite insertar elementos externos. Se utiliza con frecuencia para incluir vídeos, aunque está bien adaptada a los archivos SVG.

Los archivos SVG de los iconos de los distintos navegadores se han obtenido de Internet, y la imagen de fondo se ha exportado mediante Adobe Illustrator.

El código CSS sitúa los elementos y lo hace de manera que los iconos se sitúan por delante del fondo mediante la propiedad z-index.

```
#elSvg {
    width: 888px;
    height: 258px
    position: absolute;
    left: 5px;
    top: 25px;
    background-color: #fafafa;
    border: 1px solid #333;
    z-index: 10;
}
#n1, #n2, #n3, #n4, #n5, #n6, #n7 {
    position:absolute;
```

```
    left: 444px;
    top: 150px;
    z-index: 12;
}
#fondoAnimacion {
    z-index: 11;
    top: 0;
    position: absolute;
}
```

JavaScript se ocupa de animar todas estas imágenes.

```
var angulo = 0;
var n1, n2, n3, n4, n5, n6, n7;

function init() {
    n1 = document.getElementById("n1");
    n2 = document.getElementById("n2");
    n3 = document.getElementById("n3");
    n4 = document.getElementById("n4");
    n5 = document.getElementById("n5");
    n6 = document.getElementById("n6");
    n7 = document.getElementById("n7");

    window.setInterval(girar, 50);
}

function girar() {
    angulo += 0.03;

    anim(32, n1, angulo);
    anim(32, n2, angulo + 2 * Math.PI / 7);
    anim(32, n3, angulo + 4 * Math.PI / 7);
    anim(38, n4, angulo + 6 * Math.PI / 7);
    anim(32, n5, angulo + 8 * Math.PI / 7);
    anim(32, n6, angulo + 10 * Math.PI / 7);
    anim(32, n7, angulo + 12 * Math.PI / 7);
}

function anim(wh, quien, elAngulo) {
    quien.style.marginLeft = Math.cos(elAngulo) * 250 + "px";
    quien.style.marginTop = Math.sin(elAngulo) * 30 + "px";

    var ttop = parseInt(quien.style.marginTop) + 30;
```

```
    var k = (50 + ttop / 60 * 100) / 100;

    var kk = k - 0.5;
    quien.style.opacity = kk;
    quien.style.filter = 'alpha(opacity=' + kk * 100 + ')';

    quien.style.width = k * wh + "px";
    quien.style.height = k * wh + "px";
}
```

La variable global `angulo` contiene el valor del ángulo de referencia. Cada icono se sitúa respecto a este ángulo. Las variables `n1` a `n7` sirven para referenciar a las imágenes. Se inicializan en la función `init()`.

La función `init()` activa un `setInterval()`. Esta función va a invocar a intervalos regulares de tiempo, en este caso cada 50 milisegundos, a la función `girar()`.

Con cada llamada a la función `girar()`, el valor del ángulo aumenta. Se invoca una función `anim()`, a la que se pasa como parámetros el ancho de referencia del icono que queremos animar, el nombre del icono, seguido del ángulo de referencia.

Todo esto se realiza en la función `anim()`. De hecho, no hace más que dibujar un círculo, o más bien un óvalo, puesto que el ancho es igual a 250 y la altura a 30.

El resto del código es, principalmente, un truco que permite hacer desaparecer el icono cuando está lejos... o más bien cuando está arriba, pues todo está dibujado en 2D. La variable `ttop` tendrá un valor comprendido entre 0 y 60 en función de la posición del icono, dado que el resultado del seno irá de -30 a 30. En este caso, la variable `k` (un parámetro) tendrá un valor comprendido entre 0.5 y 1.5

Si `ttop` vale 0, entonces `k` = 0.5, y si `ttop` vale 60, entonces `k` = 1.5

La variable `kk` (otro parámetro) se utiliza para configurar la opacidad, que tendrá un valor comprendido entre 0 y 1.

De este modo, el valor de la opacidad será 0 cuando el icono esté en la parte superior de la pantalla, y desaparecerá, como si estuviera muy lejos y no fuera visible. Y a la inversa, cuando el icono se encuentre en la parte inferior de la pantalla, el valor de su opacidad será máximo.

El parámetro `k` se utiliza también para agrandar o reducir el icono para acentuar el efecto de la distancia.

En la siguiente dirección podrá encontrar un ejemplo interesante de uso del formato SVG: http://www.highcharts.com, que muestra gráficos (de tarta, entre otros) en formato SVG.

Si desea profundizar en el formato SVG, existe un sitio web (en inglés) que detalla bien, con muchos ejemplos, lo que es posible hacer con este formato:http://tutorials.jenkov.com/svg/index.html

3. Ventajas e inconvenientes de ambas tecnologías

Existen grandes diferencias entre `<canvas>` y `<svg>`.

Cuando se realiza un diseño utilizando `<canvas>`, la imagen, una vez creada, no es del todo accesible, es decir, el navegador muestra los píxeles del color correspondiente en el lugar indicado, pero a continuación es imposible programar un píxel o un rectángulo. El diseño, una vez se muestra en pantalla, es como un gran JPG. En cambio, como hemos visto en la sección anterior, `<svg>` permite, una vez se representa el dibujo en la pantalla, interactuar con todos los elementos. De modo que si hace falta incluir cierta interacción, `<svg>` es más práctico. Es posible crear el mismo comportamiento con `<canvas>`, pero en este caso será preciso detectar si la posición del ratón en x está comprendida entre ciertos valores, e igual para y, y a continuación ejecutar una función. Es, por tanto, posible, pero resulta mucho menos práctico.

Por el contrario, existen muchos elementos que pueden mostrarse rápidamente, como por ejemplo un juego, mediante `<canvas>`, que será más interesante puesto que está accesible directamente desde la tarjeta gráfica (la GPU: *Graphics Processing Unit*), que sabe cómo realizar cálculos rápidamente para su representación. Puede consultar un ejemplo en la siguiente dirección: http://fhtr.org/gravityring/sprites.html. Una fluidez así es imposible de lograr con `<svg>`.

Capítulo 8
El multimedia

1. La etiqueta <video>

La etiqueta `<video>` ha dado mucho de qué hablar ya que permite añadir, fácilmente, un vídeo en nuestra página, lo que no era el caso con las antiguas versiones de HTML

Es posible configurar el navegador para que cargue directamente el vídeo y lo lea (`autoplay`). Si se incluye la propiedad `controls` en la etiqueta vídeo, permite mostrar automáticamente botones para gestionar el vídeo, posicionar la lectura en el lugar deseado, iniciar o pausar la reproducción, poner el vídeo en pantalla completa o ajustar el sonido.

```
<video controls autoplay src='../video/danza.mp4'></video>
```

El problema que podemos encontrar con este tipo de código HTML es que no todos los navegadores reconocen los archivos codificados en MP4.

Será conveniente, por tanto, codificar el vídeo en distintos formatos para que se muestre correctamente en todos los navegadores.

Como ocurre con el audio, los navegadores permiten leer distintos formatos de vídeo, pero no existe ningún formato de vídeo que se reconozca en todos los navegadores.

Los formatos que se utilizan son MP4, OGV y WebM.

La etiqueta `<video>` puede contener distintas fuentes distintas (de hecho, el mismo vídeo pero en distintos formatos). De este modo podrá leerse en todos los navegadores.

A continuación se muestra una tabla que muestra la compatibilidad de los formatos de vídeo con los distintos navegadores.

Navegador	MP4	OGV	WebM
Chrome	Sí	Sí	Sí
Firefox	No	Sí	Sí
Edge	Sí	No	No
Opera	No	Sí	Sí
Safari	Sí	No	No

Esta tabla se muestra a título informativo, aunque podría cambiar. De todos modos, es conveniente prever todos los formatos para estar seguros de que el vídeo se muestra correctamente.

Para estar al tanto de la actualidad sobre la compatibilidad entre el navegador y los diferentes formatos de vídeo, podemos consultar la tabla de esta página web, que se actualiza con frecuencia:
https://en.wikipedia.org/wiki/HTML5_video#Browser_support

Para permitir a la etiqueta `<video>` proporcionar distintos formatos, la sintaxis HTML es algo así:

```
<video controls autoplay id="videoDanza">
    <source src='../video/danza.mp4' type='video/mp4;
codecs="avc1.42E01E, mp4a.40.2"'>
    <source src='../video/danza.ogv' type='video/ogg;
codecs="vp8, vorbis"' />
    <source src='../video/danza.webm' type='video/webm;
codecs="theora, dirac, vorbis"' />
</video>
```

Es posible agregar también la propiedad `poster` a la etiqueta vídeo para mostrar una imagen antes de ejecutar el vídeo.

```
<video poster="../video/danza.png" controls autoplay>
   ...
</video>
```

Para controlar el avance o la detención del vídeo, JavaScript tiene acceso a los métodos del objeto vídeo. De este modo, basta con ejecutar `miVideo.play()` para reproducir el vídeo o `miVideo.pause()` para ponerlo en pausa.

El ejemplo que se muestra en el archivo **8_1_videoControl.html** utiliza JavaScript para controlar el vídeo y, también, para redimensionarlo según el tamaño de la pantalla o mostrar el tiempo transcurrido.

```
var videoDanza;

function init() {
    videoDanza = document.getElementById("videoDanza");
    videoDanza.width = 400;

    videoDanza.addEventListener("timeupdate", function() {
        var tiempoLectura = videoDanza.currentTime;
        var duracionTotal = videoDanza.duration.toFixed(1);
        document.getElementById("tiempoLectura").textContent =
"Lectura: " + tiempoLectura.toFixed(1) + "/" + duracionTotal;
        document.getElementById("tiempoRestante").textContent =
"Queda: " + (duracionTotal - tiempoLectura).toFixed(1);
    }, false);
}
```

Para controlar el vídeo, lo más sencillo es crear una variable global, aquí `videoDanza`, que será la etiqueta de vídeo accesible en todo el código. Esta variable será, realmente, el equivalente a la etiqueta vídeo y tendrá las mismas propiedades, los mismos valores que se hayan definido en el código HTML.

En la función `init()`, que se invoca en el `onLoad` de `body`, tras haber inicializado `videoDanza` y dimensionado el vídeo, agrega un escuchador de eventos. El método `addEventListener` del objeto vídeo agrega un escuchador, es decir, cuando `timeupdate` se produzca, la función anónima, escrita en negrita en el ejemplo anterior, se ejecutará. Cuando el vídeo esté en proceso de reproducción, el evento `timeupdate` se propaga al menos cinco veces por segundo, lo que permite recuperar el momento actual (`currentTime`) y saber desde hace cuánto tiempo se está reproduciendo el vídeo. A continuación, una vez recuperada la duración total del vídeo, no es muy complicado mostrar la información correspondiente al tiempo transcurrido o el tiempo restante.

```
function play()
{
    videoDanza.play();
}
function stop()
{
    videoDanza.pause();
    videoDanza.currentTime = 0;
}

function avanceRapido()
{
    videoDanza.currentTime += 4;
}

function tamañoGrande()
{
    videoDanza.width = 720;
}
```

En el código HTML se agregan varios botones que permiten ejecutar las funciones de reproducción, pausa, avance rápido o redimensionamiento. Como con la etiqueta `<audio>`, que se aborda en la sección siguiente, no existe un método `stop`. Para simularlo hay que poner el vídeo en pausa y volverlo a situar al inicio, forzando `currentTime` a 0.

Observación

Alojar los vídeos en su sitio puede resultar exigente en términos de espacio en disco y ancho de banda. A menudo, cuando el número de visitantes es importante, es preferible alojar los vídeos en algún servidor aparte, para no perjudicar a la carga de las páginas. También es posible alojar los vídeos en YouTube, Dailymotion o Vimeo para no tener que gestionar este tipo de problemas.

2. Los codecs de vídeo

Los formatos MP4, OGV o WebM son distintos formatos para implementar un vídeo en un archivo. La codificación es diferente, así como la calidad y el peso de los archivos.

Existe una infinidad de codecs, cada uno con sus ventajas e inconvenientes.

Por ejemplo, la informática siempre se debate entre calidad y rapidez. Si el vídeo debe comprimirse para poder utilizarlo en Internet, tendremos que hacerlo de manera que mantenga cierta calidad, aunque la lectura tenga que ser lo más ligera posible. Esto es lo que permiten hacer los codecs anteriores. Por el contrario, si el archivo de vídeo debe utilizarse en un espectáculo en vivo y el vídeo debe entrelazarse con la música como hacen ciertas herramientas de VJing (un DJ pasa discos, el VJing consiste en pasar videos), será preferible que el archivo no esté comprimido.

Un archivo comprimido requiere tiempo de procesamiento en el ordenador para mostrarse correctamente. Si lo único que hace el ordenador es leer el vídeo, puede leerlo y decodificarlo de manera muy rápida y fluida. Por el contrario, si el equipo tiene que leer el vídeo, descomprimirlo, analizar el sonido y modificar los parámetros del vídeo para que "pegue" bien con el sonido, entonces será preferible que el archivo de vídeo no esté comprimido. Ocupará mucho más espacio en el disco duro, pero necesitará menos recursos por parte del procesador para mostrar el archivo correctamente.

3. La etiqueta <audio>

Para reproducir un sonido en HTML5 disponemos de la etiqueta `<audio>`.

Es posible utilizarla parametrizándola para que muestre los botones de control para reproducir, poner en pausa, detener o incluso cambiar el volumen de la pista de audio.

La etiqueta `<audio>` posee una propiedad `preload` que permite cambiar el comportamiento de la precarga automática del sonido. Es posible, también, agregar el parámetro `autoplay` para que el sonido empiece su reproducción automáticamente una vez se cargue la página, o incluso configurar el parámetro `loop` para que el sonido se reproduzca en bucle.

```
<audio preload="auto" src="../audio/JohnDunbarTheme.mp3"
autoplay loop ></audio>
```

Observación

Si bien puede resultar interesante tener algo de sonido cuando el ratón pasa por encima de algún elemento como un botón, por ejemplo, el usuario no apreciará, necesariamente, el tener una música que se reproduzca sin su permiso en cuanto visite el sitio.

Para mostrar los botones de control de sonido basta con agregar el valor booleano `controls`.

```
<audio preload="auto" src="../audio/JohnDunbarTheme.mp3" controls >
</audio>
```

El siguiente ejemplo permite reproducir un sonido personalizando el lector de audio.

```
<audio preload="auto" id="sonido">
  <source src="../audio/JohnDunbarTheme.ogg" type="audio/ogg" />
  <source src="../audio/JohnDunbarTheme.mp3" type="audio/mpeg" />
  <source src="../audio/JohnDunbarTheme.wav" type="audio/wav" />
</audio>
```

Para hacer que su sitio disponga de un fragmento musical, es necesario que el archivo esté disponible en algún formato reconocido por el navegador. Será preciso, por tanto, guardar el archivo de audio en el servidor en tres formatos distintos: los formatos MP3, OGG y WAV. Si no dispone de ninguna aplicación que le permita realizar esto, puede utilizar la herramienta propuesta en el sitio http://media.io.

Para personalizar el lector de audio, el código HTML no añade más que unos pocos iconos sobre los que es posible hacer clic, y el título del fragmento.

```
<div id="playerAudio">
    <a href="#" onclick="disminuirVolumen();"><span class="icon-
volume-down"></span></a>
    <a href="#" onclick="play();"><span class="icon-
play"></span></a>
    <a href="#" onclick="pause();"><span class="icon-
pause"></span></a>
    <a href="#" onclick="stop();"><span class="icon-
stop"></span></a>
    <span class="tituloFragmento">  John Dunbar</span>
    <a href="#" class="up" onclick="aumentarVolumen()"><i
class="icon-volume-up"></i></a>
</div>
```

El código JavaScript permite controlar el fragmento de audio mediante las propiedades que existen a disposición del desarrollador.

```
var sonido;

function init() {
    sonido = document.getElementById('sonido');
}
function disminuirVolumen() {
    sonido.volume = Math.max(sonido.volume - 0.1, 0);
}
function aumentarVolumen() {
    sonido.volume = Math.max(sonido.volume + 0.1, 0);
}
```

La variable `sonido` es, de hecho, la etiqueta audio. Posee una propiedad `volume` que puede tener un valor comprendido entre 0 y 1.

```
function play() {
    sonido.play();
}
function pause() {
    sonido.pause();
}
```

Existen dos funciones integradas en la etiqueta audio que son `play()` y `pause()`. Basta, por tanto, con invocarlas para reproducir o poner en pausa el sonido.

```
function stop() {
    sonido.pause();
    sonido.currentTime = 0;
}
```

No existe ninguna función `stop` por defecto. Para parar la reproducción del fragmento de audio, es preciso poner la reproducción en pausa y situarla al comienzo. La propiedad `currentTime`, que permite, por ejemplo, mostrar dónde se encuentra la reproducción, cuando se pone a 0 hace que el fragmento vuelva al comienzo en la siguiente lectura.

El archivo **8_3_audio.html** retoma este ejemplo. El archivo **8_3_audio-Completo.html** va un poco más allá, utilizando jQuery.

He aquí el aspecto del reproductor de audio:

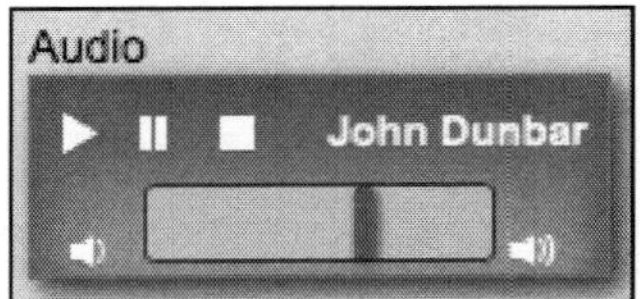

4. Los codecs de audio

Los navegadores no saben leer todos los formatos de audio:

Navegador	WAV	MP3	OGG
Chrome	Sí	Sí	Sí
Firefox	Sí	No	Sí
Edge	No	Sí	No
Opera	Sí	No	Sí
Safari	Sí	Sí	No

Esta lista se muestra a modo de referencia, aunque puede variar con el tiempo, dado que existen nuevos codecs que hacen su aparición sucesivamente.

A título informativo, el formato WAV es un formato no comprimido que recupera una señal de audio con una mejor calidad que el resto de los formatos. Por el contrario, aumenta el tamaño del archivo, que podrá ser hasta diez veces más grande.

Dado que los navegadores no trabajan con un formato de audio en común, será preciso generar los archivos de audio con tres codecs para estar seguro de que el sonido es compatible con todos los navegadores.

El siguiente sitio de la Wikipedia agrupa en una única página gran parte de los codecs de audio, vídeo y demás utilizados con mayor frecuencia:
http://en.wikipedia.org/wiki/List_of_codecs

Capítulo 9
Los formularios

1. Introducción

Un formulario está compuesto por distintas zonas que van a permitir al usuario introducir información. Estas zonas permiten introducir texto, un valor, seleccionar entre los elementos de una lista, marcar uno o varios elementos, etc. A continuación, esta información puede enviarse a un servidor, que sabe cómo recuperarla para procesarla, almacenarla en una base de datos, o incluso enviárnosla por correo electrónico. La sección de servidor, que no se aborda en este libro, se implementa mediante un script CGI (script que se ejecuta en el servidor) y que podría instalarse para resolver este problema. Este punto se verá al final de este capítulo.

En el archivo **9_2_formulario.html** se encuentra un ejemplo de formulario.

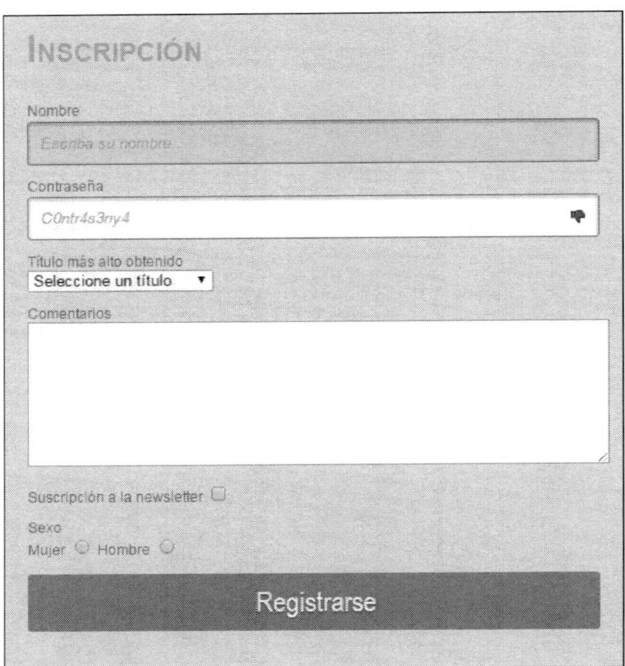

2. Funcionamiento de un formulario cliente/servidor

Para crear un formulario, se utiliza la etiqueta `<form>`, que permite englobar todas las etiquetas del formulario. Si la página contiene varios formularios, puede contener varias etiquetas `<form>` independientes.

3. Las distintas etiquetas del formulario

<form>

La propiedad esencial de esta etiqueta es la propiedad `action`. Define qué ocurrirá cuando el usuario haga clic en el botón que permite validar el contenido del formulario. Los "valores" posibles para esta acción son la ejecución de un script en el servidor (PHP o CGI), o bien el envío de la información del formulario por correo electrónico mediante la opción `mailto` que se utilizará en el enlace.

```
<form action="formulario.php">
    < !-- el contenido del formulario -->
</form>
```

o bien:

```
<form action="mailto:info@empresa.es">
    < !-- el contenido del formulario -->
</form>
```

La opción `mailto` en la acción es funcional, pero el correo electrónico que se envíe estará escrito de una manera muy poco legible. Tendrá el siguiente aspecto, suponiendo que el formulario contuviera un nombre, un apellido, una edad y una dirección.

```
apellido:Palacios,nombre:Eduardo,edad:53,direccion:calle nueva 3...
```

Este texto es legible y el formulario ha realizado su trabajo. Pero si cada día se reciben varias decenas o centenares de correos, el trabajo para recuperar la información y su procesamiento será bastante largo, complejo, y tendrá un gran riesgo de error en las operaciones de copiar/pegar. Por este motivo, es conveniente que la información del formulario se recupere mediante un programa informático que sabrá ordenarla en una base de datos, por ejemplo. A continuación, es posible examinar el contenido de la base de datos, lo cual será mucho más rápido y seguro.

Para validar el formulario, el usuario debe hacer clic sobre un botón `submit`. Este botón tiene la única función de enviar el formulario. Se detallará un poco más adelante. En este momento, se propaga un evento `submit` para avisar al formulario de que debe enviar la información según la acción configurada, como `mailto`, por ejemplo. Si el formulario no se ha completado correctamente, se enviará con errores o información incompleta. HTML5 permite indicar qué campos son `required` para obligar a informarlos, en caso contrario el formulario no se enviará. No obstante, el usuario puede informar el campo de manera incorrecta o con información errónea. Para no llevarnos una desagradable sorpresa, es posible interceptar el evento `submit` utilizando el evento `onsubmit`, configurado en la etiqueta `form`. Este evento permite invocar a una función de JavaScript que se encargue de comprobar si el formulario está correctamente completado o no, y mostrar un mensaje si existe cualquier error, o enviar el formulario si está todo bien.

```
<form action="mailto:info@empresa.es"
name="inscripcion_form" onsubmit="return checkForm();">
```

La función `checkForm()` va a poder leer el contenido de los elementos del formulario `inscripcion_form` y devolverá `true` si es posible enviar el formulario o `false` si está incompleto. Este valor booleano se devolverá al formulario para terminar con el ciclo de envío.

He aquí una función `checkForm()`:

```
function checkForm() {
    var msg = "";

    // aquí el código que permite comprobar los distintos campos y
    // escribir el mensaje correspondiente

    if (msg) {
        alert(msg);
        return false;
    } else {
        return true;
    }
}
```

Si hay algún mensaje (msg), esto significa que existe algún problema, en este caso se muestra una alerta (alert()) con el contenido del mensaje y se devuelve false para que el formulario no se envíe. Por el contrario, si no existe ningún mensaje, esto quiere decir que no existe ningún error, y el formulario tendrá la autorización para enviarse.

Proporcionaremos ejemplos de comprobaciones en JavaScript conforme se expliquen las distintas etiquetas.

Expondremos ahora un último detalle relativo a la etiqueta <form>. Existen dos métodos que permiten enviar los datos de un formulario: el método POST y el método GET. El primer método es el que debe utilizar sistemáticamente, que se diferencia del GET al menos en dos cosas.

En primer lugar, el GET va a escribir los nombres de los campos y todos sus valores en la URL. Esto puede suponer un problema de seguridad, puesto que será posible remplazar, en la URL, el importe de 200 euros por 2 euros si se trata por ejemplo de un pago, y el banco facturaría entonces 2 euros pensando que era lo que se pedía en el formulario, mientras que el sitio emisor pedía 200. Esto era un error bastante frecuente en los comienzos de la Web.

El método POST no muestra nada al usuario, de modo que será más "propietario", y no limita el número de caracteres que pueden enviarse.

<input />

Esta etiqueta es la más utilizada en un formulario. Dispone de una propiedad type que permite precisar si el usuario debe informar un texto, un valor, una contraseña, u otros.

```
Escriba su nombre: <input type="text" name="nombre"
maxlength="25"
size="20" />
```

Es preciso, naturalmente, escribir un texto que se sitúe junto al campo del formulario indicando al usuario qué debe informar, por ejemplo "Escriba su nombre".

Es posible no anotar nada junto al campo de texto e incluir la propiedad `placeholder` que escribirá la frase "Escriba su nombre" en el interior del campo de formulario.

```
<input type="text" name="nombre" maxlength="25" size="20"
placeholder="Escriba su nombre" />
```

La propiedad `name` es imprescindible. Cuando se recupere la información del formulario, el nombre (`name`) del campo permite saber si el valor recuperado se corresponde con el nombre, con el apellido u otro.

En el ejemplo donde se recupera el texto:

`apellido:Palacios,nombre:Eduardo,edad:53,direccion:calle nueva 3...`

Significa que había un campo con el nombre `name="apellido"`, otro `name="nombre"`, otro para la edad `name="edad"`.

La propiedad `maxlength` (longitud máxima) permite indicar al navegador el número máximo de caracteres que puede escribir el usuario.

La propiedad `size` (tamaño) indica el tamaño que ocupa en la pantalla el campo de formulario. Este tamaño no tiene ninguna incidencia sobre el número de caracteres. Permite, simplemente, gestionar la visualización del campo de formulario, y si por ejemplo el usuario debe introducir el código postal, puede resultar práctico configurar la propiedad con un valor pequeño (5), que permite generar un campo pequeño para introducir la información, indicando al usuario que basta con introducir pocos caracteres en el campo correspondiente.

Para recuperar el valor introducir en el campo nombre, JavaScript debe acceder al formulario y, a continuación, acceder al campo nombre.

```
var nombre = document.inscripcion_form.nombre.value;
```

Basta, a continuación, con comprobar si el contenido de la variable `nombre` es el que se esperaba en el formulario o simplemente si la variable `nombre` tiene contenido.

```
if (!nombre) {
    msg += "Por favor informe su nombre\n";
}
```

Con este método, la variable `msg`, que se inicializa al principio de la función de comprobación no se reinicializa jamás. Hay que escribir siempre += para agregar un mensaje, si es necesario, de manera que al final de la función todos los mensajes estén concatenados en la variable `msg`.

Observación

Observe que al final de la variable `msg` se ha escrito la expresión barra invertida seguida de una n (`\n`). Esta expresión se corresponde con los caracteres ASCII no imprimibles que permiten forzar el salto de línea. De este modo, el siguiente mensaje se escribirá a continuación debajo del anterior, y no al lado.

type="radio"

El tipo `radio`, de botón radio, es una lista de selección donde solo es posible seleccionar una única respuesta.

```
Sexo : Mujer <input type="radio" name="sexo" value="M" />
       Hombre <input type="radio" name="sexo" value="H" />
```

Como con todas las etiquetas de un formulario, el tipo `radio` tiene su propiedad name especificada. Las dos etiquetas `<input>` tienen el mismo nombre, lo que permite asociarlas. El navegador trabajará de manera que solo es posible marcar uno de los dos botones radio: si se selecciona uno, el otro se desmarca automáticamente.

Una propiedad que podemos utilizar con este tipo de campo es la propiedad `checked`. De este modo, `checked="checked"` permite marcar por defecto la opción correspondiente.

```
Mujer <input type="radio" name="sexo" value="M" checked="checked" />
```

Cuando se muestre el formulario, antes de que el usuario haca clic sobre cualquier opción, el botón radio estará marcado.

Observación

Premarcar un botón radio no es, necesariamente, una buena idea, puede ser preferible dejar al usuario que marque el botón que desee. Esto permitirá verificar que se ha realizado una elección. `checked="checked"` *se utiliza principalmente cuando el formulario está generado por el servidor para actualizar información, por ejemplo.*

En este ejemplo, hay solamente dos opciones, "Mujer" y "Hombre", pero no existe ningún límite relativo al número de botones radio que pueden tener el mismo nombre.

Para que JavaScript pueda recuperar la información que indica si uno de los botones está marcado o no, debe acceder a un array. En efecto, dado que puede existir un número indeterminado de botones radio, éstos se almacenan en un array. El primer elemento, en el ejemplo anterior el sexo femenino (mujer), es la posición de índice 0.

```
var sexoM = document.inscripcion_form.sexo[0].checked;
var sexoH = document.inscripcion_form.sexo[1].checked;
if (!sexoM && !sexoH) {
    msg += "Por favor informe el sexo\n";
}
```

Las dos variables `sexoM` y `sexoH` valdrán `false` si no se ha marcado ninguno de los dos botones. Cuando se pulse sobre algún botón, pasará a valer `true`. El `if` comprueba si ambas variables valen `false`, en cuyo caso se genera un mensaje en el formulario para advertir al usuario de que debe seleccionar una opción.

type="checkbox"

Otro tipo muy parecido al botón radio es la opción a marcar. Tiene dos valores posibles: marcada o desmarcada. Permite, de este modo, pedir al usuario que realice una (o varias) selección(es) marcando o desmarcando las opciones según sus preferencias. En los usos de la Web, las opciones a marcar se distinguen habitualmente de los botones de radio porque permiten realizar selecciones múltiples y porque pueden ser opcionales, mientras que los botones de radio imponen una selección única y obligatoria.

```
<input type="checkbox" name="newsletter" value="ok" />
```

Observación

Aquí, si la opción está marcada, cuando se valide el formulario el valor recuperado será: `newsletter = 'ok'`*. Esto indica que la opción estaba marcada en la validación. Por el contrario, si la opción no está marcada, no se recupera ninguna información de la opción a marcar. La palabra* `newsletter` *no aparecerá con las demás respuestas del formulario.*

Para los tipos "radio" y "checkbox", una novedad aún experimental, pero que está implementada en todos los navegadores, es el estilo: `accent-color`.

Es difícil personalizar ciertos elementos del formulario, ya que el diseño será el impuesto por el navegador.

Con el estilo `accent-color`, el botón radio o la casilla de verificación podrán ser estilizados cuando estén marcados o seleccionados.

Por ejemplo:

```
Sí <input type="radio" name="newsletter" value="0" />
No <input type="radio" name="newsletter" value="1" checked/>
Indeciso <input type="radio" name="newsletter" value="2" />

<br>

Comedor: <input type="checkbox" name="comedor" value="ok" checked
/>
```

El segundo botón de radio está marcado, al igual que la casilla de verificación, y tendrán, por tanto, el estilo que se definirá en el CSS a continuación.

```
input[type="radio"] {
       accent-color: green;
}
input[type="checkbox"] {
       accent-color: blue;
}
```

Los otros elementos input mantendrán su aspecto por defecto.

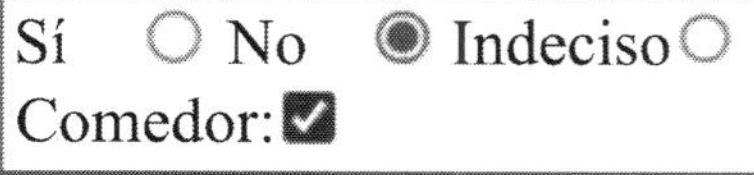

<select>

La etiqueta `<select>` permite proporcionar una lista al usuario para que seleccione uno de los elementos comprendidos en esta lista. Esto se presenta de la siguiente manera:

```
<select name="titulo">
    <option value="0">Seleccione un título</option>
    <option value="1">Formación básica</option>
    <option value="2">Formación secundaria</option>
    <option value="3">Licenciatura</option>
    <option value="4">Máster</option>
    <option value="5">Doctorado</option>
</select>
```

Aquí, la etiqueta `<select>` se llama "titulo". Cuando se valide el formulario, la información recuperada será del estilo: titulo=2. Este método resulta interesante porque permite recuperar directamente no el nombre del diploma, sino el número 2. La ventaja es que, cuando se realiza un sitio web multi-idioma, el número 2 puede corresponderse siempre con el mismo nivel de estudios, independientemente del lenguaje.

Es posible agregar algunas propiedades a la etiqueta `<select>`:

```
<select name="titulo" size="3" multiple="multiple">
```

La propiedad `size` permite transformar la lista que aparece cuando se hace clic por una lista visible. Aquí, se mostrarán tres elementos de la lista. Cuando no se utiliza la propiedad `size`, es posible seleccionar un solo elemento. Por el contrario, cuando la lista aparece completa, es posible agregar la propiedad `multiple="multiple"`, que permite al usuario seleccionar varias opciones presionando la tecla [Ctrl] (o [Cmd] en Mac).

Si JavaScript debe recuperar cierta información, como el número de la opción seleccionada, debe acceder a la etiqueta `<select>` y, a continuación, a un array que contiene todas las opciones.

```
var titulo = document.inscripcion_form.titulo_sel;
var val_titulo = titulo.options[titulo.selectedIndex].value;

if (!val_titulo) {
    msg += "Por favor informe un título\n";
}
```

Para hacer esto, y para escribir un poco menos de código, la variable `titulo` es la etiqueta `<select>`. Tiene una propiedad `options[]` que permite acceder a las distintas opciones definidas en el formulario HTML. Posee, también, la propiedad `selectedIndex` que, como su propio nombre indica, contiene el número de opción seleccionada. Este número no es el valor correspondiente a la etiqueta `<option>` sino su posición en el array, aunque en el ejemplo anterior el valor de la opción es el mismo que el índice de la opción.

De este modo, `titulo.selectedIndex` permite recuperar el índice de la opción seleccionada. Si el usuario no selecciona ninguna opción, se recuperará la primera acción, es decir la que tiene como índice 0.

Un caso particular

Puede resultar práctico invocar a una función JavaScript cuando el usuario seleccione la opción correspondiente. Esto puede realizarse mediante la etiqueta `<select>` que permite cargar una nueva página HTML. En este caso, la etiqueta `<select>` tendrá, además, una opción de menú.

En el ejemplo **9_2_SelectorCarga0.html**, la lista va a permitir cargar dos páginas a nuestra elección.

He aquí la lista en el estado inicial:

Y lo que se muestra cuando se selecciona alguna de las páginas de la lista:

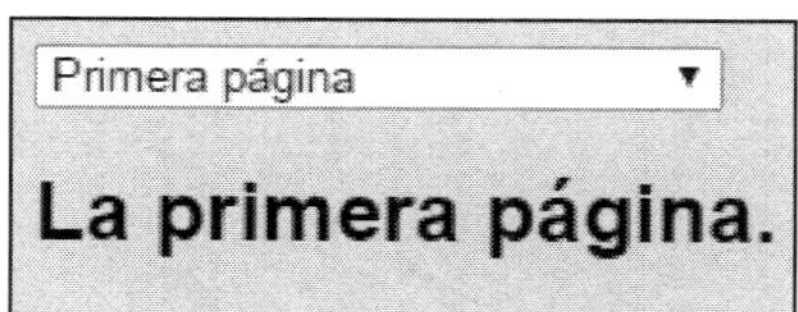

El evento `onchange` se utiliza en la etiqueta `select`.

```
<select onchange="cargar(this)">
```

La función cargar recibe el parámetro this. En inglés, this significa "esto". En programación, indica un objeto: el objeto en el que se encuentra la palabra this. De este modo, this se corresponde con la etiqueta <select> y todo su contenido, es decir todas las etiquetas <option> que contiene.

Esto da como resultado la sección HTML:

```
<select onchange="cargar(this)">
    <option value="0">Seleccione la página a cargar</option>
    <option value="9_2_SelectorCarga1.html">Primera página</option>
    <option value="9_2_SelectorCarga2.html">Segunda página</option>
</select>
```

El código JavaScript:

```
function cargar(elSelect) {

    var pagina = elSelect.options[elSelect.selectedIndex].value;

    if (pagina) {
        window.location = pagina;
    }
}
```

La variable elSelect contiene la etiqueta <select> y permite recuperar en la variable pagina el nombre de la página a cargar.

A continuación, el hecho de actualizar la propiedad location del objeto window permite actualizar la página cargando la URL contenida en la variable pagina.

type="submit"

Existe el tipo "button" que permite mostrar un botón. Asociándole un evento onClick, este botón invocará la ejecución de un script. Sin evento, el type="button" no invoca a nada.

El tipo "submit" está preprogramado, es decir, tiene un evento asociado automáticamente. Este evento permite invocar a la acción escrita en la propiedad action de la etiqueta <form>.

La mayoría de los formularios utilizan un botón submit que permite enviar el formulario.

type="number"

El tipo `"number"` funciona como el tipo texto, pero solo acepta valores numéricos.

```
<input type="number" step="5" min="0" max="100" value="50" id="num_1"/>
<input type="number" step="5" min="0" max="100" value="150" id="num_2"/>
```

Los atributos para este tipo serán `step`, que permite indicar el incremento. Aquí vale 5, por lo que los valores aumentarán de 5 en 5.

Hay un valor **mín**imo y un **máx**imo y el valor actual indicado por `value`.

El tipo `number` tiene reglas de estilo que son interesantes para informar al usuario si el valor ingresado es correcto o no.

En el código HTML anterior, los dos campos input tienen el atributo `min` a cero y el atributo `max` a 100.

El atributo `value` del primer campo `input` es 50, lo cual es correcto, pero el atributo `value` del segundo campo es 150, lo cual está fuera del límite.

```
input[type ="number"]:in-range {color : green; }
input[type ="number"]:out-of-range {color : red; }
```

Con la regla de estilo CSS anterior, todos los campos `input` con el atributo `type` igual a `number` tendrán el valor ingresado escrito en verde si es correcto y en rojo si no lo es.

Los demás tipos

Existen muchos otros tipos para la etiqueta `input`. Algunos campos pueden estar ocultos, se trata de los campos de tipo `hidden`, se abordan al final del capítulo cuando hablamos de los scripts CGI. Los últimos hasta la fecha son `date`, `color`, `range` que permiten tener un cursor y seleccionar un valor o `tel` y `email` que están previstos para el teléfono y el correo electrónico. En el pasado, estos campos eran de tipo `text`. Estos nuevos campos funcionan casi todos como el tipo `text`.

<search>

La etiqueta `<search>` permite mejorar la semántica de las funciones de búsqueda. Este elemento encapsula los elementos que forman una interfaz de búsqueda o de filtrado. `<search>` ayuda a las tecnologías de asistencia a identificar la sección de búsqueda de una página.

Ejemplo de uso

```
<search>
  <form action="/buscar" method="get">
    <label for="q">Buscar:</label>
    <input type="search" id="q" name="q">
    <button type="submit">Go</button>
  </form>

</search>
```

Buscar: [   ] [Go]

4. Las expresiones regulares

Existe, desde HTML5, el campo `input` adaptado a los correos electrónicos. Es, de hecho, un campo de texto que está previsto para introducir direcciones de correo electrónico en él.

Es posible obligar a que se escriba un correo electrónico que contenga cifras y letras, seguidas de una arroba (@) y de nuevo cifras y letras, para terminar con un punto seguido de dos a cuatro letras (representando el dominio ".es" o ".com", por ejemplo).

La propiedad que se utiliza es `pattern`. Un patrón (*pattern*, en inglés) es una plantilla que sigue el navegador para supervisar la información del campo correo electrónico. Se parece a:

```
pattern="^[a-z0-9._%+-]+@[a-z0-9.-]+\.[a-z]{2,4}$"
```

A primera vista esto puede parecer algo complejo, pero de hecho, como ocurre con la programación, si esta frase se descompone en varias más pequeñas se vuelve en algo más sencillo y fácil de entender.

Esta expresión se "lee":

```
^     [a-z0-9._%+-]+     @     [a-z0-9.-]+    \.     [a-z]{2,4}     $
```

El primer elemento es el acento circunflejo ^, que indica el inicio de la línea.

A continuación, los corchetes [ ] permiten agrupar el contenido y, en el ejemplo, los corchetes están seguidos de un signo más (+) que significa que los caracteres entre corchetes deben estar presentes al menos una vez.

Encontramos entre los corchetes: `a-z0-9._%+-`

Podremos tener un correo electrónico con cualquier letra de la a a la z en minúsculas (a-z) o una cifra entre el 0 y el 9 (0-9) o un punto (.) o un carácter de subrayado (_) o un porcentaje (%) o un signo más (+) o un signo menos (-).

Para resumir el inicio del patrón, `^[a-z0-9._%+-]+` significa que el correo electrónico debe empezar por alguno de los caracteres entre corchetes y que puede estar seguido, a continuación, de un número indefinido de caracteres, pero al menos uno.

El correo electrónico podrá empezar, por tanto, por: ascf43_f3 o 84bcf.de-df. Pero no podrá ser Frfg_re puesto que no puede haber letras mayúsculas.

A continuación, el patrón exige una arroba: @. La arroba debe estar presente en este lugar, tras el primer grupo.

A continuación, `\.` (barra invertida punto) representa un punto. El punto no puede utilizarse solo, puesto que tiene un significado particular, de ahí la necesidad de precederlo con el carácter de escape barra invertida. Para obtener más detalles relativos a las expresiones regulares, consulte la siguiente página: http://es.wikipedia.org/wiki/Expresión_regular

A continuación, [a-z]{2,4}: los caracteres de la a a la z deberán estar presentes al menos dos veces y un máximo de cuatro.

El último símbolo, $, indica al navegador que se ha terminado de introducir la expresión regular.

5. La validación del formulario

Existen nuevos selectores CSS que permiten representar automáticamente las entradas de formulario que no sean válidas.

```
input:required:invalid, input:focus:invalid {
background-image: url(../img/form/invalid.png);
    background-position: right top;
    background-repeat: no-repeat;
    border: 1px solid #800;
    -moz-box-shadow: none;
}
input:required:valid, input:focus:valid {
    border: 1px solid #080;
    background-image: url(../img/form/valid.png);
    background-position: right top;
    background-repeat: no-repeat;
}
```

Los dos estilos anteriores permiten mostrar ciertos campos de manera diferente en función de si son válidos o no. En el ejemplo, se produce una pequeña animación para hacer aparecer un pulgar verde hacia arriba cuando el campo es válido o un pulgar rojo hacia abajo cuando no lo sea.

Para animar estos pulgares, se crea otro estilo.

```
#form_insc input:not([type="radio"]):not([type="checkbox"]){
    background-position:450px;
    -webkit-transition: all 0.5s linear;
    -moz-transition: all 0.5s linear;
    -o-transition: all 0.5s linear;
    transition: all 0.5s linear;
}
```

Es posible realizar muchas más cosas en este estilo. Los elementos más importantes son los anteriores.

En primer lugar, `input:not([type="radio"])` indica que este estilo se aplica a todas las etiquetas `<input>`, salvo aquellas que sean de tipo `radio`. Si se desea excluir varios tipos, basta con agregarlos a continuación, como se hace con el tipo `checkbox`.

Para el contenido, la opción por defecto para `:valid` o `:invalid` es `right top;`. La nueva posición asignada a la propiedad `background-position` en este ejemplo hará que la imagen parta de 0 y se desplace hasta el valor `450px`.

Las instrucciones de transición animarán, a continuación, el desplazamiento de la imagen durante medio segundo, cuando el campo `input` pase del estado válido o inválido al otro.

:required

La pseudoclase `:required` se aplica sobre los elementos de formulario que tengan la propiedad `required`.

```
<input type="text" name="nombre" required />
```

La propiedad `required` indica al formulario que el campo en cuestión es obligatorio. Obtendrá, automáticamente, un mensaje de advertencia que aparecerá sobre el campo si no se ha informado y es obligatorio. El problema es que esta propiedad no está todavía implementada en todos los navegadores y no tendrá ningún efecto en Safari o en Android. El día en que se implemente en todos ellos, será muy práctica, pero de momento habrá que incluir una verificación JavaScript antes de enviar el formulario.

He aquí un ejemplo de visualización del mensaje en Firefox. Este mensaje "Rellene este campo." se muestra automáticamente si el campo no está informado, pero es obligatorio, y el usuario intenta enviar el formulario.

:focus

La pseudoclase `:focus` hace referencia a los elementos del formulario que tienen el foco, es decir, que están seleccionados o en curso de ser informados.

Cuando el usuario entra en la página y se muestra el formulario, puede resultar agradable poner directamente el foco sobre el primer campo que debe completarse. Esto va a hacer un poco más agradable el inicio de la tarea. JavaScript permite realizar esto seleccionando el campo correspondiente y aplicándole el método `focus()`.

```
document.inscripcion_form.nombre.focus();
```

Basta con poner esta línea de código en la función `init()` que se invoca cuando se carga la página, utilizando el evento `onload` de `<body>`.

:valid o :invalid

Las dos pseudoclases `:valid` e `:invalid` van a aplicarse automáticamente. Los campos `input` tendrán, por ejemplo, un borde de color rojo si no son válidos y un borde verde si están correctamente informados.

Con el CSS creado antes, el usuario tendrá una información visual que le permitirá resaltar los campos incompletos. Es conveniente prestar atención porque, en ciertos navegadores, si no se incluye una verificación en JavaScript es posible poder enviar el formulario de cualquier forma.

Por defecto, los navegadores mostrarán algo parecido a esto:

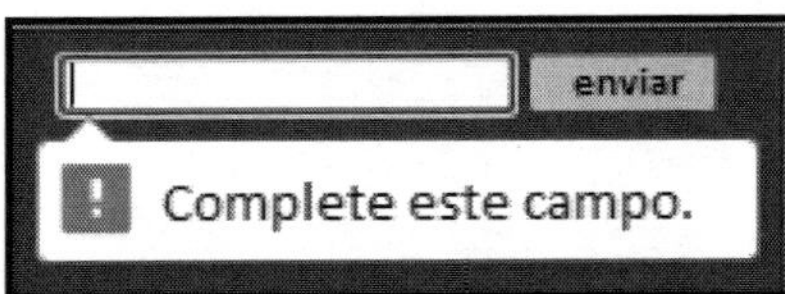

Pero se puede modificar el mensaje y hacerlo más explícito utilizando el código JavaScript de más abajo:

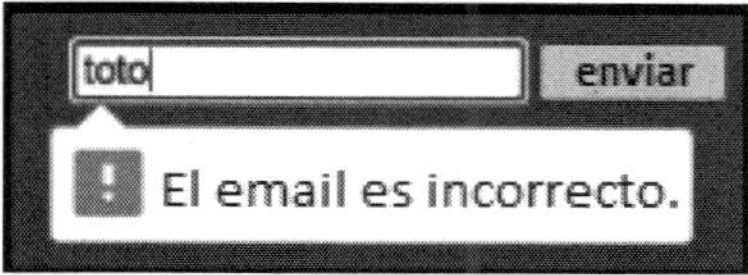

Los navegadores muestran un mensaje en caso de error que solo se puede modificar con JavaScript.

```
var email = document.querySelector("#elMail");
// cuando la etiqueta <input type='email' ...> se ha almacenado en la
variable email

email.addEventListener("keyup", function (event) {
    // un escuchador reacciona si se utiliza el teclado
en la etiqueta del email.
  if(email.validity.typeMismatch) {
    // se muestra un mensaje si la dirección de email es incorrecta.
    email.setCustomValidity("El email es incorrecto.");
  } else {
    email.setCustomValidity("");
  }
});
```

La lista completa de las propiedades para validar un formulario en JavaScript puede consultarse aquí:
https://developer.mozilla.org/es/docs/Learn/HTML/Forms/Validacion_formulario_datos

6. Agregar un script CGI en el servidor

Existen muchos scripts que pueden ejecutarse en el servidor. Es posible utilizarlos sin conocer el lenguaje de dicho script.

Uno de ellos permite recuperar el contenido del formulario, darle formato y enviarlo todo a la dirección de correo electrónico correspondiente.

Es similar a utilizar la acción `mailto` en la etiqueta `<form>` con un par de diferencias.

En primer lugar, el `mailto` permite mostrar una ventana de advertencia para el usuario, de hecho se va a enviar el formulario con su dirección de correo electrónico. El webmaster conocerá, por tanto, la dirección de correo electrónico de la persona que ha enviado el formulario, lo cual no es un problema en sí, pero puede presentar pegas para algunos internautas que preferirán no completar el formulario.

A continuación, como hemos visto antes, el hecho de utilizar `mailto` hará que los datos lleguen a la bandeja de correo electrónico del webmaster con un formato difícil de leer, mientras que con el script la información se recuperará con una organización mínima y serán mucho más legibles.

Existen muchos scripts gratuitos que a menudo ofrecen explicaciones acerca de su funcionamiento aquí: http://www.scriptarchive.com/formmail.html

Para nuestro ejemplo, basta con tomar el archivo descargado y copiarlo en la carpeta CGI que pone a su disposición su proveedor de acceso. Si no existe, puede crearla y dejar ahí el archivo.

Para que el formulario envíe, a continuación, los datos a este script, basta con indicarlo en la etiqueta `<form>`.

```
<form action="../cgi/FormMail.pl" ... >
```

La extensión pl es el diminutivo de Perl, un lenguaje de script muy rápido que funciona del lado del servidor.

Una última etapa consiste en agregar cierta información en el formulario. El script la recuperará, pero no es relativa al usuario. Será, por ejemplo, la dirección de correo electrónico que deba recibir el contenido del formulario, o bien el nombre de los campos obligatorios.

Entre comillas se definen algunos otros parámetros, como `subject`, que va a rellenar automáticamente el campo Asunto del correo electrónico recibido por el webmaster, lo cual puede resultar práctico para clasificar rápidamente los mensajes que provienen del sitio.

Para indicar toda esta información, se utiliza la etiqueta `input`, con el tipo `hidden`. Este tipo permite almacenar un valor en el equivalente de una variable.

```
<input type=hidden name="recipient" value="info@empresa.es ">
```

Por ejemplo, el campo anterior informará al script CGI que la dirección de correo electrónico del destinatario (`recipient`) es info@empresa.es

A continuación se muestran otros parámetros que pueden configurarse, como `redirect`, que permite indicar el nombre de la página HTML que deberá mostrarse una vez el usuario valide su formulario.

```
<input type=hidden name="subject" value="Formulario del sitio.">
<input type=hidden name="redirect"
value="http://www.misitio.es/respuestaAutomatica.html">
```

```
<input type=hidden name="required" value="nombre,email">
<input type=hidden name="sort" value="alphabetic">
<input type=hidden name="print_blank_fields" value="1">
```

Conviene comprender que no es preciso agregar otras variables, es decir, otros campos ocultos más que aquellos esperados por el script. Si un campo `hidden` se escribe con un nombre diferente al nombre esperado, el script considera como que esta información forma parte del formulario y se enviará con el correo electrónico global.

Esta técnica se utiliza habitualmente cuando, por ejemplo, un formulario propone al usuario modificar su información. Hay muchas probabilidades de que exista un campo oculto que contenga el campo id en la base de datos correspondiente a la información modificada. De este modo, una vez enviado el formulario, el servidor sabrá leyendo este campo oculto que debe actualizar información ya existente.

Si no existe un campo oculto con el id quiere decir que se está trabajando con una nueva ficha o con una nueva inscripción. Un campo oculto con el id significa que esta información ya está almacenada y tiene que actualizarse. También aquí se trata de un caso en el que existe cierto código en el servidor así como una base de datos, lo cual es habitual (por no decir obligatorio) con un formulario.

Capítulo 10
Los enlaces y menús en HTML5

1. Introducción

Un enlace es un vínculo entre dos elementos. Se caracteriza por una palabra o una imagen en la pantalla. Como enlace, va a estar vinculado a una función JavaScript o a un documento PDF, una página HTML, etc.

El primer elemento se representa mediante la etiqueta <a> (ancla) y va a permitir interactuar con el usuario. Es, principalmente, texto o una imagen en algún lugar de la página. El hecho de hacer clic sobre un enlace provoca que se invoque a un segundo elemento.

El segundo elemento puede ser una página que se abrirá, o una imagen que se mostrará. Pero puede ser, también, un archivo que se descargará, o incluso otra función que se invocará...

2. Creación de enlaces

2.1 Abrir una página HTML

La sintaxis más común para un enlace es:

```
<a href="mermelada.html">Tarros de mermelada</a>
```

Esta sintaxis se repite para los demás tipos de enlace (imagen, página web, archivo PDF...). Solo cambia el contenido del atributo `href` (referencia de hipertexto). El atributo `href` contiene el nombre del archivo que se abrirá tras hacer clic en el enlace. El texto "Tarros de mermelada" se mostrará en la pantalla, y al hacer clic sobre él se abrirá la página HTML indicada en el atributo `href`.

Observación

Esta nueva página se muestra en el lugar de la página que contiene el enlace.

Esta sintaxis es perfecta para la navegación dentro de un mismo sitio. Por el contrario, si un enlace hace referencia a un sitio web diferente, será preferible que la nueva página se abra en una pestaña distinta de la pestaña en curso. Existe un atributo de la etiqueta `<a>` que permite hacer esto, se trata de `target`. El atributo `target` (destino) indica el lugar en el que se abrirá el archivo indicado en `href`. Existen distintas sintaxis posibles para `target` que no veremos aquí, pues se trata de opciones históricas que casi no se utilizan actualmente, ya que los frames no tienen mucha utilidad hoy en día. Por el contrario, si escribimos:

```
<a href="www.mermeladas.es" target="_blank">Sitio correspondiente
a las mermeladas.</a>
```

la propiedad `target` tiene el valor `_blank`, que indica que el contenido de `href` debe abrirse en una nueva pestaña o en una nueva página.

No es posible imponer la apertura de una nueva ventana en lugar de una nueva pestaña. Esto forma parte de la configuración de usuario en el navegador web.

2.2 Abrir una imagen

La sintaxis para abrir una imagen es la misma que la de una página HTML.

```
<a href="../img/mermeladaFresa.jpg">Mermelada de fresa</a>
```

La imagen se abrirá si el usuario hace clic en el texto.

Un uso bastante práctico consiste en mostrar una imagen con un tamaño menor y, al hacer clic sobre ella, abrir la misma imagen en grande. Será preciso crear, previamente, ambas imágenes. Esto nos dará el siguiente enlace:

```
<a href="../img/mermeladaFresa.jpg"><img src="../img/iconos/
mermeladaFresa.jpg" /></a>
```

La carpeta iconos podría contener la versión reducida de la imagen contenida en la carpeta img. Con esta sintaxis, la imagen sobre la que se hace clic, el icono, tendrá probablemente un borde de color azul indicando que se trata de un enlace. Para eliminar este borde o controlar su visualización es posible crear un estilo externo, por ejemplo:

```
a > img {
    border: 0px;
}
```

En este caso, todas las imágenes que se utilicen en un enlace no tendrán borde.

También es posible, por el contrario, forzar un borde más grueso para poner la imagen de relieve, configurando como un marco alrededor de la foto.

```
a > img {
    border: 4px #FFF solid;
}
```

2.3 Navegación en la página

La navegación en la página se realiza en dos etapas. Consiste en implementar enlaces que permiten dirigir al usuario a otro lugar dentro de la misma página HTML. El ejemplo más clásico es el del enlace en la parte inferior de la página que permite volver arriba del todo.

Para ello, el lugar considerado como la parte superior de la página debe tener algún nombre especial.

Si el inicio de la página empieza por una `<section>`, agregaremos delante de `<section>` un ancla (`<a>`) con el nombre "arriba". Un ancla cuyo atributo name está inicializado se llama ancla nombrada.

```
<a name="arriba"></a>
<section id="vacaciones"> ...
```

Poco importa el contenido de la `<section>`, el ancla llamada "arriba" se posiciona delante de `<section>`.

Una vez nombrada la zona, es posible agregar un enlace, esta vez probablemente al final de la página, que permita subir y mostrar el inicio de la página cuando el usuario hace clic sobre él.

```
<a href="#arriba">Inicio de la página</a>
```

Es posible, también, invocar a una nueva página HTML y precisar el lugar de la página que debe mostrarse, siempre y cuando exista un ancla con nombre que permita indicar este lugar.

```
<a href="mermeladas.html#fresa">Mermelada de fresa</a>
```

2.4 Permitir descargar un archivo

Para la descarga, no es preciso cambiar nada en la escritura del código. De hecho, cuando se proporciona un enlace a un navegador, hacia una página HTML, hacia una imagen o hacia cualquier archivo, si el navegador reconoce el tipo de documento, lo abre. Si el navegador no reconoce el tipo de archivo escrito en `href`, permitirá descargar el archivo. Este es el caso, por ejemplo, de un archivo ZIP (archivo comprimido), que no se reconoce en el navegador y que no se abrirá directamente sino que se descargará en el lado cliente.

```
<a href="mermeladas.zip">Resumen</a>
```

2.5 Enviar un correo electrónico

Otra sintaxis posible para el contenido del `href` permite enviar un correo electrónico, para contactar con el webmaster, por ejemplo. En este caso, se utiliza la palabra clave `mailto` (correo electrónico para) indicando a continuación la dirección de correo electrónico del destinatario. Si se hace clic sobre este tipo de enlace se abre la aplicación de mensajería del cliente y se inicia el proceso de redacción de un correo electrónico.

```
<a href="mailto:info@empresa.es">Contacto</a>
```

Se abre la aplicación de mensajería correspondiente con el campo destinatario completado con la dirección de correo electrónico info@empresa.es. Si, tras hacer clic sobre este enlace, el usuario no desea enviar un correo electrónico, podrá cerrar la aplicación de mensajería y no se enviará ningún correo.

Protección contra el spam

Algo a tener en cuenta cuando se escribe un correo electrónico directamente en una página HTML es que existe el riesgo de que esta dirección la escaneen programas que se encargan de analizar páginas para, a continuación, enviar publicidad a dicha dirección de correo electrónico. Para evitar el spam, el correo no deber escribirse con todas las letras. JavaScript permite, por ejemplo, reconstruir esta dirección de correo electrónico. De este modo, realizando un análisis sencillo de la página HTML será imposible detectar la dirección de correo electrónico y disminuiremos enormemente el riesgo de ser bombardeados con spam.

Para ello, basta con crear una zona que muestre el correo electrónico en HTML pero dejando una zona vacía. Aquí, una etiqueta <span> nos ayudará a salir del paso.

```
<span id="miEmail"></span>
<script type="text/javascript">
    var mimail = "info@";
    mimail += "empresa.es";

    var etiquetaA = document.createElement('a');
    var enlace = document.createTextNode("Contacto");

    etiquetaA.appendChild(enlace);
    etiquetaA.title = "email: " + mimail;
    etiquetaA.href = "mailto:" + mimail

    document.getElementById("miEmail").appendChild(etiquetaA);
</script>
```

El script puede escribirse justo después del código HTML. Basta con escribir lo que compone el correo electrónico en una variable y concatenar lo que hay delante de la arroba con el nombre del dominio. A continuación, JavaScript permite mediante el método `createTextNode` insertar una nueva etiqueta que se creará con `createElement`. Para terminar, basta con agregar esta etiqueta con `appendChild` a la etiqueta `span` ya existente en HTML.

El usuario, al hacer clic sobre el enlace de contacto, provocará que se abra su aplicación de mensajería para enviar un correo electrónico. Podrá informar el asunto del correo y escribir en el cuerpo del mensaje lo que desee. Es posible rellenar previamente la plantilla de manera que el asunto ya esté escrito, para que el correo tenga como asunto, por ejemplo: "pregunta desde el sitio web".

En este caso, se agrega la opción `subject`:

```
etiquetaA.href = "mailto:" + mimail + "?subject=pregunta desde el
sitio Web";
```

A continuación, el usuario podrá modificar el texto del asunto y escribir lo que desee en su lugar. Pero si el texto propuesto es coherente, no hará falta cambiarlo.

2.6 Invocar un script JavaScript

Una última opción que puede utilizarse con el enlace es invocar un script JavaScript. En este caso, cambia únicamente el contenido de `href`:

```
<a href="javascript:actualizarGraficos()">Actualizar los gráficos</a>
```

3. Creación de un menú (lista + enlaces + CSS)

Un método sencillo y eficaz para crear un menú consiste en utilizar una lista no ordenada y modificar su visualización mediante CSS. El código HTML estará compuesto, simplemente, por elementos de una lista que contiene los enlaces. El archivo **10_3_menu.html** contiene un ejemplo, he aquí la visualización:

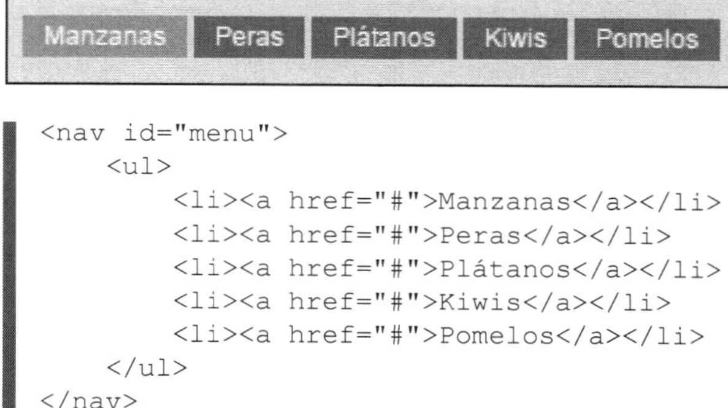


```
<nav id="menu">
    <ul>
        <li><a href="#">Manzanas</a></li>
        <li><a href="#">Peras</a></li>
        <li><a href="#">Plátanos</a></li>
        <li><a href="#">Kiwis</a></li>
        <li><a href="#">Pomelos</a></li>
    </ul>
</nav>
```

El código CSS va a permitir mostrar la lista en líneas y no en columnas, como es el caso por defecto.

```
#menu ul
{
    margin-left: 0;
    padding-left: 0;
    white-space: nowrap;
}

#menu ul li
{
    display: inline;
    list-style-type: none;
}
```

Basta con asignar a `li` un estilo que indique que la visualización se hace en filas.

A continuación, dado que se trata de un menú, es preferible eliminar el subrayado por defecto que, si bien resulta útil en un enlace clásico, no quedará tan bien en un menú. La instrucción `text-decoration:none;` permite hacer esto.

```
#menu ul li a {
     text-decoration: none;
     padding: 3px 10px;
}

#menu ul li a:link, #menu ul li a:visited
{
    color: #fff;
    background-color: #666;
}

#navlist a:hover
{
    color: #fff;
    background-color: #6C6
}
```

A continuación, los enlaces `visited` no deben diferenciarse de los `link`, para que la visualización sea idéntica para todos los botones del menú, se haya hecho clic en ellos o no.

El uso de la pseudoclase `:hover` permite, cuando se pasa el ratón por encima del elemento, crear automáticamente una pequeña animación, en este caso un cambio de color, para llamar la atención del usuario.

4. Modificar la página con la ayuda del menú

Retomemos al ejemplo precedente y añadamos unos id a cada etiqueta a. El ejemplo puede visualizarse en el archivo **10_4_modificarPagina.html**.

```
<nav id="menu">
    <ul>
        <li><a class="activa" id="manzanas" href="#">Manzanas</a></li>
        <li><a id="peras" href="#">Peras</a></li>
        <li><a id="platanos" href="#">Plátanos</a></li>
        <li><a id="kiwis" href="#">Kiwis</a></li>
    </ul>
</nav>
```

Partiendo de la idea de que el primer enlace es la visualización de la página por defecto, se ha añadido una clase activa que coloreará a través del CSS el último enlace que haya pulsado el usuario.

Para el contenido de esta página, hay cuatro secciones, que aquí solo contienen un título <h1>, pero que podrán contener artículos, imágenes, etc.

```
<main>
  <section class="manzanas">
    <h1>Manzanas</h1>
  </section>
  <section class="peras">
    <h1>Peras</h1>
  </section>
  <section class="platanos">
    <h1>Plátanos</h1>
  </section>
  <section class="kiwis">
    <h1>Kiwis</h1>
  </section>
</main>
```

Como está activo el enlace con el id="manzanas", solo la sección con la clase manzanas deberá visualizarse. Las demás tendrán su propiedad display con el valor none para que no sean visibles.

El CSS no ha cambiado, solo hay un añadido que corresponde al estado activo del enlace.

```
#menu ul li a.activo {
    color: #fff;
    background-color: orange;
  }
```

Ahora, pasemos a JavaScript, que inicializa y gestiona la visualización.

```
// Array que almacena los enlaces del menú
var enlacesA_arr;
// Array de las secciones
var sec_arr;

function init() {
  // recuperación de todas las secciones de la página.
  sec_arr = document.querySelectorAll("section");

  // recuperación de todos los enlaces de un array.
  enlacesA_arr = document.querySelectorAll("#menu a");

  // Recorremos todos los enlaces para añadir un escuchador de evento.
  enlacesA_arr.fcrEach(enlace => {
    enlace.addEventListener('click', function () {
      // Función que quita la clase activa a todos los enlaces.
      borraActiva();
      /* enlace.id o this.id, contiene el mismo nombre (id) que la clase
de la sección para mostrar: <a id='manzanas'... y <section class='manzanas'
      el camino hacia esta sección debe "construirse"
colocando la etiqueta "section" junto a la clase que se va a llamar.*/
      document.querySelector('section.' + this.id).style.display = "block"
      // el enlace pulsado se activa.
      enlace.classList.add('activo');
    })
  });

  // la visualización de la primera sección al abrir la página
  // se ejecuta una sola vez al arrancar.
  document.querySelector('section.manzanas').style.display = "block"
}

// Reinicialización de la visualización de todas las secciones y del menú.
function borraActiva() {
  // para cada enlace, la clase 'activa' se suprime,
se retira de la lista de clases de esa etiqueta.
  enlacesA_arr.forEach(enlace => {
    enlace.classList.remove('activa');
  });
```

```
    // se ocultan todas las secciones
    sec_arr.forEach(enlace => {
      enlace.style.display = 'none';
    });
  }
```

Volvamos al truco que consistía en fabricar y ensamblar los elementos para construir el camino hacia una etiqueta en particular. Es un truco que requiere anticiparse o tomar notas y preparar los elementos.

En nuestro caso, por un lado hay un menú y, por el otro, unos elementos que se deben mostrar o no. Por lo tanto, es interesante establecer un nombre que permita al mismo tiempo identificar un botón, un enlace del menú y también la etiqueta que debe mostrarse. En este caso, están `<a id='manzanas'...` y `<section class='manzanas'...`, es decir, un enlace y una etiqueta `section` que comparten el mismo nombre. Para el enlace es el id y para la sección es la clase.

A continuación, solo hay que automatizar el funcionamiento y podremos reutilizarlo a nuestro antojo.

Para obtener el nombre completo de la etiqueta `section` que debe mostrarse, hay que tener la cadena de caracteres `section.manzanas`; en otro caso, será `section.peras`, depende de las estaciones. La única parte que siempre está presente es `section`. Es importante el punto "`.`" que indica que falta el nombre que se utiliza como clase: por ejemplo, `manzanas` cuando el id del enlace pulsado tiene ese valor.

A un lado estará el texto "section" y al lado el valor de `this.id`, que podrá ser manzanas o peras. La concatenación con el símbolo + dará: `section.manzanas` o `section.peras`.

Un texto que se concatena con el valor de la variable `this.id`, que es la ID del enlace.

Este ejemplo muestra cómo se puede hacer fácilmente un pequeño sitio web. Funcionará muy bien, pero habrá que tener en cuenta que, si todo el sitio web está en la misma página HTML, el usuario lo cargará al mismo tiempo. Si no es demasiado pesado, será funcional.

Otro método para modificar la página a través del menú podría consistir en agregar datos en los enlaces, como veremos en el apartado siguiente.

5. Agregar "datos" en los enlaces

El código contenido en la etiqueta <body> es, en este caso, un div que permite mostrar información cuando se hace clic. Existe, también, la etiqueta nav que contiene un menú formado por enlaces. En el archivo **10_5_menuData.html** se muestra un ejemplo, he aquí la visualización:

```
<div id="result">Proveedor:</div>

<nav id="menu">
    <ul>
       <li><a data-prov='roberto'
              data-cnt='12' href="#"
              onclick="proveedor(this);">Manzanas</a>
       </li>
       <li><a data-prov='pedro'
              data-cnt='5' href="#"
              cnclick="proveedor(this);">Peras</a>
       </li>
       <li><a data-prov='maria'
              data-cnt='7' href="#"
              onclick="proveedor(this);">Plátanos</a>
       </li>
       <li><a data-prov='marcos'
              data-cnt='9' href="#"
              onclick="proveedor(this);">Kiwis</a></li>
       <li><a data-prov='ana'
              data-cnt='2' href="#"
              onclick="proveedor(this);">Pomelos</a>
       </li>
    </ul>
</nav>
```

Cada enlace contiene nuevas propiedades que son data-prov y data-cnt, respectivamente, para proveedor y cantidad. Es posible crear tantas propiedades como se desee, siempre que empiecen por data-. Su contenido, aquí el nombre del proveedor y una cantidad, podrá leerse y utilizarse en JavaScript.

El estilo:

```
data-prov="roberto"] {
      border: 2px #0C0 dotted;
}
```

permite aplicar un borde verde punteado al enlace Manzanas que tiene como proveedor a Roberto.

El hecho de hacer clic en un enlace va a invocar a la función JavaScript `proveedor(this)`. La palabra clave `this` representa el elemento donde se ha producido la llamada, aquí la etiqueta <a>. La función `proveedor()` recupera, de este modo, todas las propiedades y los valores definidos en la etiqueta <a> sobre la que se ha hecho clic.

El script, que debe agregarse dentro de la etiqueta <head>, contiene la función invocada en los enlaces:

```
function proveedor(elEnlace) {
    // primer método
    var elProveedor = elEnlace.getAttribute('data-prov');
    // segundo método
    var laCantidad = elEnlace.dataset.cnt;

    document.getElementById("result").innerHTML = "Proveedor:
" + elProveedor + " ha vendido " + laCantidad + " toneladas";
}
```

La función `Proveedor()` recupera la variable `elEnlace`, que es el `this`, según el código HTML. La variable `elEnlace` es, por tanto, el equivalente a la etiqueta <a>. Es, de hecho la etiqueta <a>, pero en JavaScript.

El nombre del proveedor y la cantidad pueden recuperarse mediante dos métodos: bien utilizando `getAttribute('data-prov')`, que permite recuperar el valor de cualquier tipo de atributo (o propiedad), o bien leyendo el `dataset` de la variable `elEnlace` precisando qué dato se desea obtener, en el ejemplo: `elEnlace.dataset.cnt`.

A continuación, tan solo queda utilizar los valores recuperados en función de lo que representan.

Es posible, naturalmente, construir el mismo tipo de script con jQuery. Se provee un ejemplo en el archivo **10_5_menuDataJQ.html**.

El contenido de <body> se simplifica respecto al ejemplo anterior, pues ya no es preciso indicar todas las llamadas a la función `proveedor()`.

```
<div id="result">Proveedor:</div>
<nav id="menu">
    <ul>
        <li><a data-prov='roberto'
               data-cnt='12'
               href="#">Manzanas</a>
        </li>
        <li><a data-prov='pedro'
               data-cnt='5'
               href="#">Peras</a>
        </li>
        <li><a data-prov='maria'
               data-cnt='7'
               href="#">Plátanos</a>
        </li>
        <li><a data-prov='marcos'
               data-cnt='9'
               href="#">Kiwis</a>
        </li>
        <li><a data-prov='ana'
               data-cnt='2'
               href="#">Pomelos</a>
        </li>
    </ul>
</nav>
```

El código JavaScript que utiliza jQuery invoca a una función cuando se hace clic sobre algún enlace. Dado que todos los enlaces son etiquetas <a> y éstas están contenidas en la etiqueta <nav> con el id `menu`, el hecho de hacer clic sobre cualquier enlace invocará a la siguiente función:

```
$(document).ready(function() {

    // enlaces del Menu
    $("#menu a").click(function() {
        var elProveedor = $(this).data("prov");
        var laCantidad = $(this).data("cnt");
        $("#result").html("Proveedor: " + elProveedor + " ha
```

```
vendido " + laCantidad + " toneladas");
      });

});
```

Versión JavaScript

```
// Cuando la página está lista (equivalente a onload en body)
window.onload = function() {
      // acceso a todos los enlaces del menú.
      document.querySelectorAll("#menu a").forEach(enlace => {
      //agrega escuchador click
      enlace.addEventListener('click', function () {
          var elProveedor = this.getAttribute("data-fourn");
          var laCantidad = this.getAttribute("data-qt");
          var txt = "Proveedor: " + elProveedor + "
          ha vendido " + laCantidad + " toneladas";
          document.querySelector("#result").innerHTML = txt;
      }) ; // fin del escuchador click
   }) ; // fin del bucle forEach
}
```

jQuery pone a nuestra disposición una función `data()` que permite recuperar cualquier información escrita mediante la propiedad `data-`. La palabra clave `this` se utiliza en `$(this)` y apunta al elemento sobre el que se ha hecho clic y ha provocado la llamada a la función. Es, por tanto, el enlace o la etiqueta <a> lo que se representa en ambos ejemplos mediante `this`.

6. Lista compleja organizada por JavaScript y el CSS

Cuando ejerzo mi trabajo de formador, suelo mostrar ejemplos de sitios o métodos por internet. Tenía anotados varios enlaces que mostraba con cierta frecuencia a mis estudiantes y, a base de repetirlos una y otra vez, decidí crear una página para organizarlos todos con la idea de no tener que retocar nada cuando añadiera un nuevo enlace.

Vamos a ver en detalle el funcionamiento de esta página. Pero antes, nos centraremos en su aspecto. Los archivos están disponibles en la carpeta **10_6_listaEnlaces**.

{.Eje} </mplo> = true;
CANVAS
1 Muchos rayas 2 Mandalala 3 Flor de vida
JAVASCRIPT
4 Audio 5 Cubo 6 Boolenos (0/1) 7 Cursor PSD
CSS
8 Etiquetas 9 Lupa 10 PX / EM 11 Sobrevuelo 12 Tuto Flex
13
RESPONSIVE
14 mediaQ 15 Menú Hamburguesa
TUTORIALES / EJEMPLOS
16 Sitio Rosa 17 Book HCJ 18 Froggy Flex 19 Parallax
PROYECTOS
20 Algoritmo 21 VJing JS 22 jpg 2 Score

Sin embargo, si la función principal de JavaScript está desactivada, los colores desaparecen.

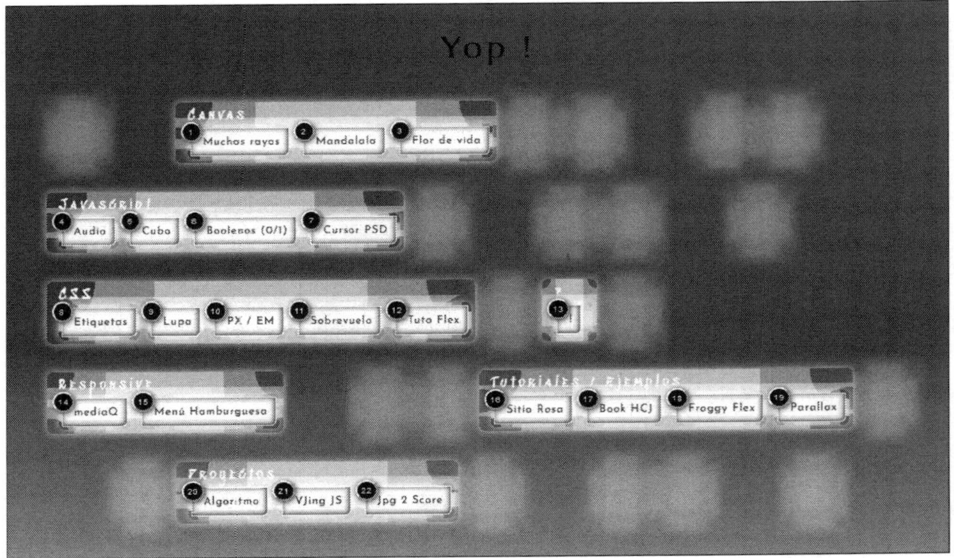

En este ejemplo, JavaScript solo sirve para colorear el conjunto.

Fijémonos en el código HTML:

```
<!DOCTYPE html>
<html>

<head>
  <title>Pequeños ejemplos en línea</title>
  <meta charset="UTF-8">
  <meta name="viewport" content="width=device-width,
initial-scale=1.0">

  <link href="https://fonts.googleapis.com/css?family=Alegreya+Sans|
Josefin+Sans|Sedgwick+Ave+Display" rel="stylesheet">
  <link href="https://fonts.googleapis.com/css?family=Frijole"
 rel="stylesheet">
  <link href="https://fonts.googleapis.com/css?family=Bad+Script|
Marcellus|Rock+Salt" rel="stylesheet">
  <link href="css/css.css" rel="stylesheet" type="text/css" />

  <script src="js/textoColoreado.js" type="text/javascript"></script>
  <script src="js/listaColoreado.js" type="text/javascript"></script>

  <script type="text/javascript">
    function init() {
      // coloreadoListas("{.Exan} </mpeul> = true;");

    }
  </script>

  <link rel="icon" href="img/FT_icones.gif" type="image/gif" />
</head>

<body onload="init();">


  <main>
    <h1 id="titulo">Yop !</h1>
    <nav id="laNav">
      <ul id="losEnlaces">
        <li class="separador deco"> </li>
        <li class="separador deco vacio"> </li>
        <li class="separador">Canvas
          <ul>
            <li><a href="#" target="_blank">Muchas rayas</a></li>
            <li><a href="#" target="_blank">Mandalala</a></li>
            <li><a href="#" target="_blank">Flor de vida</a></li>
```

```
          </ul>
        </li>
        <li class="separador deco"> </li>
        <li class="separador deco"> </li>
        <li class="separador deco vacio"> </li>
        <li class="separador deco"> </li>
        <li class="separador deco"> </li>
        <li class="separador">Javascript
          <ul>
            <li><a href="#" target="_blank">Audio</a></li>
            <li><a href="#" target="_blank">Cubo</a></li>
            <li><a href="#" target="_blank">Booleanos (0/1)</a></li>
            <li><a href="#" target="_blank">Cursor PSD</a>
            </li>
          </ul>
        </li>
        <li class="separador deco"> </li>
        <li class="separador deco vacio"> </li>
        <li class="separador deco"> </li>
        <li class="separador deco"> </li>
        <li class="separador deco vacio"> </li>
        <li class="separador deco"> </li>
        <li class="separador">CSS
          <ul>
            <li><a href="etiquetas/index.html"
target="_blank">Etiquetas</a></li>
            <li><a href="#" target="_blank">Lupa</a> </li>
            <li><a href="#" target="_blank">PX / EM</a></li>
            <li><a href="#" target="_blank">Sobrevuelo</a> </li>
            <li><a href="#" target="_blank">Tuto Flex</a></li>
          </ul>
        </li>
        <li class="separador deco"> </li>
        <li class="separador">?
          <ul>
            <li><a href="#" target="_blank">!</a></li>
          </ul>
        </li>
        <li class="separador deco"> </li>
        <li class="separador deco vacio"> </li>
        <li class="separador">Responsive
          <ul>
            <li><a href="#" target="_blank">mediaQ</a></li>
            <li><a href="#" target="_blank">Menu Hamburguesa</a></li>
          </ul>
        </li>

        <li class="separador deco vacio"> </li>
```

```
          <li class="separador deco"> </li>
          <li class="separador deco"> </li>

          <li class="separador">Tutoriales / Ejemplos
            <ul>
              <li><a href="#" target="_blank">Sitio Rosa</a></li>
              <li><a href="#" target="_blank">Book HCJ</a></li>
              <li><a href="#" target="_blank">Froggy Flex</a></li>
              <li><a href="#" target="_blank">Parallax</a></li>
            </ul>
          </li>
          <li class="separador deco"> </li>
          <li class="separador deco vacio"> </li>
          <li class="separador deco"> </li>
          <li class="separador">Proyectos
            <ul>
              <li><a href="#" target="_blank">Algoritmo</a></li>
              <li><a href="#" target="_blank">VJing JS</a></li>
              <li><a href="#" target="_blank">Jpg 2 Score</a>
              </li>
            </ul>
          </li>
          <li class="separador deco"> </li>
          <li class="separador deco vacio"> </li>
          <li class="separador deco"> </li>
          <li class="separador deco"> </li>
          <li class="separador deco vacio"> </li>
          <li class="separador deco"> </li>
        </ul>
      </nav>
    </main>
  </body>

  </html>
```

El resultado es una página HTML bastante larga; pero, si la observamos detenidamente, está dividida en pocas partes.

La cabecera con la etiqueta <head> que contiene:

El título de la página, la codificación de caracteres UTF-8, el dimensionamiento para PC y tablet, algunos enlaces para obtener tipografías, el enlace al archivo CSS, los enlaces hacia las funciones JavaScript, una función `init()` –que agrupará todas las funciones JavaScript que deben lanzarse al cargar la página– y la visualización de un icono en la pestaña del navegador.

A continuación, la etiqueta <body> que contiene: la propiedad onload para lanzar init(), en cuanto la página se haya cargado.

Un título en una etiqueta <h1 id="titulo">. Es el título de la página, que estará animado y coloreado por JavaScript.

Después, una etiqueta <nav id="laNav">: es la que contiene toda la página, porque esta página solo sirve para acceder a las demás.

Por último, hay que fijarse en el nav y ver que contiene una etiqueta <ul id="losEnlaces">, que es la etiqueta principal para todos los enlaces.

Esta lista ul.losEnlaces contiene una gran cantidad de ítems de lista <li>.

Estos ítems deben clasificarse en tres categorías:

– <li class="separador deco"> </li>

Los <li> no muestran nada en pantalla y solo contienen el carácter insecable   para indicar que no está vacío.

Un <li> con la clase separador permite distinguir cada <li>, y el hecho de que este <li> tenga además la clase deco significa que solo será decorativo, es decir, los marcos que rodean las categorías y tienen un relleno.

– <li class="separador deco vacio"> </li>

Si, además, el <li> tiene la clase vacio, se mostrará también como un pequeño cuadro, como el <li> anterior, pero, aunque ocupará espacio en la pantalla, no será visible. De este modo, se airea un poco el conjunto.

– <li class="separador">

```
          <ul>
              <li><a href='#'>un enlace</a></li>
          </ul>
</li>
```

Y, para terminar, el <li> que solo contiene la clase separador será el punto de entrada de una categoría y contendrá los enlaces de las páginas que deben mostrarse.

La parte CSS:

Los comentarios están escritos en el código.

```
/* Todos los márgenes están a cero */
* {
    box-sizing: border-box;
    padding: 0;
    margin: 0;
}
/* dimensiones por defecto para html y body */
html, body {
    width: 100%;
    height: 100%;
}
/* un degradado lineal para el fondo de la página */
body {
    font-family: 'Sedgwick Ave Display', 'Josefin Sans', Arial,
sans-serif;
    background-color: #FFF;
    font-size: 8px;
    padding-left: 5px;
    background:
        radial-gradient(circle at 0% 100%, transparent 30%,
rgba(255,55,55,0.1) 50%) no-repeat,
        radial-gradient(circle at 100% 0%, transparent 20%,
rgba(0,0,0,0.1)  50%) no-repeat,
        radial-gradient(circle at 0% 0%, transparent 15%,
rgba(55,255,55,0.1) 50%) no-repeat,
        radial-gradient(circle at 100% 100%, transparent 5%,
rgba(255,255,255,0.1) 50%) no-repeat,
        linear-gradient(0deg, rgba(255,255,255,0.5), rgba(0,0,0,1),
rgba(0,0,0,1));
    background-attachment: fixed;
    background-repeat: no-repeat;
    background-size: 100% 100%;
}
/*posicionamiento del main, la parte principal de la página */
main {
    position:absolute;
    width: 90%;
    height: 90%;
    left: 5%;
    top:5%;
}
/* el título en lo alto de la página */
#titulo {
```

```
    font-size: 40px;
    font-family: Marcellus, Frijole;
    margin-bottom: 45px;
    letter-spacing: 5px;
    width: 100%;
    text-align: center;
}
#laNav {
    min-width: 400px;
    margin: 0 auto;
}
/* se establece un contador de las ul de primer nivel*/
#laNav > ul{
    /*Se restablece el contador*/
    counter-reset:li;
}
/* degradado radial por detrás de todos los li */
#laNav ul li{
    font-size: 19px;
    position: relative;
    min-width: 50px;
    display: inline-block;
    list-style-type: none;
    border-radius: 8px;
    letter-spacing: 4px;
    background: radial-gradient(circle at 0% 100%, transparent 15%,
rgba(255,255,255,0.5) 15%) no-repeat,
        radial-gradient(circle at 100% 0%, transparent 15%,
rgba(255,255,255,0.5) 15%) no-repeat,
        radial-gradient(circle at 0% 0%, transparent 15%,
rgba(255,255,255,0.5) 15%) no-repeat,
        radial-gradient(circle at 100% 100%, transparent 15%,
rgba(255,255,255,0.5) 15%) no-repeat;
    background-position: 0% 100%, 100% 0%, 0% 0%, 100% 100%;
    background-size: 75% 75%;
    box-shadow: 0 0 10px #fff;

}
/* los li con la clase separador se muestran en línea*/
#laNav ul li.separador {
    display: inline-block;
    padding: 5px 5px 5px 15px;
    margin-bottom: -10px;
    color: #fff;
    z-index: 10;
}
/*
```

Se añade un elemento delante de todos los <li>, salvo los de la clase .separador. Este elemento contendrá el número del <li> y se mostrará en un pequeño círculo negro posicionado junto al botón. Este círculo está parcialmente sobre el botón, en posición :absolute y con todos los valores negativos para left y top.

```
*/
#laNav ul li:not(.separador):before {
    color:#fff;
    background:rgba(0,0,0,1);
    box-shadow: 1px 1px 5px #000;
    text-align:center;
    font-size: 10px;
    letter-spacing: 1px;
    font-family: Arial, sans-serif;
    /* cuenta de los li: visualización del número del li */
    content:counter(li);
    /* e incremento */
    counter-increment:li;
    position:absolute;
    left: -8px;
    top:-4px;
    min-width: 12px;
    /* 50 % => círculo u ovalo, según la altura y la anchura*/
    border-radius: 50%;
    border-top:2px solid #fff;
    border-right:2px solid #999;
    border-bottom:2px solid #999;
    border-left:2px solid #FFF;
    padding:5px;
}

/* el estilo por defecto para todos los enlaces*/
#laNav a,
#laNav a:link,
#laNav a:visited
{
    display: inline-block;
    background-color: rgba(255,255,255,1);
    box-shadow: inset #000 -1px -1px 5px;
    border: 1px #FFF solid;
    border-bottom-right-radius: 7px;
    font-family: 'Josefin Sans', Arial, sans-serif;
```

```
    text-align: center;
    text-decoration: none;
    font-size: 14px;
    letter-spacing: 1px;
    padding: 10px;
    padding-left: 15px;
    margin: 4px;
    /* para el sobrevuelo del puntero por los botones */
    transition: all .2s ease;
}
/* Cambio de la sombra y del color del texto cuando pasa el puntero
del ratón*/
#laNav a:hover
{
    box-shadow: inset #000 1px 1px 5px;
    color: #000 !important;
}
/* cuadros desenfocados decorativos */
.deco {
    position: relative;
    opacity: 0.5;
    filter: blur(5px);
    top:-37px;
    width: 80px;
    height: 95px;
}
/* y cuadros invisibles para airear el conjunto*/
.deco.vacio {
    background: transparent !important;
    box-shadow: 0 0 10px rgba(0,0,0,0) !important;
}
```

Estas dos partes HTML y CSS son bastante largas pero el código no es complicado. La dificultad puede deberse a la longitud del código y, para eso, hay que organizarse. Pero pasemos al JavaScript.

El objetivo del script es recorrer todos los elementos que están en pantalla, divididos en tres categorías:

- todos los `<li>`;
- todos los `<li>` con la clase `separador`;
- todos los enlaces.

Para cada parte, se asignará un color al grupo. Veámoslo.

```
Contenido del archivo: listaColoreado.js
/**
 * Función llamada al inicio (body onload) de la página HTML
 * Colorea todos los elementos de la página
 * @param {*} titulo: el texto compuesto de lo alto de la página.
 */
function coloreadoListas(titulo) {
/* Con la utilización de la función querySelectorAll, JavaScript recupera
la lista de todas las etiquetas que responden a la pregunta. Es decir,
todas las etiquetas li que están en una etiqueta ul y que son hijas
de #laNav. Dicho de otro modo, todas las etiquetas de la página. Todos
estos datos se almacenarán en la variable «enlaces», que
será un array de todas las respuestas. */
    var enlaces = document.querySelectorAll("#laNav ul li");
/* ídem para enlaceSeparador, que contiene los li con la clase separador. */
    var enlacesSeparador = document.querySelectorAll("#laNav
ul li.separador");
/* y las etiquetas a, para terminar, se almacenan en el array enlacesA. */
    var enlacesA = document.querySelectorAll("#laNav ul li a");


    // Este bucle gestiona el color que rodea los li
(un pequeño borde)para dibujar un botón

    for (var i = 0, max = enlaces.length; i < max; i++) {
       /* la función colorHSL permite obtener un color diferente
cada vez que se le llama. Se explica en detalle un poco más adelante.
        var col = colorHSL(i, max, 100, 60, 1, true);
/* el enésimo enlace (enlace[i]) verá cómo cambia el estilo de su fondo
con el nuevo color calculado por colorHSL. */
        enlaces[i].style.backgroundColor = col;
/* esta vez, el color entregado por colorHSL será el color complementario
(comp) del precedente (col) y, por definición, son dos colores que se asocian
muy bien */
        var comp = colorHSL(i, max, 100, 1, 1, false);
        enlaces[i].style.color = comp;
    }

    // gestiona el color del texto de los enlaces
    for (var i = 0, max = enlacesA.length; i < max; i++) {
        var comp = colorHSL(i, max, 80, 40, 1, true);
        enlacesA[i].style.color = comp;
        comp = colorHSL(i, max, 80, 40, 1, true);
        enlacesA[i].style.borderColor = comp;
    }

    // gestiona el color de los elementos (los li) con la clase separador
    for (var i = 0, max = enlacesSeparador.length; i < max; i++) {
```

```
        var col = colorHSL(i, max, 100, 60, 1, false);
        enlacesSeparador[i].style.backgroundColor = col;
    }

    // coloreado del título
    descompTitulo(titulo, "#titulo");

}

/**
 * colorHSL() :
 * A partir de distintos datos, la función devuelve un color.
 * La idea es llamar varias veces a esta función para que devuelva
 * colores distintos y con los tonos más diferentes
 * posibles.
 *
 * ejemplo colorHSL(0, 10)
 * Significa que la función elegirá entre 10 colores (de los 360 tonos posibles)
y devolverá el primero que cumpla este criterio
 * es decir: hsla(0, 60%, 60%, 0.55)
 * por tanto 0 será el tono, los dos valores de 60 % son para la saturación
de este color y su luminosidad, y el último
 * parámetro es para la transparencia de este color.
 * Después, si la función se llama con: colorHSL(1, 10)
 * hsla(36, 60%, 60%, 0.34)
 *
 * El primer valor del tono es 0, luego 36, luego 72... Así obtendremos colores
muy repartidos por el círculo cromático.
 *
 * hsla(72, 60%, 60%, 0.59)
 * hsla(108, 60%, 60%, 0.19)
 * hsla(144, 60%, 60%, 0.29)
 * hsla(180, 60%, 60%, 0.88)
 * hsla(215, 60%, 60%, 0.41)
 * hsla(251, 60%, 60%, 0.16)
 * hsla(287, 60%, 60%, 0.01)
 * hsla(323, 60%, 60%, 0.69)
 *
 * @param {*} v: el valor de referencia que determinará el tono
 * @param {*} max: el máximo número de colores que habrá que generar
 * @param {*} sat: la saturación
 * @param {*} lum: la luminosidad
 * @param {*} a: el alfa (la transparencia)
 * @param {*} comp_b: un booleano que indica si deseamos
obtener el color o el color complementario.
 */

function colorHSL(v, max, sat, lum, a, comp_b) {
    // si max no existe, entonces max = 360;
    max = max || 360;
```

```
    // si sat no existe, entonces sat = 60
    sat = sat || 60;
    lum = lum || 60;
    // si a no existe, entonces será igual a un número aleatorio comprendido
entre el 0 y el 1.
    a = a || Math.random();

    // cálculo del color
    var c = Math.round((v / max) * 359) % 360;
    // el complementario está en el extremo opuesto del círculo cromático,
es decir, a 180° más.
    // fijándonos en no superar los 360
    var c2 = (c + 180) % 360;
    c = comp_b ? c2 : c;
    return "hsla(" + c + ", " + sat + "%, " + lum + "%, " + a + ")";
}
```

Ejemplo de utilización de la función `colorHSL()`, mostrando el resultado en la consola del navegador (clic derecho sobre la página, **Inspeccionar** o **Examinar el elemento**).

```
    for (var i = 0; i < 10; i++) {
        var comp = colorHSL(i, 10);
        console.log("C = " + comp);
    }
```

La última parte de JavaScript es la que permite descomponer el título y colorear cada letra.

El código se encuentra en el archivo **textoColoreado.js**:

```
var letraActual = -1; // qué letra estamos coloreando.
var speed = 250; // tiempo en ms para colorear una letra.
var cambiaID; // un ID para detener la animación.
var _titulo = ""; // el título que debe mostrarse.
var _dnd = ""; // la ID de la etiqueta en la que mostrar el texto.

/**
 * Descompone un texto y colorea cada letra de un color diferente
 *
 * @param {*} txt: contiene el texto que va a descomponerse
 * @param {*} dnd: la ID del elemento donde se escribirá el texto
 */
function descompTitulo(txt, dnd) {
// si txt está vacio, metemos el antiguo valor del título.
    if (!txt) {
        txt = _titulo;
    }
// almacenamiento del valor de txt en _titulo, por si se vuelve a llamar a
```

```
la función y txt no se precisa
    _titulo = txt;

    if (!dnd) {
        dnd = _dnd;
    }
    _dnd = dnd;

    // c para el color del texto y _c para el color complementario
    var c, _c;
    // html contendrá el texto (la letra coloreada) para mostrar.
    var html = "";

    if (txt !== undefined) {
        // decal genera un número aleatorio para crear un decalaje
del color y no partir sistemáticamente de cero.
        var decal = Math.round(Math.random() * 360);
        for (var i = 0, max = txt.length; i < max; i++) {
            // el cálculo del color tiene en cuenta a i y a decal para
calcular el nuevo color.
            c = colorHSL(decal + i, max, 100, 80, 1, false);
// "hsl(" + h + "," + s + "%, " + l + "%)";
            _c = colorHSL(decal + i, max, 100, 80, 1, true);
//"hsl(" + _h + "," + _s + "%, " + _l + "%)";

            // txt contiene el texto y aquí se trata como un array:
cada carácter es una casilla y cada span tendrá su propio estilo
para el color.
            if (txt[i] === " ") {
                // Si la letra tratada es un espacio, la etiqueta span
solo contendrá un espacio,   ;
                html += "<span class='letraColor' style='color:" + c + ";
text-shadow: 0px 19px " + _c + ";'> </span>";
            } else {
                // Si no, la letra, almacenada en la casilla i del array,
se meterá en el span para mostrarla.
                html += "<span class='letraColor' style='color:" + c + ";
text-shadow: 0px 19px " + _c + ";'>" + txt[i] +
"</span>";
            }
        }

        letraActual++;
        // Hemos tratado el último carácter y volvemos a empezar con el primero.
        if (letraActual >= txt.length) {
            letraActual = 0;
        }

        // la función se llama al final del temporizador v setTimeout().
        // y se vuelve a llamar indefinidamente.
        cambiaID = setTimeout(function () {
```

```
            descompTitulo();
        }, speed);
    }

    // escritura en la etiqueta prevista (_dnd) del nuevo texto almacenado
en la variable html, formateado con span.
    document.querySelector(_ou).innerHTML = html;
}
```

Capítulo 11
Corrección de ejercicios

1. Ejercicio sobre los selectores CSS

Este ejercicio se encuentra en el capítulo CSS3 - sección sobre los selectores

```
body {
    font-family:Arial, Helvetica, sans-serif;
}
header.topPage {
    display: flex;
}
header.topPage img {
    border:5px #000 solid;
}
header.topPage nav ul li,
footer nav ul li {
   display: inline-block;
   list-style-type: none;
}
header.topPage nav ul li a {
    text-decoration: none;
    color: #99f;
}
section article {
    background-color: #eee;
    margin: 10px;
}
```

```
/* La primera etiqueta article es el segundo hijo de la sección */
section article:nth-child(2) h3 {
    color: #00f;
}
section article:nth-child(3) h3 {
    color: #f00;
}
section article h3 {
   padding: 10px;
    line-height: 0;
}
section article p {
   padding: 10px;
}
section article h3::first-letter {

    text-transform: uppercase;
}
section article header,
section article footer {
    background-color: #ccc;
    padding: 10px;
}
```

```
/* Cuando el ratón pasa sobre la etiqueta header, la etiqueta h1,
hijo del header, se subraya. */
section header:hover h1 {
    text-decoration: underline;
}
```

```
/* Selecciona todas las etiquetas div cuya clase empieza por box_ */
div[class^='box_'] {
    display:inline-block;
    width:50px;
    height:50px;
    background-color: #9f9;
    margin: 10px;
    padding: 10px;
}
div[class^='megaBox_'] {
    display:inline-block;
    width:80px;
    height:80px;
    background-color: #f99;
```

```
    margin: 10px;
    padding: 10px;
}
footer nav {
    text-align: center;
}
footer nav ul li a {
    text-decoration: none;
    color: #999;
}
```

2. Ejercicio: un reloj que se balancea

Este ejercicio se encuentra en el capítulo CSS3 - sección Las transiciones y animaciones.

Para el código HTML, una simple caja será suficiente.

```
<div id="reloj">11:38:45</div>
```

Para el CSS, hay el estilo de la div, que a su vez utiliza la animación del balanceo.

```
#reloj{
   padding: 3px;
   box-shadow: 1px 1px 2px #000;
   animation-name: tictac;
   animation-duration:2s;
   animation-iteration-count:infinite;
   animation-timing-function:ease-in-out;
   position: relative;
   z-index: 3001;
}
```

El estilo anterior hace uso de una animación: **tictac**. El código define que esta animación tardará 2 segundos para ejecutarse completamente. El número de ciclos es infinito, por lo que siempre se reiniciará una vez que llegue al final.

La función utilizada (**ease-in-out**) permitirá un efecto de desaceleración al inicio y al final de la animación.

```
@keyframes tictac {
   0%        {transform:rotate(-5deg); margin-right: 13px;}
   50% {
     transform:rotate(5deg);
     margin-right: 20px;
   }
   100% {transform:rotate(-5deg); margin-right: 13px;}
}
```

La animación está configurada para efectuar una rotación de -5deg (grados) en `#reloj` con un margen a la derecha de 13px para comenzar la animación.

Es la posición de partida, que se encuentra idéntica al final de la animación para permitir que esta se repita sin saltos. Hay, por lo tanto, exactamente el mismo código en 0% y en 100%.

Al 50%, es decir, al cabo de un segundo, ya que el 100% dura 2 segundos, la rotación es de 5 grados y no de -5 grados. La caja se balanceará y el desplazamiento hacia la derecha se incrementa con `margin-right` para simular un eje de rotación de la caja por encima de ella; un poco como el péndulo de un reloj antiguo.

Al examinar el código CSS, existe una herramienta que permite visualizar o modificar las funciones útiles para las animaciones. Para activar esta herramienta, se debe hacer clic en el pequeño botón, después de **animation-timing-function**:

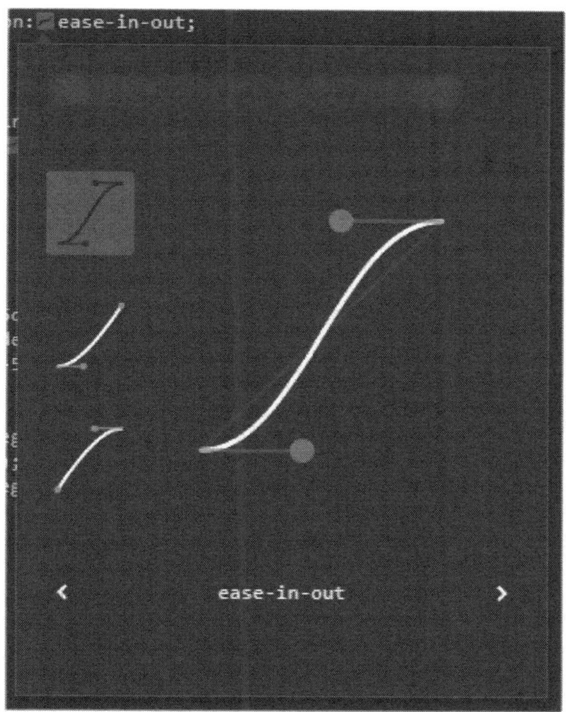


```
animation-name: tictac;
animation-duration:2s;
animation-iteration-count:infinite;
animation-timing-function: ease-in-out;
```

Una ventana aparece, mostrando la curva que representa la aceleración o desaceleración del elemento.

Una animación en la parte superior de la ventana nos muestra el resultado de nuestra función si se trata de un desplazamiento.

La curva representa el tiempo en sentido horizontal y el cambio deseado en sentido vertical.

Si se trata de un desplazamiento, la curva blanca tarda en volver al principio, lo que significa que el tiempo pasa, pero hay poco movimiento.

3. Ejercicio: modificar la hora en JavaScript

Este ejercicio se encuentra en el capítulo JavaScript - sección Gestión de temporizadores (setTimeout(), setInterval(), Date).

```
function clock() {
   let now = new Date();
   let s = now.getSeconds();
   s = s < 10 ? s = "0" + s : s;

   let m = now.getMinutes();
   m = m < 10 ? m = "0" + m : m;

   let h = now.getHours();
   h = h < 10 ? h = "0" + h : h;
   document.querySelector("#horloge").innerHTML = h + ":" + m + ":"+s;
}

setInterval(clock, 1000);
```

Se crea una función `clock()`. Esta función permite recuperar las horas, minutos y segundos correspondientes a la hora indicada por el ordenador que ejecuta el código. Gracias a ella, si el número es inferior a 10, se añade un cero delante (por estética) y una vez que se recuperan los datos, se envían al elemento con el id `reloj` para su visualización.

Otra porción de código se encarga, mediante un `setInterval()`, de llamar a la función que muestra la hora cada 1000 ms (1 segundo).

4. Ejercicio: posición del personaje

Este ejercicio se encuentra en el capítulo CSS3 - sección Los fondos y fondos múltiples.

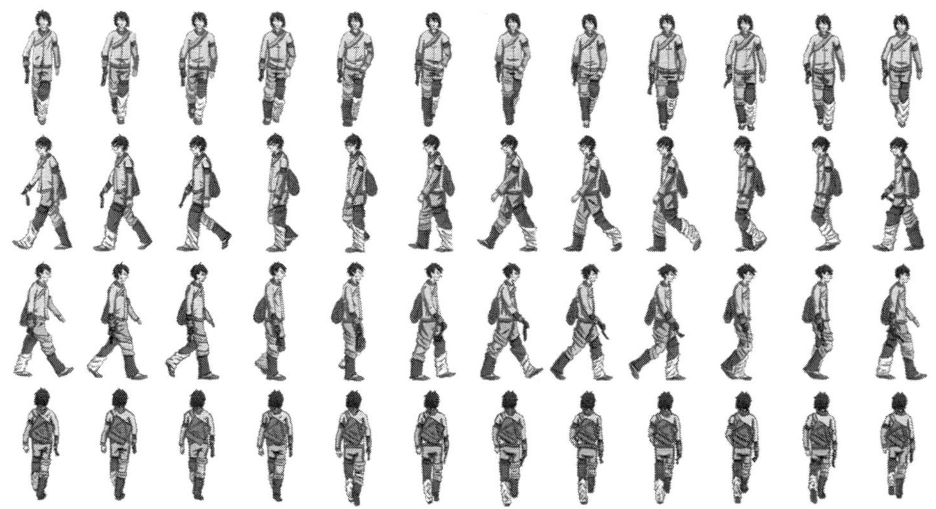

El código HTML contendrá una etiqueta con dos estilos:

El primero para la imagen de fondo y el tamaño de la máscara (`id='personaje'`) y el segundo para la posición del personaje (`class='position_cara_1'`).

```
<div id='personaje' class='posicion cara_1'></div>
```

Para el CSS, el id `'personaje'` recuperará la imagen de fondo, que estará completa con todas las posiciones.

Siendo `#personaje` un `bloque`, podrá tener dimensiones. Y son estas dimensiones, 95px y 160px, las que crean una especie de máscara, que hará que solo una posición se muestre en la pantalla. Será entonces necesario crear tantos estilos como posiciones tenga el personaje.

```
#personaje {
   display: inline-block;
   background-image: url(personaje.png);
   width: 95px;
```

```
    height: 160px;
    /* 1142 / 635 */
}
```

Observemos de paso, en la respuesta siguiente, el hecho de que en un primer momento el segundo parámetro de `background-position` siempre está en 0px. Esto significa que Y es igual a cero y que estamos trabajando en la primera línea de la imagen, que corresponde al personaje de cara.

```
/*  Cara */
.personaje.posicion_cara_1 {     background-position:     0px 0px; }
.personaje.posicion_cara_2 {     background-position:   -95px 0px; }
.personaje.posicion_cara_3 {     background-position:  -191px 0px; }
.personaje.posicion_cara_4 {     background-position:  -286px 0px; }
.personaje.posicion_cara_5 {     background-position:  -382px 0px; }
.personaje.posicion_cara_6 {     background-position:  -477px 0px; }
.personaje.posicion_cara_7 {     background-position:  -574px 0px; }
.personaje.posicion_cara_8 {     background-position:  -668px 0px; }
.personaje.posicion_cara_9 {     background-position:  -764px 0px;}
.personaje.posicion_cara_10 {    background-position:  -859px 0px; }
.personaje.posicion_cara_11 {    background-position:  -955px 0px; }
.personaje.posicion_cara_12 {    background-position: -1050px 0px;
}
```

```
/*  Izquierda */
.personaje.posicion_izquierda_1  {  back-ground-position:    0px  -158px; }
.personaje.posicion_izquierda_2  {  back-ground-position:  -93px  -156px; }
.personaje.posicion_izquierda_3  {  back-ground-position: -189px  -156px; }
.personaje.posicion_izquierda_4  {  back-ground-position: -284px  -153px; }
.personaje.posicion_izquierda_5  {  back-ground-position: -380px  -153px; }
.personaje.posicion_izquierda_6  {  back-ground-position: -475px  -153px; }
.personaje.posicion_izquierda_7  {  back-ground-position: -570px  -153px; }
.personaje.posicion_izquierda_8  {  back-ground-position: -665px  -153px; }
.personaje.posicion_izquierda_9  {  back-ground-position: -761px  -155px; }
.personaje.posicion_izquierda_10 {  back-ground-position: -856px  -155px; }
.personaje.posicion_izquierda_11 {  back-ground-position: -952px  -155px; }
.personaje.posicion_izquierda_12 {  back-ground-position: -1047px  -154px; }
```

```
/*  Derecha */
.personaje.posicion_derecha_1  {    back-ground-position:     0px -320px  }
.personaje.posicion_derecha_2  {    back-ground-position:   -96px -320px; }
.personaje.posicion_derecha_3  {    back-ground-position:  -191px -320px; }
.personaje.posicion_derecha_4  {    back-ground-position:  -288px -317px; }
.personaje.posicion_derecha_5  {    back-ground-position:  -383px -318px; }
.personaje.posicion_derecha_6  {    back-ground-position:  -479px -318px; }
.personaje.posicion_derecha_7  {    back-ground-position:  -575px -319px; }
.personaje.posicion_derecha_8  {    back-ground-position:  -670px -319px; }
.personaje.posicion_derecha_9  {    back-ground-position:  -766px -319px; }
```

```
.personaje.posicion_derecha_10 {    back-ground-position:  -862px -318px; }
.personaje.posicion_derecha_11 {    back-ground-position:  -958px -318px; }
.personaje.posicion_derecha_12 {    background-position: -1053px -318px; }
```

```
/* Espalda */
.personaje.posicion_espalda_1 {  background-position:    0px -480px; }
.personaje.posicion_espalda_2 {  background-position:  -95px -480px; }
.personaje.posicion_espalda_3 {  background-position: -190px -481px; }
.personaje.posicion_espalda_4 {  background-position: -286px -481px; }
.personaje.posicion_espalda_5 {  background-position: -381px -481px; }
.personaje.posicion_espalda_6 {  background-position: -477px -481px; }
.personaje.posicion_espalda_7 {  background-position: -573px -481px; }
.personaje.posicion_espalda_8 {  background-position: -667px -481px; }
.personaje.posicion_espalda_9 {  background-position: -764px -481px; }
.personaje.posicion_espalda_10 { background-position: -859px -481px; }
.personaje.posicion_espalda_11 { background-position: -955px -481px; }
.personaje.posicion_espalda_12 { background-position: -1050px -481px; }
```

5. Ejercicio: crear la animación de un personaje que camina

Este ejercicio se encuentra en el capítulo JavaScript - sección Desplazar un elemento con el teclado.

Para el desplazamiento del personaje con el teclado, es necesario gestionar tres informaciones:

1) Es necesario mover el personaje, en X y en Y, en todas las direcciones, como para la bola (ver capítulo JavaScript - Desplazar un elemento con el teclado).

Para esta parte, basta con retomar el código de la bola, recuperar los eventos del teclado y modificar la posición del personaje.

2) Cuando el personaje se desplace en una dirección, hay que mostrar las imágenes del personaje correspondientes a su desplazamiento. Si el personaje se desplaza hacia arriba, habrá que mostrarlo de espaldas.

Cuando el usuario presiona una tecla de dirección, indica el sentido de la marcha. Para resolver esta segunda parte, vamos a memorizar en una variable (`posicionBH`) el sentido elegido: cara, espalda, derecha o izquierda, y utilizaremos esta variable en el momento de mostrar la clase del personaje.

3) Es necesario animar el movimiento de marcha del personaje. Si se desplaza hacia la izquierda, habrá que llamar a las clases **posicion_izquierda_1**, luego **posicion_izquierda_2**, luego **posicion_izquierda_3** y así sucesivamente para crear la animación de la marcha.

Llegados a esta última etapa, basta con modificar la clase del personaje, reconstruyendo el nombre de esta clase, y luego añadir un contador (numPosicion) indicando si el personaje está en posición 1 o 2.

La clase será, por tanto, la concatenación de diferentes elementos.

'posicion_' + posicionBH + '_' + numPosicion

A continuación, el código JavaScript completo para el personaje:

```
// recuperación de las dimensiones de la ventana
// independientemente del navegador, recuperación de las
dimensiones de la ventana
// para mantener al personaje en la pantalla
let anchuraVentana = window.innerWidth ||
document.documentElement.clientWidth
|| document.body.clientWidth;
let alturaVentana = window.innerHeight ||
document.documentElement.clientHeight
|| document.body.clientHeight;
```

```
// selección del único elemento HTML, el personaje
let personaje = document.querySelector('#personaje');

// posición CSS del personaje.
let numPosicion = 1;

// número de la última posición CSS del personaje
let maxNum = 12;

// posición cara, espalda, izquierda o derecha
let posicionBH = "";

let anchuraEtiquetaRoja = 5;
let margenX = 95 + anchuraEtiquetaRoja;
let margenY = 160 + anchuraEtiquetaRoja;
```

```
// posición inicial del personaje
let posBH = { x: 50, y: 150, maxX: anchuraVentana - margenX, maxY:
alturaVentana - margenY, pasoX: 7, pasoY: 7 };
let accion = { abajo: false, izquierda: false, arriba: false,
derecha: false }
// evento RESIZE
// si se redimensiona el navegador, se recupera la nueva anchura
window.onresize = function () {
    anchuraVentana = window.innerWidth ||
    document.documentElement.clientWidth ||
document.body.clientWidth;
    alturaVentana = window.innerHeight ||
    document.documentElement.clientHeight ||
document.body.clientHeight;
    // redefinición de los valores máximos, en función del tamaño
de la pantalla
    posBH.maxX = anchuraVentana - margenX;
    posBH.maxY = alturaVentana - margenY;
    if (posBH.x > posBH.maxX) {
        posBH.x = posBH.maxX;
    }
    if (posBH.y > posBH.maxY) {
        posBH.y = posBH.maxY;
    }
}
```

```
// primera función llamada cuando la página está completamente cargada
window.onload = function () {
    // para forzar al personaje a caminar al inicio de la página
    posicionBH = "derecha";
    accion.derecha = true;
    muevePersonaje();
    accion.derecha = false;
```

```
    // la llamada vía un setInterval de la función que moverá al
personaje
    setInterval(function () {
        muevePersonaje();
    }, 90);
}
```

```
//------------------------------------------- ACCIÓN TECLADO
// si una tecla del teclado es presionada, el booleano
correspondiente se pondrá a true

window.onkeydown = function (e) {

    switch (e.code) {
        case "ArrowDown":
            accion.abajo = true;
            break;
        case "ArrowUp":
            accion.arriba = true;
            break;
        case "ArrowRight":
            accion.derecha = true;
            break;
        case "ArrowLeft":
            accion.izquierda = true;
            break;
    }
}
```

```
// cuando se suelta una tecla, el booleano se pone a false
window.onkeyup = function (e) {
    switch (e.code) {
        case "ArrowDown":
            accion.abajo = false;
            break;
        case "ArrowUp":
            accion.arriba = false;
            break;
        case "ArrowRight":
            accion.derecha = false;
            break;
        case "ArrowLeft":
            accion.izquierda = false;
            break;
    }
}
```

```
//------------------------------------------- MAIN
function muevePersonaje() {
```

```
    // Posición teclado para modificar x, y y actualización
de posicionBH
    if (accion.abajo) {
        if (posBH.y < posBH.maxY) {
            posBH.y += posBH.pasoY;
        }
        posicionBH = "cara";
    }
    if (accion.arriba) {
        if (posBH.y > anchuraEtiquetaRoja) {
            posBH.y -= posBH.pasoY;
        }
        posicionBH = "espalda";
    }
    if (accion.derecha) {
        if (posBH.x < posBH.maxX) {
            posBH.x += posBH.pasoX;
        }
        posicionBH = "derecha";
    }
    if (accion.izquierda) {
        if (posBH.x > 2 * anchuraEtiquetaRoja) {
            posBH.x -= posBH.pasoX;
        }
        posicionBH = "izquierda";
    }
```

```
    // modificación de la posición x e y del personaje, vía el estilo
    personaje.style.top = posBH.y + "px";
    personaje.style.left = posBH.x + "px";
```

```
    //-------------------------------------------------------
    // Posición CSS
    //
```

```
    // Anular todas las posiciones
    personaje.className = "";
    numPosicion++;
    if (numPosicion > maxNum) {
        numPosicion = 1;
    }
```

```
    // agregar la clase correspondiente a la posición del personaje
    personaje.classList.add('posición_' + posicionBH + '_' +
numPosicion);

    // permite mostrar el numPosicion de la imagen vía el CSS
    personaje.setAttribute("data-imagecle", "" + numPosicion);
}
```

6. Ejercicio: creación de donuts

Este ejercicio se encuentra al final del capítulo sobre CSS3.

Descripción del código JavaScript a continuación.

Se crea una constante, `container`, en la cual se insertará todo el código HTML de los donuts.

Se crea como texto una variable `html`, que permanece vacía por el momento. Es en esta variable donde se añadirá el código HTML que se encontrará en el contenedor.

El bucle `forEach` recorrerá todo el array *losDonuts* y en cada iteración utilizará el contenido de cada elemento en *unDonut*.

Vamos, pues, a generar el código HTML de la etiqueta `div` para cada donut, añadiendo las clases `disco` y `hueco` para crear el aspecto del donut. Incluiremos el atributo `style` para establecer un fondo con un degradado cónico. Es en este degradado donde se deben poner los valores recuperados del array, para asignar el color y el porcentaje.

Seguirá la etiqueta `<span>`, en la cual se debe escribir el nombre de la fruta y su porcentaje.

En el bucle `forEach`, recuperamos la información del primer donut en **unDonut**. Escribimos en la variable `html` el código HTML de la etiqueta div, utilizando **unDonut**.*color* para escribir el color y **unDonut**.*prct* para escribir el porcentaje.

Lo mismo ocurre con la línea con la etiqueta `<span>`, donde añadimos código a la variable `html` haciendo un +=. El código en cuestión será la etiqueta `<span>`, en la cual se insertará el nombre del donut (**unDonut**.*nom*) y su porcentaje (**unDonut**.*prct*).

Después del bucle, se debe asignar la variable `html` a la propiedad innerHTML del `container` para ver el resultado en la pantalla.

Código JavaScript:

```
const losDonuts = [
     { prct: 87, nom: 'Manzanas', color: '#800' },
     { prct: 23, nom: 'Peras', color: '#080' },
     { prct: 55, nom: 'Kiwis', color: '#008' }
];
const container = document.querySelector(".contenedor");

let html = "";

losDonuts.forEach(unDonut => {
     html += "<div class='disco hueco' style='background:
conic-gradient(" + unDonut.color + " 0% " + unDonut.prct + "%,#ccc
" + unDonut.prct + "% 100%);'>";
     html += "<span>" + unDonut.nom + "<br>" + unDonut.prct + "%</span>";
     html += "</div>";
});

container.innerHTML = html;
```

7. Ejercicio: base de datos

```
<h1>Base de datos con IndexedDB</h1>

<label for="nombre">Nombre:</label>
<input type="text" id="nombre"><br>

<label for="edad">Edad:</label>
<input type="number" id="edad"><br>

<button onclick="anadir()">Añadir</button>
<button onclick="leer()">Leer las personas con edad < 50</button>

<div id="resultados"></div>

<script>

 let db;
 let request = indexedDB.open("miBase", 1);

 request.onupgradeneeded = function(event) {
   db = event.target.result;
   db.createObjectStore("personas", { keyPath: "id",
autoIncrement: true });
 };

 request.onsuccess = function(event) {
   db = event.target.result;
   console.log("Base de datos abierta con éxito");
 };

 request.onerror = function(event) {
   console.error("Error:", event.target.error);
 };

 function anadir() {
   const nombre = document.getElementById("nombre").value;
   const edad = parseInt(document.getElementById("edad").value);

   let transaction = db.transaction(["personas"], "readwrite");
   let store = transaction.objectStore("personas");

   let request = store.add({ nombre: nombre, edad: edad });

   request.onsuccess = function() {
     document.getElementById("resultados").textContent =
```

```
`Añadido: ${nombre}, ${edad}`;
   };

   request.onerror = function(event) {
     document.getElementById("resultados").textContent =
`Error al añadir: ${event.target.error}`;
   };
 }

 function leer() {
   let transaction = db.transaction(["test"], "readonly");
   let store = transaction.objectStore("test");
   let request = store.openCursor();
   let contenido = "<strong>Personas con edad < 50:</strong><br>";

   request.onsuccess = function(event) {
     let cursor = event.target.result;
     if (cursor) {
       if (cursor.value.edad < 50) {
         contenido += `${cursor.key}: ${cursor.value.nombre}
(${cursor.value.edad})<br>`;
       }
       cursor.continue();
     } else {
       document.getElementById("resultados").innerHTML = contenido;
     }
   };

   request.onerror = function(event) {
     document.getElementById("resultados").textContent =
`Error de lectura: ${event.target.error}`;
   };
}

</script>
```

He aquí el contenido de la etiqueta `<body>` con:

HTML

El formulario para el nombre y la edad, seguido de los dos botones: uno para añadir y otro para mostrar la lista.

`#resultados`, donde se mostrarán los datos de la base de datos.

JavaScript

Creación de la base « miBase » y de la tabla « personas ».

La función `anadir()` que:

- recupera la información del formulario;
- se conecta a la base de datos;
- añade el nombre y el apellido con el método `add()`;
- muestra un resultado en caso de éxito o de error.

La función `leer()`:

- se conecta a la base de datos;
- crea una variable `contenido` para mostrar el resultado;
- si la conexión a la base de datos ha ido bien (`onsuccess`), crea un cursor que recorre los registros. Si la edad recuperada es inferior a 50, añade la información a `contenido`.
- continúa y, cuando ya no hay más registros (el cursor llega al final), muestra el resultado.

Conclusión

A lo largo de este libro usted habrá podido hacerse una idea completa de los lenguajes del lado cliente. Si algún día programa en algún otro lenguaje (Java, PHP, C...), verá que existen herramientas específicas para estos lenguajes que facilitan la depuración.

Aquí, para HTML, JavaScript y CSS, las herramientas de depuración son mínimas, de modo que debe pensar en avanzar poco a poco: escriba algunas líneas de código y, a continuación, observe el resultado. Si funciona, continúe con algunas líneas de código más y compruebe de nuevo. Si no funciona, basta con revisar las últimas líneas que acaba de agregar

Estos tres lenguajes no son muy complejos, pero requieren bastante atención.

Esperamos que este libro le haya permitido comprender las bases y le haya generado interés para crear resultados bonitos e interesantes.

Le deseamos que cree los mejores sitios web y que esté muy satisfecho del resultado conseguido.

!

B

C

D

E

F

J

L

N

O

P

R

S

T

U

V

W

X

Z